KB138167

옥스퍼드
세계도시
문명사

1

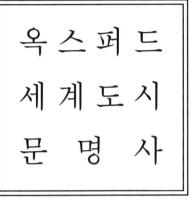

THE OXFORD HANDBOOK OF
CITIES IN WORLD HISTORY

1

초기 도시

피터 클라크 총괄편집 | **오거스타 맥마흔 외** 지음
민유기 옮김

책과함께

일러두기

- 이 책은 Peter Clark가 편저한 *The Oxford Handbook of Cities in World History* (Oxford University Press, 2013)를 완역한 것이다(한국어판은 4권 분권 발행).
- 본문의 ( )와 [ ]는 원서의 내용이고, 〔 〕는 옮긴이의 내용이다.
- 각주는 모두 옮긴이 주다.
- 원서의 이탤릭 부분은 강조체로 옮겼다(도서명은 제외).
- 각 장의 주와 참고문헌은 해당 장 뒤에 실었다.
- 외국 인명·지명 등의 한글 표기는 주로 국립국어원의 외래어표기법을 따르되 일부는 통용되는 표기를 따르기도 했다.

한국어판 서문

《옥스퍼드 세계도시문명사》는 한국 독자들에게 세계 도시의 기원에서 부터 현재까지의 발전에 대한 상세한 비교 연구를 최초로 제공함으로 써 세계사와 당대 현실을 이해하는 데서 도시의 역할이 중요함을 보여 주고자 합니다.

선도적 학자들은 이 핸드북의 44개 장에서 다음을 탐구합니다. 아 시아와 중동, 유럽, 아프리카, 아메리카의 주요 비교 도시화 경향, 위 대한 거대도시 중심지에서 교외·식민도시·항구에 이르기까지 다양한 유형의 도시, 이뿐만 아니라 도시 세계를 창조하고 재창조하는 데 필 수적인 많은 주제인 권력의 역할, 경제 발전, 이주, 사회적 불평등, 환 경적 압력과 도시 대응, 종교와 표상, 영화, 도시 창의성 등이 그것입니다. 책은 세 부분으로 되어 있습니다. 첫 번째는 고고학 자료를 중요하게 활용하는 고대 도시의 초기 발전을 살펴봅니다. 두 번째는 중세에서 19세기에 이르는 도시성장의 비교 패턴을 살펴보고 그 다양한 물결, 도시화의 롤러코스터, 변화하는 국제 교역 패턴의 영향, 국가의 형성을 강조합니다. 마지막 부분은 근대 산업화 및 상업화, 운송 및 여러 분야의 신기술, 강력한 현대국가의 부상에 의해 추진된 19세기와 20세기의 복잡한 도시 변형을 고려합니다.

출간 분량의 제약으로, 《옥스퍼드 세계도시문명사》는 모든 국가나 지역의 도시개발에 대한 자세한 설명을 제공하지는 않습니다. 이 책은 백과사전이 아니기 때문입니다. 한국의 경우 낸시 S. 스타인하트의 6장에서 고대 중국의 도시와 한반도 북부 도시 간의 중요한 상호작용에 대해, 중세와 근대 초기에 걸쳐 중요하게 남아 있는 상호작용(과 갈등)에 대해 언급합니다. 폴 웨일리의 29장에서는 1910년 이후 일본의 한국 점령과 식민 지배 및 한국의 도시계획에 대해 설명합니다. 전후戰後 시대에 서울의 급속한 성장은 37장에서 논의되고, 서울은 현대 거대도시 관련 데이터 집합(41장)에서 (자세한 언급은 없을지라도) 수치로 표시됩니다. 한국 도시에 대한 한국과 여러 나라 도시학자들의 주요한 최근 연구 및 출판물을 고려하면 한국 도시에 관한 이처럼 간략한 언급은 정당하지 않습니다. 민유기, 신경호Kyoung-ho Shin, 지나 반스Gina Barnes, 마이클 팀버레이크Michael Timberlake 등의 논저들은 한국 도시의 초기 발전, 국가 형성에서 도시의 역할, 19세기의 중요한 도시 공중보건 발전, 도시의 사회적·환경적 발전, 20세기 후반 이후 급속한 도시성장 과정에서 도시계획의 도전들을 강조했습니다. 특히 옥스퍼드 핸드북의 비교 방법론과 잘 어울리는 비교 연구 접근법을 활용한 한국 도시 연구의 강조가 증가하고 있다는 점이 중요합니다.

나는 도시체계의 다원성과 병렬성, 국제 이주, 교역, 권력을 통한 도시의 연결성에 대한 포괄적인 이야기를 담고 있는 세계사 속의 도시에 관한 이 책이 한국의 독자들에게 상당한 관심을 불러일으키고 모든 복잡한 차원에서 지구적 도시에 대한 국제 연구 및 이해의 성장에 관한 많은 발전에 기여할 수 있기를 소망합니다. 한국인 독자를 위해 이 방대한 분량의 핸드북을 번역하는 막중한 작업을 맡아준 민유기 경희대학교 교수이자 한국 도시사학회〔공동〕창립자에게 깊은 감사를 표합니다.

2023년 1월 헬싱키에서
피터 클라크

서문
Preface

《옥스퍼드 세계도시문명사》는 도시가 전례 없이 세계의 중심 무대로 대두된 시점에서 쓰였다. 현재 더 많은 사람이 시골보다 도시에서 살면서 지구의 천연자원을 높은 비율로 소비하고 있다. 게다가 중동 도시들에서의 대중 봉기가 다른 곳의 급진적 공명과 함께 중동 지역에 새로운 정치적·문화적 경관을 만들어내는 동안에, 2008년과 2011년의 경제·금융 위기는 아시아 및 여타의 이른바 개발도상 지역과 선진적 서양 사이 도시적 힘의 균형에 지진 효과를 발생시켰다. 세계를 선도하는 많은 도시가 존재했고 이 도시들이 천 년은 아닐지라도 수 세기 동안 중요했음을 감안하면, 현재의 경제적·사회적·문화적 변화를 낳은 지구적 도시개발을 폭넓은 역사적 시각에서 광범위하게 비교 검토하는 작업이 매우 필요하다.

이 책은 출판사가 제안했는데 많은 도전을 불러일으켰다. 먼저 서론(1장)에서 설명한 것처럼 최근 도시사 연구가 크게 진전했음에도, 그 연구의 대부분은 국가적 혹은 지역적 연구에 국한되었고, 대륙횡단적transcontinental 규모에 대한 비교분석에는 관심이 훨씬 적었다. 그래서 글로벌 비교 연구에 흥미를 느낀 50여 명의 우수 학자 네트워크가 곧 학문적 노아의 방주가 기초부터 건립되어야만 했다. 이와 연계된 것으로 국가 연구기금 위원회가 글로벌 관점의 연구에 봉사한다고 선전하면서도 지역 혹은 자국의 연구 계획에 대한 지원을 선호하는 점도 문제였다. 마지막으로, 출판 역시 회계의 대상인 시대이기에 편자와 저자들에 대한 제약이 필연적으로 엄격해져서 모든 타운과 도시, 모든 화제를 책에서 다루지는 못했다. 편자와 저자들은 삽화, 회합, 이와 유사한 모든 활동에 필요한 비용을 모금해야만 했다.

그럼에도 《옥스퍼드 세계도시문명사》는 그 초기부터 현재까지 세계의 주요 도시체계에 대한 최초의 세밀한 연구서다. 처음부터 목표는 이것저것 각양의 논문을 모은 백과사전이 아니라 논쟁, 담론, 테마를 포함한 통합적 작품을 구성하는 것이었다. 그것이 지구적 도시화와 그 결과에 대한 합의나 기본 방침이 존재함을 의미하지는 않는다. 사실상 이 책은 복수의 시각과 의견을 탐사한다. 그런 만큼 도시 인구 수치에는 데이터의 취약성 그리고/또는 복잡성을 반영하는 상당히 다양한 의견이 존재한다. 공저자들 사이 대화를 촉진하기 위해 두 번의 국제 학술대회가 2010년 5월 헬싱키대학교와 2011년 4월 펜실베이니아대학교에서 개최되었다. 이 기회에 공저자 대다수는 열성 가득한 많은 대화와 신중한 사교를 하면서, 도시사의 비옥한 전통 속에서 논쟁을 벌이고 토론하며 이 책의 핵심을 진정으로 도출해냈다. 이 지면을 빌려 헬싱키대학교, 이 대학교의 역사학과, 헬싱키시의 도시사무국, 헬싱키의 네덜란드대사관, 헬싱키 학술대회를 지원하고 후원해준 엘라-게오르그 에른로트 재단Ella and Georg Ehrnrooth Foundation에 큰 감사를 표한다. 나의 예전 조교 마티 한니카이넨Matti Hannikainen은 수비 탈자Suvi Talja, 리처드 로빈슨Richard Robinson, 레니 티스달르Rainey Tisdale, 니코 립사넨Niko Lipsanen과 함께 학술대회 조율에 커다란 도움을 주었다. 마찬가지로 필라델피아 학술대회 조직을 주도한 레나타 홀로드Renata Holod에게 감사하며 낸시 S. 스타인하트Nancy S. Steinhardt와 그녀를 도운 린 리스Lynn Lees에게도 감사하다. 필라델피아 학술대회는 여러 기관의 지원을 받았다. 펜실베이니아대학교의 국제연구를 위한 프로보스트기금Provost's Fund, 예술·과학대학, 디자인대학, 펜도시연구소Penn Institute for Urban Research, 고대연구센터, 아프리카연구센터, 중동센터, 동아시아연구센터, 역사학과, 미술사학과, 펜박물관, 브린모어칼리지의 도움에 감사를 표한다. 그레고리 텐틀러Gregory Tentler는 중요한 정보 체계 지원을 제공해주었고, 펜실베이니아대학교 밴펠트도서관의 존 폴락John Pollack과 댄 트레이스터Dan Traister는 근대 초기의 도시 지도를 다룬 훌륭한 전시회를 기획했는데 그 지도들 가운데 하나가 이 책에 실려 있다.

다른 이들에게 진 빛이 덜 중요한 것은 아니다. 편자로서 나는 각각 〔도시〕 초기와 근대 시기의 편집 조교였던 데이비드 매팅리와 린 리스의 귀중한 조언, 격려, 적절한 순간의 위로에 매우 감사한다. 다른 편집진의 도움에도 마찬가지다. 헬싱키대학교는 삽화를 위한 재정적 도움을 주었다. 마티 한니카이넨은 공저자 웹사이트 조율에 도움을 주었고, 마크 엘빈Mark Elvin, 그레임 바커Graeme Barker, 마틴 다운턴Martin Daunton은 그 최초 단계에서 중요한 조언을 제공해주었다.

특별히 대부분의 지역지도와 상당수의 이미지를 작업해준 니코 립사넨과 마찬가지의 도움을 준 수비 탈자에게 고맙다. 고대 중국 지도는 펜실베이니아대학교의 쓰제 런Sijie Ren이 작업했다.

옥스퍼드대학교출판부의 스테파니 아일랜드Stephanie Ireland, 에마 바버Emma Barber, 돈 프레스턴Dawn Preston은 다소 힘들었던 제작 단계에서 도움을 주었다. 수전 부비스Susan Boobis는 찾아보기를 준비해주었다.

끝으로, 《옥스퍼드 세계도시문명사》는 공저자들, 그들의 열정과 헌신적 모험을 지지해준 소속 기관들, 그들의 가족에게 커다란 신세를 졌다. 공저자들의 아이들인 로렐Laurel과 토비아스Tobias가 이 모험 도중에 태어났다!

헬싱키에서
피터 클라크

제1부 초기 도시

개관

제2부 전근대 도시

개관

주제

──────────── **제3부 근현대 도시** ────────────

개관

주제

시각자료 목록(도형, 도판, 지역지도, 표)
이미지 사용 허가
글쓴이 소개

옮긴이 해제: 인류 도시 문명의 '오래된 미래'를 위한 지침서

찾아보기

제1장

서론
Introduction

피터 클라크
Peter Clark

2008년에 처음으로, 세계 인구의 대다수는 시골countryside이 아닌 도시 city에서 살게 되었다. 세계는 어느 정도 정말로 도시적urban으로 되었다. 그에 못지않게 놀라운 점은 대규모 도시large city의 확산이다. 2011년 기준으로 인구 100만 명이 넘는 도시city와 도시권역urban agglomeration이 거의 500개가 있고, 인구 1000만 명이 넘는 초거대도시mega-city가 26개가 있는데, 18세기 초반에는 인구 100만 명의 도시가 1개(에도江戸, 오늘날의 도쿄)뿐이었다.[1] 어떻게 이런 중대한 전환이 이루어졌는가? 도시체계들은 과거에 어떻게 진화하고 상호작용했는가? 사회 내에서 도시의 역할은 무엇이었고 지역들 사이에서 그것의 비교는 어떠했는가? 왜 어떤 도시 공동체는 다른 도시 공동체보다 더 성공적이었고, 더 창의적이었는가? 고대 그리스, 메이지明治 시기 일본, 혹은 산업화 시기와 탈산업화 시기 유럽에서 타운town 거주민이 된다는 것은 무엇을 의미했는가? 과거의 도시 양상은 현대 세계의 그것에 어떤 영향을 주었는가?

이 **핸드북**Handbook은 세계 주요 도시체계urban system의 초기부터 현재까지 진화에 대한 최초의 상세한 분석을 통해 해당 질문들에 답을 하고 있다.[2][*] 이는 도시개발urban development들의 백과사전을 제공하려는 것도, 개별 도시들의 역사 개괄을 제시하려는 것조차도 아니다. 접근 전략은 두 가지로 나뉜다. 첫째, 주요 도시체계의 주된 동향에 관한 사례연구들을 소개한다. 둘째, 이러한 체계들과 네트워크들을 설명하고, 구별하고, 상호연결하는 것에 도움이 되는 권력, 인구 및 이주, 표상, 환경, 상업 네트워크 등 몇몇 핵심 변수의 비교분석을 제시한다. 발전의 과정은 먼저 도시의 기원부터 약 600년까지의 초기 시대, 이후부터 19세기 전까지의 전근대 시대, 마지막으로 19세기부터 현재까지의 근현대 시대 등 세 시기에 걸쳐 검토한다. 지역개발의 복잡성과 특수성을 고려할 때, 연대기적 분석이 완벽하게 일치되지는 않을 것이다.

이 서론에서는 먼저 도시의 역사에 대한 비교접근의 가치와 문제점, 아울러 탐구가 되어야 할 많은 핵심 주제와 질문과 관련해 논의할 것이다. 이어 책의 각 장 소개와 함께 도시개발의 초기부터 현재까지 주요 동향에 대한 개요를 서술할 것이다.

---

[*]　"핸드북"은, 《옥스퍼드영어사전Oxford English Dictionary》에 따르면, "어떤 예술, 직업, 또는 학문의 지침에 관한 간명하면서도 포괄적인 책이나 논문"을 뜻한다. 옥스퍼드 핸드북은 옥스퍼드대학출판부의 가장 권위 있고 성공적인 시리즈로 해당 분야 최고 학자들의 심층적이고 수준 높은 글들을 포함해 세계에서 가장 신뢰할 만한 학술연구 리뷰를 제공한다. 옥스퍼드 핸드북은 온라인으로 먼저 공개된 후 지속적 업데이트를 거쳐 인쇄판으로 출판된다.

분명한 것은 최근 들어 전 세계적으로 도시지역urban region 및 도시 체계와 도시구조 사이 융합 정도가 증가하고 있음에도 그 격차disparity와 분화differentiation가 여전히 매우 두드러진다는 점이다. 아메리카·일본·유럽·오스트랄라시아Australasia〔오세아니아의 서남부〕의 도시화율은 70퍼센트를 훨씬 웃도는 반면에, 아프리카와 중동을 포함한 아시아의 도시화율은 그 이하다. 초거대도시에서 살아가는 도시 인구의 분포는 유럽이나 아프리카보다 아시아와 아메리카에서 훨씬 더 가변적이다. 도시 생활의 기준에서 볼 때, 그 차이는 마찬가지로 눈에 띈다. 2007년 최고의 삶의 질을 제공하는 상위 30개 도시 가운데 7개 도시가 유럽에 있었고 6개 도시가 북아메리카에 있었는데, 아시아나 라틴아메리카에는 한 곳도 없었다. 또 많은 세계적 주요 관광지가 유럽에 위치한다. 한편으로 면적이 5000제곱킬로미터를 초과하는 거의 모든 도시권역은 아시아와 라틴아메리카에서 발견되는바, 이들은 종종 빈약한 시민 거버넌스civic governance와 극심한 사회문제 및 환경문제에 취약한 지방분권화한decentralized 도시들이다.[3]

이와 같은 변화와 대조를 이해하기 위해 도시, 도시 네트워크urban network, 도시사회urban society가 어디에서 왔는지 이해할 필요가 있다. 도시성장의 역사적 롤러코스터, 도시위계urban hierarchy의 진화, 이러저러한 핵심 요소가 도시와 도시 네트워크의 형태를 만들었다. 중국, 일본, 인도, 중동에서뿐만 아니라 유럽, 아메리카, 아프리카에서의 발전들을 비교할 필요도 있다. 여기에는 도시들이 같은 궤적을 따라 발전한다는 목적론적 의제도, 환원주의적 발상도 존재하지 않는다. 많은 서로 다른 유형의 도시, 많은 서로 다른 도시의 발명이 특히 초기에 존재했다.

이후에 더 커다란 도시 융합이 있을지도 모른다. 그럼에도, 과거 세계의 도시 공동체 비교 연구가 글로벌 기반의 현대와 미래 도시개발을 이해하기 위한 전제조건이라는 게 이 연구의 근본적 주장이다.

도시사 비교접근법

비교접근법은 문헌, 정의, 개념화와 관련해 많은 어려움에 직면한다. 첫 번째 문제는 문헌이다. 도시연구, 특히 도시사의 역설 중 하나는 40~50년 전에 이미 비교 연구에 활발한 관심이 있었다는 것이다. 연구 초기의 영향 중 하나는 1920년대에 도시의 일반적 모델을 구축하려 노력한 로버트 파크Robert Park와 시카고학파Chicago School로부터 나왔다. 그러나 그들의 비교분석은 피상적이었고 대부분이 미국 도시들에 초점을 맞추고 있었다. 더 중요한 자극은 제2차 세계대전 후 도시연구에 점점 더 많은 관심을 가진 프랑스 아날학파Annales School에서 비롯했다. 남부유럽, 북아프리카, (잠깐 동안) 근동 지역의 발전들을 비교한 페르낭 브로델Fernand Braudel의 《펠리페 2세 시기의 지중해와 지중해 세계 La Méditerranée et le Monde méditerranéen à l'époque de Philippe II》(1949)의 사례를 따라, 프랑스의 지역연구들은 인도 도시들에 대한 부수적 설명을 통해 중동과 유럽 도시들을 비교 조명 했다.[4] 〔브로델의 책은 국내에서는 《지중해: 펠리페 2세 시대의 지중해 세계》(전 4권)로 번역·출간되었다.〕

비교 연구의 또 다른 주요 자극은 막스 베버Max Weber의 《도시Die Stadt》가 1958년 영어로 번역되면서 파생되었다. 1921년에 처음 출간된 베버의 연구는 상당한 수준의 도시 자율성 곧 "단어의 완전한 의미로서 도시 공동체"와 중세 기독교 유산에 뿌리를 둔 유럽 도시들의 독특한 시민적이고 공동체적인 정체성을 강하게 주장했다. 그에 의하면, 유럽 타운들의 독특한 뷔르거[도시민]burgher 리더십이 없었던 중동과 아시아의 다른 곳들에서는 공동체적 정체성과 활동이 가변적이고 불완전했다.[5] 비록 베버의 주장이 계속되는 논쟁을 불러일으켰을지라도 (9장, 12장, 21장, 23장 참조), 그의 작업은 이슬람과 중국 도시들에 관한 비교 연구에 중요한 계기를 마련해주었다.

1950년대와 1960년대의 세 번째 영향은 사회인류학자들이 수행한 흥미로운 연구들에서, 예를 들어 현대 미국 및 아프리카 타운 연구들에서 비롯했다. 이는 역사학자들이 근대 초기 유럽의 도시와 현대의 도시구조 및 도시개발 사이의 가능한 유사점들을 강조하게 만들었다.[6] 글로벌 차원의 시기교차적cross-temporal 기반에서 전근대 도시의 모델을 구축하려는 가장 야심 찬 시도 하나는 1960년에 출간된 기데온 셰베리 Gideon Sjöberg의 《전前산업 도시, 과거와 현재The Preindustrial City, Past and Present》였다.[7]

그런데 1980년대에 이르러 적어도 두 가지 이유로 비교 연구가 쇠퇴하기 시작했다. 하나는 제국주의자들의 계획인 식민주의적 건축 유형과 같은 이른바 거대서사meta-narrative의 광범위한 비교사에 대한 포스트모더니즘의 반응이었다. 에드워드 사이드Edward Said는 《오리엔탈리즘Orientalism》(1978)에서 도시에 대해서는 거의 언급하지 않지만, 비교접근법이 중동과 그 세계에 대한 우리의 이해를 왜곡시켰다고 주장했다. 후속 저자들은 비교 지역연구에 훨씬 더 비판적이었다.[8]

〔1980년대에 이르러 도시 관련 비교 연구가 쇠퇴하기 시작한〕또 다른 이유는 연구기관, 전문 학술지 등의 성장에 힘입어 1980년대부터 전문 연구들이 비약적으로 급증했기 때문이다. 일례로 우리는 유럽 내에서 프랑스, 독일, 영국, 여타 국가의 학파들에 의한 연구가 만개하고 있음을 인지하고 있다. 학문적 고용시장과 공적 연구 정책들의 압력으로 이 세대의 작업은 매우 세밀하고 고도로 전문화한 연구의 형태를 자주 취해왔다.[9] 훨씬 더 문제가 되는 것은 국가별 연구 공동체들이 특정 시기와 특정 주제들을 우선시하면서 그들만의 특정 의제들을 만들어냈다는 점이다. 따라서 유럽의 전역에서 비교분석을 수행하려는 시도는 어려움으로 가득 차 있었고, 특정 도시 주제들은 일부 국가에서는 완전히 무시되었으나 다른 국가에서는 풍부하게 연구되었다. 도시의 역사에 대한 전문가들의 성과는 전 세계 많은 국가에서 비슷하게 폭발적 증가를 보였다.

도전은 이러한 전문 연구의 급증을 어떻게 도시들의 새로운 비교분석으로 이끌 것인가 하는 점이다. 지난 10여 년 동안 세계화globalization와 그 과정에서 거대도시metropolitan city의 역할을 둘러싼 관심이 높아지면서 비교 도시연구 욕구가 다시 살아났고, 사회학자들과 지리학자들이 관련 연구를 개척했다.[10] 더 최근에는 아시아연구자Asianist들과 경제 사학자들이 영향력을 행사해온 세계화 이전 시기 역사연구가 18세기 후반과 19세기 아시아 및 서구의 이른바 대大분기Great Divergence뿐만 아니라 글로벌 생활수준, 제조, 마케팅 등에 관한 중요한 논의의 장을 열었다. 이 분석들에서 도시는 꾸준히 중앙무대로 이동해왔다.

지구적 도시화 연구자는 다른 도전들과도 마주친다. 주요 어려움은 도시나 타운이 무엇을 의미하는지 정의하는 것과 관련이 있다. 베버는 도시를 주로 제도적 또는 공동체적 용어로 정의했다. 1930년대 독일의 지리학자 발터 크리스탈러Walter Christaller는 다른 정주지settlement들에 서비스 기능을 제공하는 것을 도시주의urbanism의 핵심 기준으로 삼는 중심지이론Central Place theory을 만들었다. 이 작업은 유럽 〔도시〕 연구자들과 마찬가지로 중국 〔도시〕 연구자들에게도 영향을 끼쳤다. 전후戰後 시기 조시아 러셀Josiah Russell과 킹슬리 데이비스Kingsley Davis 같은 인구〔통계〕학자들은 도시를 정의하는 데서 인구population를 기준으로 내세웠다.[11] 이런 단순함은 기만적으로 오해를 낳을 수도 있다.

세계 전역 도시 및 타운의 커다란 다양성과 고대와 현대 사이 중요한 인구학적·경제적·여타의 변화들을 고려할 때, 시간 흐름에 따른 도시 공동체들의 다기능성을 인지하면서 비규범적 틀을 채택하는 편이 현명할 것이다. 이를 기반으로 우리는 도시와 타운이 항상 그렇지는 않지만 대체로 상대적으로 밀집된 인구 집중, 이러저러한 경제적 기능, 반드시 제도적인 것은 아니지만 복잡한 사회적·정치적 구조, 공동체의 경계를 넘어 확장되는 문화적 영향력, 주요 공공건물과 공공장소로 구분되는 독특한 건조환경built environment을 가진다고 기대한다. 그런데 이들 모든 명확한 특징이 동시에 나타나지는 않는다. 그와 같은 폭넓은 정의의 행렬은 초기 비교 연구의 탈식민주의 비평가들이 혹평했던 경직된 도시 유형화를 피한다. 그것이 완벽한 해결책은 아니다. 현대에 확산해 있는 초거대도시지역mega-city region은 이런 틀에 쉽게 들어맞진 않는데, 그래도 그 중심에는 이 모델의 복합 기능적 핵심이 있는 경우가 많다.

개념적 문제들의 마지막 틀 하나가 제기되어야 한다. 앞서 언급했듯이, 우리는 도시화urbanization와 도시개발의 다양한 양상과 그것들이 현지적 상황과 지역적·국가적 변수들에 의해 어떻게 형성되었는지 조사하고 이해하는 데 관심이 있다. 그런데 역사학자들은 유사점과 융합에도 똑같이 관심이 있다. 예컨대 여기서 다음과 같은 질문을 던질 필요가 있다. 종종 격자형 양상을 지닌 초기 도시의 기본 계획에 나타나는 유사점들은 도시화의 구조적 압력(교통 혼잡, 환경오염 등을 해결할 필요성 등)에 대한 자체적이면서도 공통적인 인간 대응의 결과인가? 문화적, 상업적 발상 및 여타의 발상이 전이된 '연결성connectivity'의 효과인가?[12] 아래에서 보겠지만, 모든 징후는 대륙 간 연결성이 고대에 이미 도시개발의 일부 측면에 영향을 끼쳤고, 근대와 현대의 주요 상호작용을 예고하는 전근대에 점점 더 그 역할이 (일관적이지는 않을지라도) 커졌다는 점을 알려준다.

《옥스퍼드 세계도시문명사》에서 다루는 핵심 주제들로 눈을 돌려보면, 주된 관심사는 전 세계적인 도시화의 양상이다. 과거의 도시화 과정은 예측할 수 있거나 지속되는 것과는 거리가 멀다. 그것은 둔화, 심지어는 탈도시화de-urbanization가 뒤따르는 팽창expansion의 파도와 같은 발전의 롤러코스터로 특징지어졌다. 고대에 초기 타운들은 종종 지역의 요구에 부응하기 위해 독립적으로 생겨났으나, 이후 도시의 양상들은 자주 더 큰 의미를 지니게 되었다. 근본적 관심은 왜 팽창(그리고 때로는 수축contraction)이 특정 시기에 일반적이며 거의 지구적 과정이었는가에 있다. 일례로, 11세기에서 14세기까지 아시아에서 유럽으로 이어지는 도시성장urban growth의 위대한 시대가 있었다. 하지만 17세기와 19세기와 같이 처음에는 유럽이, 이후에는 중국과 인도가 주된 도시화의 흐름에서 벗어나 있을 때도 있었다. 모든 단계에서 지역적 분화는 도시성장의 역사적 경향을 이해하는 데서 중요하다.

이 책은 도시개발의 동인들과 관련해 중요한 질문들을 제기한다. 많은 장(특히 9장과 23장)은 도시의 건설과 성장에서 농업 전문화agricultural specialization, 상업화commercialization, 산업 성장과 같은 시장의 힘들 간 긴장과 권력─지배자, 토지소유자, 종교, 이후에는 국가─의 역할에 대해 조망한다. 글로벌 무대에서 그리고 시간이 지남에 따라 역동적 관계는 어떻게 변화하는가? 이 책에서 언급하는 도시 변화의 또 다른 반복적 동인 하나는 경쟁과 협력의 영향이다. 자원, 교역, 인구, 그 외 많은 것을 둘러싼 도시들 사이 경쟁은 십중팔구 가장 이른 초기에 영향을 끼쳤을 것이고, 이후 시기에는 그 중요성을 유지했을 것이며, 점점 더 세계화의 동력 중 하나로 기능하게 되었을 것이다. 그러나 다른 장들은 거버넌스governance, 기반설비infrastructure 개발, 문화생활, 무엇보다도 도시경관urban landscape에 영향을 끼치는 도시들 사이 모방과 협력이 도시의 분화와 국제화에 어떻게 중요한 역할을 했는지를 밝힌다.

세계 어느 지역에서든 타운 거주민들의 공통 관심사는 도시 서비스의 제공과 전달에 있었다. 앞으로 보겠지만, 시간이 지나면서 도시 서비스들은 그것이 경제적이든 사회적이든 정치적이든 혹은 문화적이든 간에 전 세계에 걸친 도시들과 도시체계 사이에서 그 유형 및 규모가 크게 변동했다. 그러나 중요하고 연관되는 것은 서비스가 구성되는 방법이다. 그 방법은 시, 국가, 민간, 혼합(종교단체 및 자발적 단체를 포함하는) 조직 같은 다양한 유형의 기관과 관련 있으며, 도시개발의 결정적 주제인 재정문제와도 관련 있다(14장, 23장, 27장 참조). 분명한 사실은, 전부는 아니더라도, 대부분의 시기에 도시들이 자신들의 주변 세계에 파도를 일으킨다는 것이다. 특히 도시는 종종 양극화한 인식이나 태도를 만들어낸다. 우리는 초기부터 어떻게 도시가 문학, 노래, 지도, 그림, 영화 등에서 긍정적 반응과 찬양을 끌어내는지 살펴볼 것이다. 그러나 18세기 후반 영국, 20세기 초반 독일과 러시아, 독립 후의 인도와 마오주의의 중국처럼 특정한 시기의 특정 지역, 도시, 특히 대도시big city에서는 반反도시주의anti-urbanism가 유행했다.[13]* 이와 같은 폭발의 배경에는 어떤 요소들이 있고 그것들은 도시의 발전에 어떤 영향을 끼치는가? 언제 도시 헤게모니에 대한 현대적 의미가 시작되는가?

언급한 일반적 주제들과 질문들은 도시체계의 다원성plurality과 병렬성parallelism을 강조하고 우리를 연결성의 주제로 되돌린다. 고대와 전근대 시기부터 도시 네트워크의 융합과 상호작용이 증가했다면 연결성의 주요 매개체는 무엇이었는가? 최소한 두 가지가 결정적이었는바, 하나는 디아스포라diaspora이고 하나는 국제적 교역이다. 높은 사망률에서 기인한 반복적인 인구학적 감소를 상쇄하는 이주migration는 도시의 생명줄이었다(8장, 22장, 35장 참조). 따라서 유럽, 중동, 또는 아시아에서처럼 대규모 및 장거리의 민족 이주는 초국가 교역 네트워크의 성장과 자주 연결된 국제주의의 강력한 힘이었던 것으로 보인다. 같은 방식으로 해외 무역은 아마도 그 초기부터, 확실히 14세기쯤에는 동아

---

* 영어 "large city"는 면적과 인구 규모가 큰 대도시라는 의미가 있고 "big city"는 이에 더해 (도시의) 영향력까지 큰 대도시라는 의미가 있으나, 둘 모두 우리말로 "대도시"로 번역된다. 이 책에서 "large city"는 "대규모 도시"로, "big city"는 "대도시"로 옮긴다.

시아·남아시아·중동·유럽의 항구를 포함한 교역 중심지들을 연결했다. 이는 심지어 글로벌 무역이 모든 강력한 수렴과 분열적 파장으로 폭발한 19세기와 20세기(25장 참조) 이전에, 근대 초기부터 세계적 규모로 확장되고 또 확장된 상호작용이었다(19장 참조).

《옥스퍼드 세계도시문명사》를 구성하는 주제들과 문제들, 비교분석의 도전들을 설명했으니 이제 도시개발의 주요 단계를 그 기원부터 살펴보고 이 책의 장들과 연결해보자.[14]

초기 도시의 경향

도시는 기원전 제4천년기〔기원전 4000~기원전 3001〕 무렵 메소포타미아(오늘날의 시리아와 이라크)에서 기원한 것으로 보이며 그 후 나일계곡에서, 다음으로 지중해 세계 전역에서 나타났다. 도시들은 또한 성숙기 하라파Harappa 시대(기원전 2600~기원전 1900)에 인더스계곡에서 상당한 규모로 나타나며 중국에서는 기원전 제3천년기〔기원전 3000~기원전 2001〕 중반 무렵에 발전의 정점을 맞았다.

2장에서 오거스타 맥마흔Augusta McMahon은 메소포타미아 도시들에 일반적으로 계획된 신전과 궁전 단지가 있었으나 계획되지 않은 동네neighbourhood와 산업 구역도 있었음을 제시한다. 많은 도시는 물 공급, 교통 경로, 배후지hinterland 연결, 도시의 발전에 중요한 이주와 함께 유기적으로 발전했다. 지역국가regional state들과 관련되어 계획된 정치적 도시들은 더 적었다. 다른 곳과 마찬가지로, 메소포타미아 도시들도 성장과 쇠퇴의 주기를 경험했다. 도시개발은 매우 큰 과정이었다. 지중해 지역에서(3장 참조) 우리는 근대 초기까지 필적할 수 없는 밀도와 복잡성을 가진, 종종 의도적으로 세워진 통합된 도시 네트워크의 출현을 목격한다. 앤드루 윌리스-하드릴Andrew Wallace-Hadrill과 로빈 오즈번Robin Osborne의 설명에 따르면, 기원전 9세기에 형성된 초기 페니키아인들의 근거지들은 기원전 8세기에 그리스 도시들로, 이후에는 로마 도시들로 이어졌다. 공동체들은 자신들의 도시 정체성urban identity을 자각했고 도시의 발전은 경제활동(산업, 서비스 및 원거리 교역 등)만이 아니라 권력에 연계된 정돈된 공간과 관계의 규범으로 형성되었다. 인더스계곡에서는(5장 참조) 4~5개 주요 정주지가 일부 수공업과 원거리 교역에 관여하면서 대규모의 요새화한 도시로 발전했으나 지중해와 중동의 사례와 비교하면 도시 중심지urban centre는 규범적이기보다는 예외적인 것으로 보이며, 기원전 제2천년기〔기원전 2000~기원전 1001〕에 모두 쇠퇴했다. 중국의 초기 원原도시 정주지proto-urban settlement들은 기원전 제6천년기〔기원전 6000~기원전 5001〕부터 생겨났으나, 낸시 S. 스타인하트Nancy S. Steinhardt에 따르면(6장 참조), 기원전 제3천년기〔기원전 3000~기원전 2001〕 중반 무렵에 도시혁명urban revolution이 발생했다. 이때 수많은 도시는 넓은 성벽wall으로 둘러싸인 구역, 지배 엘리트, 풍부한 농업 자원과 일부 장인匠人, artisan 작업장〔공방〕workshop과 가득 들어차 있는 형태로 나타났다.

1세기 무렵 개발된 도시체계들은 세계의 많은 지역에서 발견된다([표 1.1], [지역지도 I.1~5] 참조). 대부분의 도시 및 타운은 작았고 도시 거주민은 전체 인구의 소수에 불과했으나, 도시화는 지구적 현상이었다.

[표 1.1] 도시화율, 1세기

지역	도시화율(%)
지중해 유럽: 이탈리아	25
전 지역	약 15~20
북아프리카	10~15
중동	약 10
북인도	15
중국	약 17

출처: 8장; 더 많은 정보는 David Mattingly, Cameron Petrie, Augusta McMahon, Robin Osborne, Nancy Steinhardt. 거주민 약 5000명 이상의 도시와 타운

일반적으로 도시성장은 시골로부터 도시로의 이동, 농업의 개선, 정치적 안정의 증가, 원거리 교역의 확대로 촉진되었다. 따라서 지중해 전역과 중동에 걸쳐 주로 로마의 통치 아래에서, 인구가 100만 명 이상인 로마, 50만 명 이상인 안티오크Antioch와 알렉산드리아Alexandria 같은 거대도시들이 주도하고, 이러저러한 속주 수도, 주요 항구, 소규모 도시가 존재하는 정주지들의 발전된 위계를 볼 수 있다. 데이비드 매팅리David Mattingly와 케빈 맥도널드Kevin MacDonald가 4장에서 설명하듯, 도시들은 사하라(자르마Jarma 등)에도, 중中나이저Middle Niger 유역과 서아프리카 숲(이페Ife 등)에도, 상上나일Upper Nile 유역에도 마찬가지로 생겨났다. 이러한 도시들은 강한 지역적 특수성을 보여주었으나, 다른 경우와 마찬가지로 국가 형성과 광범위한 접촉 및 교역(장거리 교통 포함)이 이들 도시의 성장에 한몫했다. 이 무렵 초기 역사 시기Early Historic Period인 인도의 북부와 서부에서는, 앞선 발전들과의 연속성continuity이 제한적이긴 했어도, 갠지스계곡 같은 새 지역에서 도시 중심지들이 다

시 등장했다. 또 캐머런 페트리〔Cameron Petrie〕가 지적하듯(5장 참조), 로마 세계와 중국 사이는 물론 로마 세계와 동남아시아 사이에도 중요한 교역이 있었다. 우리는 또 서한〔전한〕 왕조와 동한〔후한〕 왕조 치하의 중국에서 번영하는 도시들을 발견할 수 있다(6장 참조). 두 왕조의 수도인 장안長安과 낙양洛陽은 궁전, 사원, 관청, 시장, 공방 등으로 광범위하게 계획되었다. 장안은 인구가 약 25만 명이었고 낙양은 그 두 배였다. 중국 전역에서 도시들의 일반적 성장은 교역, 강력한 정부, 중국문화의 동일화에 의해 촉진되었다. 도시개발은 예를 들어 초기 마야Maya와 여타 메소아메리카Mesoamerica 문명들처럼 중앙아메리카에서도 일어났다.[15]

도시 형태들의 다양성은 매우 컸지만 도시개발을 형성하는 기본 요소들은 식별될 수 있다. 루크 드 리히트〔Luuk de Ligt〕가 8장에서 설명하는 것처럼, 자료는 종종 희박하고 해석하기 어렵긴 해도, 이 시기 도시들의 성장 기초는 다른 시대와 마찬가지로 이주였다. 도시의 높은 사망률—질병〔말라리아나 페스트 같은〕과 환경 문제 등에서 기인한—은 상대적으로 발전된 도시화 수준을 유지하는 데서 이주 흐름이 필연적으로 강해야 했음을 말해준다([표 1.1] 참조). 이동(성)mobility에는 전쟁 포로들과 노예들에 의한 강제적 이동만 아니라 도시의 경제적 기회와 자선적 제공물에 이끌린 목동, 농부, 직인職人, craftsman들의 자발적 이주도 포함되어 있다. 이주민 안에는 민족집단도 있었다(예컨대 알렉산드리아의 유대인과 그리스인).

7장에서 데이비드 스톤David Stone은 초기 도시의 경제 다양성을 강조하면서, 시골과의 관계가 지닌 복잡성(잉여 및 조세의 이전과 아울러 노동 서비스 및 공생과 같은), 전문 생산자들의 가변적 중요성, 지배 엘리트와의 강력한 경제적 상호작용에 주목한다. 그는 또한 도시화의 롤러코스터 같은 성격을 강조하면서 경제적 쇠퇴 및 소멸과 관련한 초기 도시들의 경향을 지적한다.

많은 초기 도시가 정치적으로 건설되었던 만큼, 권력power과 시민권citizenship의 구조는 도시개발에 명백히 필수적이었다. 마리오 리베라니Mario Liverani는 마침내 권력을 바탕으로 한 오리엔트Oriental 도시와 시민권을 바탕으로 한 서구Western 도시 사이의 전통적인 비교분석—베버보다 선행하는—을 그만두었다(9장 참조). 그 대신에 리베라니는 권력의 구조가 첫 번째 도시화 때부터 존재해왔고, 공동체적 기관들은 시간이 지남에 따라 성장했으나 일반적으로 고대 세계에서는 제한적이었다고 주장한다. 정치권력은 도시를 시골과 구별해주는 종교적·의례적 구조와 관련이 있었고 도시사회와 밀접하게 상호작용했다. 그러나 제니퍼 A. 베어드Jennifer A. Baird가 지적하는 바와 같이(10장 참조), 도시에서는 종교적 공간(신전〔사원〕, 성역, 행렬로, 성벽 등)의 다원화와 함께 종교적·의식적 생활의 복잡한 시간성과 지형이 두드러졌다. 이것은 도시에서 사회집단을 구분하고 이를 더 넓은 도시 네트워크에 위치시켰거니와 도시의 이미지를 세계에 투영했다. 동시에 도시 공동체의 문화적 모체는 특별하고 독특했으며 통치자보다 도시를 정당화하는 힘이었다.

권력과 문화는 함께 도시의 건조환경을 정의했고, 11장에서 레이 로런스Ray Laurence는 로마와 중국 제국에서 직선적인 도시공간urban space의 생성이 창의적 심성에서는 상당한 차이가 있음에도 서로 놀랍도록 비슷하다는 점을 실증한다. 계획은 중국과 서구에서 신도시를 설립하는 데 특히 중요했다. 계획은 권력과 문화적 전망의 표시이기도 했지만 물 공급, 위생, 쓰레기 처리, 교통 혼잡과 같이 거의 모든 고대 도시가 직면한 심각한 환경문제에 대한 대응이기도 했다

전근대 시기 도시의 경향

3세기부터 장기간에 걸쳐 기존 도시체계의 불안정성이 커졌으며 새 도시개발의 조짐은 거의 나타나지 않았다. 그리스-로마 세계의 도시 네트워크는 동서 제국으로 나뉜 후 크게 쇠퇴했고 특히 서로마 제국에서 심했다.[16] 중동 전역에서는 7세기부터 무슬림 아라비아 정복자들에 의해 고대 도시들이 점령되고 도시가 새로 설립되는 단기적 격변이 있었다. 중국의 도시들은 위진남북조 시대(3세기부터 6세기까지)에 불안정과 전쟁으로 어려움을 겪었다. 새 수도가 세워지고 도시 요새화가 확장되었지만, 성장은 일시적이었다. 인도의 경우에는 불분명하다. 굽타 왕조 이후 도시들은 도시성장에서 차이를 보여, 북부의 몇몇 중심지는 쇠퇴했으나 남부의 다른 중심지들은 번성했다.[17] 일반적으로 정치적 불안정—여러 종족의 도시적 유럽 침략, 이슬람교도의 비잔티움 제국 침공, 인도와 중국의 정치적 격변 같은—이 영향을 끼쳤다. 그러나 특히 3세기부터 시작된 가래톳페스트(선腺페스트)bubonic plague 같은 감염병 대유행의 확산, 인구 감소, 농업 교란, 원거리 교역의 혼란 또한 도시 견인력 상실의 원인으로 작용했다.[18]

그런데 9세기 이후 도시 롤러코스터는 활기를 되찾았고 세계의 많은 곳에서 도시의 부흥이 장기간 지속되었다. 그다음 300~400년 동안 파리Paris, 바그다드Baghdad, 항저우杭州, 카이로Cairo 같은 대도시들이 크게 성장했다. 그동안 유럽, 일본, 중국, 인도 남부, 동아프리카, 중앙아메리카, 남아메리카 등지의 새 지역들에서 흔히 시장타운market town인 도시 중심지가 설립되거나 성장하면서 타운의 수가 크게 늘었다. 12장에서 마르크 분Marc Boone은 지중해와 저지대 국가들이 주도했던 14세기까지 유럽 타운들의 회복을 검토하는데, 타운은 북유럽과 동유럽/중부유럽처럼 도시화가 미흡했던 지역에서도 확산하고 있었다. 중요한 것은 농업의 상업화와 교역의 강화, 통치자들의 야망, 교회의 광범위한 영향, 도시의 부상하는 문화적·지적 정체성이었다. 중국에 관해서, 힐데 드 위어트Hilde De Weerdt는 어떻게 이 시기가 행정적 역할을 보완하면서 타운들의 사회적, 경제적, 문화적 특수성의 발전을 목격했는지를 강조한다(16장 참조). 강하고, 빠르고, 극적이고, 불균등한 도시화는 정부 정책, 민간 주도에 의한 주요 인구학적 변화, 시장화marketization, 상업화에서 비롯했다. 14장에서 도미니크 발레리앙Dominique Valérian은 8세기 이래 이슬람 도시들이 지닌 우위성의 복잡한 특성을, 로마 후기 및 비잔티움의 유산과 함께 이슬람 통치 아래의 군국화와 이슬람의 확증 및 전파의 핵심 수단이라는 기능에 의해 강화된 것으로 고려한다. 시민 자율성의 부재는 (일부 시기를 제외하고) 동네나 와크프waqf〔이슬람의 일종의 종교 재단〕 같은 도시 내 비공식 권력 구조와 조직들에 의해 상쇄되었다. 중세 성기〔중세 후반기 중엽, 대략 11~13세기〕에 특히 시리아와 이집트에서의 강력한 도시의 성장은 농촌으로부터 도시로의 민족적인 많은 이주와 동아시아에서 중동에 이르는 몽골 제국의 흥성에 혜택을 입은 국제적 육상교역으로 촉진되었다.

요컨대 지구적 도시화의 두 번째 큰 물결은 많은 국가에서 명백하게 드러나는 수많은 강력한 요소에 의해 주도되었다. 전염병의 감소에 따른 광범위한 인구성장, 더욱 집중적이고 확장된 농경의 결합이 가져온 농업 생산량 증가, 몽골 제국의 탄생과 같은 정치적 안정, 몽골 제국 및 여타의 발전과 연계된 대륙 간 교역의 부흥과 만개 등이 그 요소들이다.[19]

14세기와 15세기에 도시성장은 다시 일부 탄력을 잃었는데 세계의 몇몇 영역에서는 그 반대로 나아갔을지도 모른다. 인구학적 감소는 세계의 주도적 도시 몇몇 곳에서 분명히 드러났고 도시 중심지는 거의 세워지지 않았다. 경제적으로 아시아, 중동, 유럽 사이의 대륙 간 교역의 붕괴, 특히 육상교역의 붕괴는 도시 서비스의 확대에도 불구하고 도시의 산업들이 지닌 중요성을 감소시켰을 수도 있다. 영향을 끼친 것은 14세기 초반 페스트의 세계적 재유행이었다. 전염병은 중국에서 중앙아시아를 거쳐 중동과 유럽으로 퍼지면서 도시 인구, 농업, 원거리 교역을 위축시켰다. 마찬가지로 중요한 것은 몽골 제국이 해체되고 유럽·중동·인도의 정치적 불안정성이 커진 점이었다. 하지만 그 양태는 지역별로 달랐다. 유럽에서는(12장 참조) 인구 감소로 도시의 건물들에서 사람이 살지 않게 되었고 경제생활에 지장이 있었다. 그러나 주요 도시 네트워크는 존속되었고, 북서 유럽의 도시들이 지중해의 도시들을 능가하기 시작하면서 전에 없던 서비스, 문화산업, 사치품 교역이 성장했다.[20] 중동에서는(14장 참조) 페스트의 영향, 튀르크-몽골계 티무르(타메를란)의 군사원정, 국제적 교역의 재편이 가변적 효과를 가져왔으며, 이집트가 레반트Levant〔그리스와 이집트 사이에 있는 동지중해 연안〕지역보다 더 좋은 성과를 거두었다.[21] 대조적으로 중국에서는(17장 참조) 원 대부터 명 대 초기에 이르는 정치적·경제적 불안정이 일시적이었고 15세기경 중국 도시들은 그들의 초기 역동성을 많이 회복했다. 일본에서도 14세기와 15세기 초반에는 도시가 팽창하고 타운들이 새로 형성되었다(18장 참조). 라틴아메리카에서는 마야족, 아즈텍족, 잉카족의 도시 네트워크가 유카탄Yucatán반도와 과테말라, 멕시코 계곡, 오늘날의 콜롬비아에서 성장한 것으로 보인다(20장 참조).

도시 롤러코스터는 16세기에서 18세기에 다시 앞으로 나아갔다. 왜인가? 한 가지 공통적 요인은 재개된 농업 성장과 농산물 교역의 점진적 고도화였다. 또 다른 요인은 산업 생산과 도시 소비를 자극한 아메리카, 아시아, 중동, 유럽 사이 글로벌 해상교역의 증가였다. 그에 못지않게 중요한 것은 아시아, 중동(오스만Ottoman 제국과 사파비Safavi 제국 시기의), 유럽(더 효율적이고 종종 중앙집권화한 국가가 등장한)에서 새로 강화된 국가권력과 유럽 지배력이 아메리카로 확장된 점이었다.

주목할 것은 아시아·중동·유럽에서 대규모 도시의 확산이었다. 중국·일본·유럽·라틴아메리카에도 많은 타운이 새로 설립되었고, 아바나La Habana에서 마닐라Manila, 광저우廣州 나가사키長崎, 바타비아Batavia〔지금의 자카르타Jakarta〕, 봄베이Bombay〔지금의 뭄바이Mumbai〕, 암스테르담Amsterdam, 런던London, 필라델피아Philadelphia까지 국제적 항구도시port city들의 연결고리가 발전했다.[22] 명 대 후기와 청 대 중국에서 도시성장의 부흥은 특히 놀랍고 지속적이었다(19장 참조). 이것은 18세기에 광저우 항구가 국제교역의 중심지로 번영하는 동안 여러 정기적 시장과 시진市鎮의 급증으로[23] 특징지어진다([지역지도 II.5] 참조). 도시화는 농업의 상업화와 관련된 대규모 특산품 생산, 지역 간 교역 확대, 비단이나 도자기 같은 상품들의 대규모 수출로 뒷받침되었다. 1520년대 무굴Mughul 제국 아래의 인도 북부와 중부는 타운 형성, 분명해진 도시위계의 성장과 함께 '도시화의 진정한 황금기'를 누렸고 도시화율은 10퍼센트에 달했다. 이 모든 것은 정치적 안정, 내부무역internal trade 팽창, 인도산 면화가 세계의 많은 부유층의 옷감이 되면서 활발해진 아시아·유럽과의 해외교역을 통해 도움을 받았다([지역지도 II.4] 참조).[24]

18세기 말에 중국의 도시체계는 소규모 상업도시commercial city와 상업타운commercial town의 확산에도 제자리걸음을 하는 것처럼 보였다. 인도에서는 무굴 제국의 몰락 이후 정치적 분열과 불안정, 서양의 정치적·상업적 해안 지역 침투가 도시체계를 붕괴시켰고 식민지 항구도시들이 내륙의 도시들을 희생시키며 특권을 누렸다.[25] 십중팔구 근대 초기 세계에서 가장 역동적인 도시체계는 일본에 있었을 것이다. 제임스 맥클레인James McClain에 의하면(18장 참조), 16세기에 내전이 끝난 후 1720년대 무렵에 100만 명 이상이 거주한 새 행정수도administrative capital 에도의 건설, 주요 지방 조카마치城下町[성시城市]의 부상, 많은 시장타운의 출현([지역지도 II.5] 참조)으로 일본의 도시체계가 재구성되었다. 18세기 시작 무렵에 일본의 도시화율은 아마도 15퍼센트를 넘어섰을 것이다. 이는 해외교역(1630년대부터 엄격하게 규제된)보다는 농업 혁신, 상업 통합, 기반설비 투자, 정치적 안정에서 비롯했다.

중동은 강력한 오스만 제국 및 페르시아계 사파비 제국(페르시아)

의 이중 지배 아래에서 18세기까지 강력한 도시성장을 누렸으며 제조업과 아시아·유럽과의 국제적 교역에 더 큰 안전과 기회를 창출했다([지역지도 II.2] 참조). 이스탄불Istanbul의 인구는 17세기 후반에 70만 명에서 80만 명까지 증가했고 알레포Aleppo와 이즈미르Izmir 같은 다른 도시들도 번성했다(15장 참조). 18세기에 중동의 상업적 중요성은 해상 무역로와 경쟁했고 일부 산업들은 유럽의 수입품에 밀렸으나, 18세기의 마지막 수십 년까지는 상당한 도시화와 도시 번영이 이루어졌다.[26] 브뤼노 블롱데Bruno Blondé와 일리야 판 다머Ilja Van Damme가 13장에서 분석했듯, 유럽은 가장 불안정한 변화를 경험했다. 16세기와 17세기 초반의 도시 부흥은 모든 지역에서 수도와 수백 개의 새 시장타운을 등장시켰으나 이후 이들은 정체하거나 쇠퇴했다. 쇠퇴는 경제적·정치적 불안정, 광범위한 전쟁, 높은 수준의 전염병에 의해 야기되었다. 18세기 후반의 회복은 제한적이었는바 농업적·산업적 기능을 가진 소규모 타운들의 역동성 재개와 일반적 인구성장population growth에 따른 촉진을 포함해 아래로부터의 도시화로 특징지어졌다([지역지도 II.1] 참조). 처음에는 잉글랜드에서만(이후에는 저지대 국가들 남부에서) 혁신적 기술, 향상된 수송, 보다 집약적이고 생산적인 농업, 특히 아메리카 및 아시아와 연계된 국제적 교역에 대한 엄청난 투자를 동력으로 하는 전에 없던 종류의 도시화가 발견된다. 그럼에도 문화생활과 물질문화는 유럽 전역에서 도시화되었다.[27]

대서양을 가로질러, 스페인〔에스파냐〕의 콩키스타도르Conquistador〔정복자〕들은(20장 참조) 콜럼버스 도착 이전pre-Columbian 시대 도시들의 제한적이지만 중요한 네트워크를 기반으로 항구, 광산타운mining town,

행정 중심지 등 세계에서 가장 광범위한 뉴타운체계의 하나를 만들었다([지역지도 II.6] 참조). 처음에는 아시아와 유럽으로의 금 수출이 목적이었지만 18세기경에는 지역의 수천 개 타운이 농산물(설탕·담배·코코아·커피 등)의 현지 거래 및 국제적 교역에 연관되었다.[28] 대조적으로 18세기 말까지 주요 북아메리카 도시는 상대적으로 적었고 보스턴 Boston, 뉴욕New York, 필라델피아, 찰스턴Charleston처럼 하나같이 대서양의 항구였다. 그리고 소규모 시장 중심지를 포함해 더 발전된 도시위계는 뉴잉글랜드New England와 대서양 중부의 일부 주에 국한되었다(27장과 [지역지도 II.7] 참조). 1800년에 유럽 이주민들은 대부분 농촌권rural area에 정착했고 6퍼센트만이 도시 공동체에서 살았다.[29] 아프리카의 도시성장은 과거처럼 불안정했고 주로 해안 지역에서 군집을 이루었다. 나이저강과 황금해안Gold Coast 지역은 노예·상아·수입품에 대한 유럽의 물동량과 국가 형성에 영향을 받았다. 동아프리카는 중동과 인도양을 가로지르는 이슬람과 포르투갈의 교역으로 큰 성공을 거두었고, 남아프리카는 글로벌 운송 활동과 함께 케이프타운Cape Town의 네덜란드인 정주지에 초점이 모였다.[30]

전근대 시기 전 세계의 도시화 양상은 [지역지도 II.1-7]과 [표1.2]에 나와 있다. 도시의 성장은 아메리카와 남아시아를 포함하는 지속적인 지구적 현상이었음을 확인할 수 있다. 그러나 문제가 있는 인구 자료를 허용하더라도 평균적 도시화율은 (마찬가지로 취약한 [표 1.1]과 비교해볼 때도) 상대적으로 낮다. 중요한 사실은 전근대 시기에 전 세계에 걸쳐 수만 개 중소 규모의 타운이 새로 출현했음에도 매우 큰 규모의 도시(인구 100만 명 전후)들은 매우 적었다는 점이다. 18세기에는

[표 1.2] 도시화율, 1800년경

지역		도시화율(%)
유럽	서유럽	21
	전체	12~13
아프리카		2~4
중동		12
인도		6
동남아시아		6~7
중국		3
일본		약 15
북아메리카		3~6
라틴아메리카		7

출처: 35장; P. Clark, *European Cities and Towns 4000~2000* (Oxford: Oxford University Press, 2009), 128; 더 많은 정보는 Leo Lucassen 참고. 거주민 약 5000명 이상의 도시와 타운

1~2개(에도와 이후의 런던)에 불과했다.

모든 주요 도시에서 계속되는 높은 전염병 발병률에도 불구하고, 16세기부터 도시성장은 광범위한 인구학적 팽창에 의해 추진되었다. 인구성장은 종종 경제적 팽창을 앞질렀으며, 대부분의 도시에는 더 이른 초기의 시기와 마찬가지로 고질적 빈곤(과 사회적 불평등), 주택 부족, 영양 부족, 질병이 존재했다. 사망률이 출산율을 초과하는 것에 따른 반복적 인구의 손실은 대규모 이주에 대한 중대한 의존을 확인해주었다. 아너 빈터르Anne Winter가 22장에서 설명하듯, 전근대 유럽과 중국을 비교하면 이주는 도시 생활의 만연한 특징이었다. 아시아에서 유럽보다 더 많은 강제적 이주가 일어났다 할지라도, 다른 측면에서 이동(성)은 유형적으로 대체로 비슷했다. 이주의 유형은 흔히 가난한 이들의 시골로부터의 단거리 이주, 상인·관리 등에 의한 더 장거리의 도시

간 이동, 민족 이주 및 여성 이주 등으로 구별되었다. 중국에서 통합의 양상은 도시 통제와 함께 유럽보다 덜 제도적이었을 것이나 향토 조직에는 더 의존적이었을 것이다.

21장에서 바스 판 바벌Bas van Bavel, 얀 라위턴 판 자던Jan Luiten van Zanden, 엘트요 뷔링Eltjo Buringh, 마르턴 보스커르Maarten Bosker는 아시아, 유럽, 중동의 도시경제urban economy적 경험을 미국의 발전에 대한 이해와 비교·대조하는 모델을 제시한다. 여기서 그들은 18세기 무렵 유럽 도시들의 빠른 경제성장에 기여한 정치 제도, 특히 더 개방적인 참여 정부와 더 큰 도시 자율성의 중요도를 강조한다. 그들은 또한 최초의 동서양 대분기의 토대를 마련한 근대 초기 대서양 도시지역의 대두에 영향을 끼친 동일 요소들을 지적한다(또한 34장 참조). 빔 블록만스Wim Blockmans와 마욜라이넌트 하르트Marjolein't Hart는 자원을 추출하는 도시의 독립적 역량에 기인한 도시들 내에서의 도시권력의 토대, 더 넓은 틀에서 도시권력의 결합 및 사회에서 세력균형balance of power을 검토한다(23장 참조). 상대적 자율성과 도시 정부 제도들은 유럽인의 공동체들을 독특하게 만들었는데, 비유럽 도시들도 자발적 공공영역을 개발하고 나약한 통치자들이 제공하는 기회를 활용할 수 있었다. 분명한 점은 아시아·중동·유럽에서 더 효율적이고 흔히 중앙집권화한 국가의 대두라는 국가권력의 새로운 강화가 아메리카와 그 너머에 대한 유럽의 지배와 함께 근대 초기 지구적 도시개발에 결정적이었다는 것이다. 도시는 확대된 국가권력의 특권적 중심지가 되었다.

24장에서 피터 버크Peter Burke는 성문, 광장, 종교, 시민, 여타 건물 같은 건조환경의 관점에서건, 찬사와 연대기 혹은 서술적 문헌에서건 도시의 정체성을 강화하려 노력했던 전근대 도시들의 공통된 경험을 강조한다. 버크는 서양 도시 공공공간의 특별한 중요성을, 동아시아 도시와 유럽 도시의 인쇄문화와 중동 도시의 필사문화 사이의 대조를 지적하면서 어떻게 유사한 경향이 도시 간 경쟁과 상업화의 증가에 영향을 받았는지를 강조한다. 세계의 도시 간 접촉과 교환의 중심에는 대륙간 상거래에 더해 내륙과 지역적 교역 네트워크의 관문 역할을 담당했고, 원原세계화proto globalization로 이행하는 데 중요한 역할을 한 거대한 항구들이 있었다. 19장에서 레오나르 블뤼세Leonard Blussé는 15세기 말부터 중국·인도·라틴아메리카·중동과 유럽 간 제조품·가공품·원자재의 활발한 상거래에서 결정적 중심지였던 믈라카Melaka(이후 포르투갈령의 말라카Malacca), 스페인령 마닐라, 네덜란드령 바타비아와 같은 동남아시아의 주요 항구에 주목한다. 권력에 의해 (그리고 점차 더 서양 식민주의에 의해) 형성된 복잡한 다문화 공동체인 항구는 종교적 사상, 표상, 제도의 보급에 필수적이었다.

근현대 시기 도시의 경향

18세기 말과 19세기 전반기에 지구적 규모로 도시적 구조조정의 문이 열렸다. 이전에는 아시아의 도시들이 세계에서 가장 큰 규모였고 가장 선진적이었으며 가장 역동적이었지만 19세기 초반부터는 서유럽의 도시들이 그 지휘봉을 잡았다. 이른바 대분기는 글로벌 경제사와 아울러 전 세계 도시체계의 발전에도 중요한 의미를 지닌다(34장 참조).

중국·일본·인도의 도시화율은 안정화되었거나 정체되었지만, 영국과 벨기에가 주도하는 유럽에서의 도시화는 가속화하기 시작했다. 그러나 1850년대 이전까지 서구의 도시 변화는 선별적이었다. 사실상, 런던·파리·브뤼셀Bruxelles 같은 유럽 국가들의 수도들이 크게 성장했고 새 산업의 새 중심지, 글로벌 항구도시, 초기의 여가타운leisure town 등 전문타운specialist town들의 급증과 식민타운colonial town들의 침습적 전파가 나타났다. 하지만 유럽의 도시들은 많은 전통적 특성을 유지했고 결과적으로 도시화의 증가하는 사회적 압력에 적응하는 데 더디었다.[31] 1850년에 인류의 압도적 다수는 여전히 도시와 타운의 밖에서 살았고 타운 거주민 대부분은 조직과 환경 차원에서 근본적으로 전근대적 공동체에서 거주하고 있었다.

19세기 후반부터 제2차 세계대전까지의 시기는 도시화의 세 번째 위대한 시대의 시작을 알렸다. 25장에서 앤드루 리스Andrew Lees와 린 리스Lynn Lees는 유럽 도시가 많은 면에서 앞서 나갔다고 분석한다. 도시화율이 가속화했고(1910년에 43.8퍼센트), 대도시들이 확산했으며(1910년 123개로 1850년의 3배 정도), 전 세계에 큰 영향을 끼친 도시문화, 도시사회, 활동적 자치체 거버넌스municipal governance의 신모델들이 만들어졌다. 서유럽이 앞장을 섰지만, 덜 도시화한 북유럽과 동유럽이 곧 따라잡기 시작했다.[32] 27장에서 칼 애벗Carl Abbot이 분석하듯, 북아메리카 도시들이 증가하기 시작했으며, 거대한 규모의 중심지의 수가 증가했고, 전문 산업타운industrial town이나 다른 타운들이 확산하면서 동부 해안에서 중서부·서부 해안으로 확대되었다. 도시체계가 1870년 이전에 이미 형성되었다고 한다면 다음 반세기는 그것을 채우는 시간이었다. 유럽과 마찬가지로 20세기 초반까지 북아메리카 도시들은 거버넌스와 공공서비스와 관련된 많은 기본적 문제를 해결했고 근대성 modernity의 신호탄이 되었다. 그러나 제2차 세계대전 동안에 미국의 도시들은 자동차가 주도한 독특한 지방분권화〔분권화〕decentralization를 겪었고, 이는 교외suburb의 확산과 동시에 시 중심지city centre의 인종적 이질성과 사회적 박탈의 성장을 가속화했다.[33]

왜 대분기가 마침내 확고해졌을 때가 서양에서 도시 변화의 시기였는가? 유럽과 북아메리카의 도시성장은 모두 사망률의 감소에 따른 자연적 인구 증가로 추진되었다. 농촌으로부터 도시로의 이주는 여전히 중요했으나, 유럽 내부에서는 물론 유럽에서 북아메리카 도시들로의 이주처럼 국제적인 민족적 이주가 더욱 중요해졌다. 경제적으로 신기술의 확산과 생산성의 향상이 필수적이었으나 도시 생활의 기준이 높아지는 것에 부응한 서비스 영역의 확산 또한 중요했다. 적어도 19세기가 끝날 때까지 지배적이었던 자유무역 정책과 함께 세계의 상업은 증기선과 철도에 힘입어 다시 급진전했다. 특히, 유럽과 미국의 강력한 국민정부의 위상은 글로벌 시장에서 서양 도시들의 이익을 보호·강화하는 역할을 했으며 적절할 때 보호주의를 지원했다. 다른 곳의 정부는 종종 무력하거나 식민 지배를 받고 있었다.[34]

유럽과 북아메리카 이외의 지역에서는 도시체계가 느리게 확장했다. 윌리엄 로William Rowe가 보여주듯(17장), 아시아에서 중국 제국 말기는 개항장〔조약항〕treaty port의 해안 지역을 중심으로 한 국제적 교역과 서양 도시 모델의 역동적 영향에 대응하는 전통적 행정구조, 오래된 지역적 양상, 지역 간 교역에서 제한된 변화만을 경험했다.[35] 크리스틴 스테이플턴Kristin Stapleton이 28장에서 주장하듯, (1911년 이후) 중화민국에서 산업, 도시계획urban planning, 문화의 서양식 혁신에 대한 새로운 추진력은 정치적 불안정, 전쟁, 일본과의 경쟁으로 크게 방해받았다. 마찬가지로 30장에서 프래샨트 키담비Prashant Kidambi의 분석에 의하면, 남아시아는 봄베이와 캘커타Calcutta[지금의 콜카타Kolkata] 같은 제국의 항구에 주로 집중된 성장이 급증했음에도 장기長期 19세기the long 19th century에 도시들의 침체를 경험했다. 그러나 1930년대부터 도시화는 도시의 경제적 성장과 (농촌의 빈곤에서 벗어나려는) 대규모 이주에 영향을 받았다. 마찬가지로 제국의 통치 아래에서 동남아시아는 제2차 세계대전 이전에 단지 제한된 도시팽창urban expansion만을 누렸다(31장).

일본은 예외였다. 메이지유신明治維新(1868) 이후 처음에는 도시 변화가 느렸으나, 폴 웨일리Paul Waley에 따르면(29장 참조), 19세기 말부터 서양식 산업화Western-style industrialization가 국가적 개혁과 함께 근대 초기의 앞서 있던 도시체계 위에서 이루어질 근대적 도시화에 활력을 불어넣었다. 1920년대 무렵 일본의 도시화율은 18퍼센트에 이르렀고, 대도시들이 빠르게 성장하는 동안에(예컨대 1923년 지진 당시 도쿄 인구가 400만 명에 이르렀을 정도로) 도시 기반설비는 도시계획과 사회복지 개혁의 도입으로 현대화되었다.[36]

이스탄불·카이로·바그다드의 부활로 대표되는 19세기 중동의 도시성장은, 메르세데스 볼레Mercedes Volait와 모하마드 알아사드Mohammad al-Asad의 분석처럼(32장 참조), 오스만 제국의 행정 개혁(일부 시정 자율성의 인정 포함), 유리한 교역 조건, 기반설비의 개선, 도시개발과 도시계획에 대한 유럽 거대도시 모델의 강력한 영향 때문이었다. 제1차 세계대전 이후 유럽의 식민 지배, 정치적 불안정과 국제 보호무역이 대부분의 도시화를 억제했으나 가장 큰 규모의 도시들은 계속해 확장되었다. 아프리카에 대해 빌 프로인드Bill Freund가 설명하듯(33장 참조), 도시 성장은 19세기 동안 주로 유럽의 상업적·식민적 개입 지역들에, 가장 명확하게는 남아프리카·북아프리카·서아프리카에 국한된 매우 선택적인 현상이었다. 그럼에도 1930년대부터는 낡은 식민타운들이 확대된 도시들로 바뀌면서 대륙 전역에서 도시화가 가속화했고, 그 성장은 시골에서 도시로의 대규모 이주로 추진되었다. 라틴아메리카는 독립 이후 수십 년 동안 전반적 침체를 겪었지만, 앨런 길버트Alan Gilbert가 26장에서 주장하듯, 19세기 후반부터 대서양 무역의 성장, 외국인의 투자, 유럽인의 이주, 국가의 형성은 남아메리카에서 도시화의 급증을 이끌었고 부에노스아이레스Buenos Aires, 리우데자네이루Rio de Janeiro, 산티아고Santiago가 근대 도시로 부상했다. 다른 곳에서는 도시의 성장과 변화의 규모가 미미했다. 1930년 무렵 라틴아메리카의 도시화율은 여전히 14퍼센트에 불과했는데 그 이후 급격히 가속화했다. 그 결정적 요인은 일반적인 인구학적 증가와 농촌으로부터 도시로의 이주를 촉진한 도시 제조업의 출현이었다.[37]

극적 변화의 시기를 맞이한 20세기 후반에는 전에 없던 도시 세계가 시작되었다. [표 1.3]에서 볼 수 있고, [지역지도 III.1~8]에서도 확인할 수 있는 2000년까지 지구적 도시화의 변화 양상은 다음과 같다. 첫째, 제2차 세계대전 이후 유럽과 북아메리카의 도시화율이 1970년대부터 크게 정체된 것과는 달리, 아프리카의 경우는 최근까지도 뒤처져 있을지라도, 동아시아·중동·라틴아메리카에서 도시성장률은 경제 및 도시 성장에서 두 번째 대분기의 시작을 반영하며 뚜렷하게 상승하기 시작했다. 둘째, 첫 번째에 못지않게 놀라운 점은 확장하는 국가들에서 가속화한 도시성장의 상당한 부분이 상하이上海에서 카이로, 멕시코시티Mexico City에 이르는 초거대도시(인구 1000만 명 이상)에 집중되었다는 점이다. 뉴타운은 상대적으로 조금만 생겨났다.[38] 셋째, 초기의 전문 도시인 산업타운들과 글로벌 항구도시들은 유럽과 북아메리카에서만 아니라 (그것들이 형성되었던) 아시아에서도 심각한 침체를 겪었다. 마지막으로, 많은 개발도상국에서 공급이 현저히 부족한 상황에서도 도시 서비스의 주요한 확장이 있었다. 북아메리카와 유럽 일부 지역에서는 공급의 민영화, 세분화, 파편화가 영향을 끼쳐 전후 시기의 주요 시정 발전이 1970년대와 1980년대부터 정체되었다.[39]

3부는 변화의 복잡성을 보여준다. 27장에서 볼 수 있듯, 북아메리

[표 1.3] 도시화율, 2000년경

지역		도시화율(%)
유럽	서유럽	75
	전체	72~74
아프리카		37
중동		73
인도		28
동남아시아		40
중국		36
일본		79
북아메리카		77
라틴아메리카		75

출처: 34장; P. Clark, *European Cities and Towns* (Oxford: Oxford University Press, 2009), 359.
거주민 약 10만 명 이상의 도시와 타운

카 체계는 20세기 후반부터 오래된 산업도시들의 붕괴, 도시의 끊임없는 교외화(1990년 무렵 북아메리카 인구의 명백한 대다수가 교외에 거주했다),[40] 자치체의 재정과 거버넌스 문제 등 커다란 격변을 경험했다. 마찬가지로 놀라운 것은 지역적 경향이었다. 〔북아메리카〕 중서부와 북동부 도시는 정체되었으나 이주, 여가, 방위산업에 힘입어 서부와 남부의 선벨트Sun-Belt에서는 새로운 활기가 일어났으며 초거대권역(보스턴-워싱턴Washington 회랑, 시카고-토론토-피츠버그Chicago-Toronto-Pittsburgh 클러스터cluster 등)이 나타났다([지역지도 III.8] 참조). 대서양 건너 유럽 도시는 (25장 참조) 제2차 세계대전으로부터 빠르게 회복했으며 계획도시들이 1960년대와 1970년대에 전성기를 누렸다. 그러나 1980년대 이후 탈산업화de-industrialization, 실업 및 민족적 이주, 교외성장 및 재정 축소와 관련된 사회문제들이 증가하면서 유럽의 도시들은 큰 도전에 직면했다. 그럼에도 유럽의 도시들은 2010년까지 오랜 기간 상대적으로 높은 수준의 사회적 응집력과 안정, 번영, 시민적 정체성civic identity을 유지했다(글로벌 기준).[41] 다른 곳들과 비교해 유럽의 도시들은 일반적으로 적당한 규모를 특징으로 한다([지역지도 III.1] 참조).

중동에서([지역지도 III.2] 참조) 상황은 고도의 지역화를 보인다(32장 참조). 걸프Gulf 지역에서 넘쳐나는 석유로 벌어들인 소득과 강력한 국가 개입으로 두바이Dubai와 아부다비Abu Dhabi 같은 사실상의 신도시들이 만들어지는 동안 터키〔지금의 튀르키예〕 도시들은 산업화와 관광업의 성장에 따른 이익을 얻었다. 다른 곳에서도 확장은 대부분 국가의 수도나 관광 중심지들에 (종종 역사적이기도 하고 현대적이기도 한 도시들에) 집중되었다. 전후 시기 도시개발은 수도들의 헤게모니, 정치적 불안정(전쟁과 엘리트의 갈등), 권위주의 체제의 민족주의적 정책들로 지나치게 자주 왜곡되었다. 그러나 1990년대부터 경제적 자유화와 연결된 세계화의 새 물결이 중동의 도시성장과 현대화의 재개를 자극했다.[42]

크리스틴 스테이플턴Kristin Stapleton이 주장하듯(28장 참조), 전후 중국에서는 공산당이 도시들을 소비에트 모델로 재정립·재건축하고 내륙에 소비에트 양식의 산업타운들을 건설해 해안에서 내륙으로 도시체계를 재조정하려 했다. 하지만 1980년대 정치적 개혁들 이후 그러한 정책들은 정반대로 되었다. 경제계획은 탈중앙집중 되었고 국가와 해외의 투자가 남부 해안의 급성장하는 항구와 산업 중심지들로 몰려들었다. 이 점에서 선전深圳과 푸둥浦東의 경제특구 조성은 대규모 이주, 주택 부족, 환경오염, 여타의 문제와 함께 초거대도시의 등장을 촉진했다([지역지도 III.5] 참조). 남아시아에서도 마찬가지로 전후 몇십 년 동안 민족주의 정부들이 반도시적 정서의 유행과 함께 도시팽창을 둔화시켰지만 1990년대 이후 경제적 자유화가 도시경제의 성장을 가속화하는 데 한몫했다([지역지도 III.4] 참조). 키담비에 따르면(30장 참조), 국가들은 새 수도와 산업도시를 건설하고, 경제 정책에 영향을 끼치고, 시민적 자율성을 제한하는 데 중요한 역할을 해왔다. 동남아시아에서도 비슷한 방식의 지체된 개발이 눈에 띈다. 하워드 딕Howard Dick 과 피터 리머Peter Rimmer가 지적하듯(31장), 1980년대부터 대규모 도시들의 무계획적 확산이 폭발적으로 나타났고 2010년에는 인구 1000만 명 이상의 3대 초거대도시 자카르타·마닐라·방콕Bangkok을 포함해 인구 1000만 명이 넘는 도시 20개가 존재한다([지역지도 III.6] 참조). 여기에는 국제적 교역과 국가의 투자 및 과밀화한 시골로부터 도시로의 이주가 결정적 역할을 했다. 오스트레일리아의 도시들은 식민 유산, 서양 자본과 이민, 역동적 동아시아가 제공하는 새로운 상업 및 산업 기회를 활용하면서 보다 완만하지만 풍부한 성장을 보였다.

일본에서는 20세기 후반부터 도시개발이 장기간 지속되었다(29장, [지역지도 III.5] 참조). 제2차 세계대전이 야기한 파괴를 극복하며 일본의 경관은 1950년대부터 도시화와 산업화를 통해 변모했다. 성장은 주로 도쿄에서 오사카大阪까지 도카이도東海道 회랑을 중심으로 이루어졌으나 처음에는 그 기반이 상당히 넓었다. 그러나 1980년대부터는 집중적인 수직적, 수평적 건물 개발이 특징인 도쿄 거대도시권metropolitan area에 초점이 맞추어졌다. 국가의 강력한 후원을 받은 도쿄는 점차 해외로 이전하는 공장들을 통제하면서 일본의 고도금융high finance, 상업, 산업 방향성에 대한 헤게모니를 쥔 수도가 되었고, 그 결과 일부 주요 지방과 오래된 산업타운들은 정체되거나 쇠퇴했다.[43]

아시아 이외에서 가장 역동적인 도시화가 진행된 곳은 라틴아메리카였다(26장 및 [지역지도 III.7] 참조). 팽창은 농촌으로부터 도시로의 대규모 이주(1980년대까지)를 통해 지원을 받았고 해외 투자, 제조업 확장, 국제적 교역으로 이득을 얻은 6~7개 초거대도시 ─ 대체적으로 수도나 항구 ─ 의 급격한 성장을 중심으로 구조화되었다. 거대도시의 성장이 느려지고 있었음에도 여전히 수많은 〔라틴아메리카〕 국가에서 선도적 도시는 전체 인구의 4분의 1 혹은 그 이상을 점유하고 있다. 거대도시에 대한 집중은 더 작은 규모의 도시와 타운의 대부분을 폭이 넓은 국제경제에 주변부적으로 통합된 채로 남겨두었다. 다른 곳들처럼,

[라틴아메리카에서] 엄청난 성장의 결과는 엇갈렸다. 주로 도시 중산층에 해당하는 것이었으나 반드시 그렇지만도 않은 향상된 생활수준은 오염, 교통문제, 빈곤의 도시화와 대비된다. 탈식민 아프리카([지역지도 III.3] 참조)의 도시성장은 처음에는 새 수도들과 공공 기반설비에 대한 국가의 높은 투자, 원자재 수출, 과도한 이촌향도 현상으로 강력했으나 1980년대 무렵부터는 정부의 실패, 교역 경향의 변화, 서양의 지원 축소, 이주의 감소로 광범위하게 쇠퇴했다(33장 참조). 하지만 도시투자나 생산의 증가가 제한적임에도 최근에 많은 아프리카 지역에서 도시화가 다시 살아나고 있다. 새 도시 이주민들은 도시 오락과 문화, 우수한 보건시설 및 교육시설, 정부 활동 등에 끌리고 있다.

20세기 후반 글로벌 도시체계의 재정립 이면에는 다음과 같은 여러 핵심적 결정 요인이 존재한다. 유럽과 북아메리카 도시들에서의 산업 생산량과 기술적 우위 및 노동생산성의 상대적 감소, 시골로부터 대규모 이주를 발생시키는 아시아·중동·라틴아메리카 도시들의 주요한 인구성장, 비서양 국가들의 비중이 더 커지고 재구조화한, 그리고 운송 발달과 경제 자유화의 재개에 따른 광범위한 글로벌 무역, 유럽과 북아메리카에서 점차 성장하는 국가와 도시 간의 관계 문제가 그 요인들이다.[44]

근대와 현대 도시들을 이해하는 데서 결정적인 이 문제들과 그 외 다른 주제들은 34~43장에서 자세하게 다루어진다. 경제적 차원에서 홍호펑Ho-fung Hung과 잔사오화Shaohua Zhan는 34장에서 19세기 전반기 잉글랜드 및 그 이후 유럽에서의 도시산업의 등장과 20세기 후반 중국을 비교했으며 그 비교들 사이에 가능한 설명들을 논의한다. 서양의 공학문화engineering culture의 성장, 역동적 사업 엘리트들의 등장, 해외 교역과 도시 생신을 포함하는 사업에 대한 국가의 지원 등이 그것이다. 동시에 그들은 농업 잉여자본의 도시산업 영역으로의 이전, 성장 중심지로서 소규모 타운들의 역할, 농촌에서 이주해온 값싼 노동자의 중요성을 통해 농촌경제로부터의 투입의 중요성을 강조했다. 그러나 많은 장에서 보여주듯, 19세기 이래 근대 도시의 성장은 제조 영역만큼 서비스 영역에도 빚을 지고 있다.

오늘날에도 도시는 이주민들에게 달콤한 과자로 남아 있다. 레오 루카센Leo Lucassen은 근대의 도시개발에서 이주와 민족성ethnicity의 중요성을 논의하고 전통적 측면(마을village들과 연결된), 이동(성)의 높은 변동성, 일시적 이동의 중요성, 사회 통합의 근본적 문제(비공식적 동화 기관 및 정부 정책의 균형과 함께)를 정확하게 짚어낸다(35장 참조). 앨런 길버트Alan Gilbert가 36장에서 설명하듯, 도시들을 향한 이주는 (지역 간의 커다란 차이들에도 불구하고) 빈곤을 도시 현상으로 바꾸는 결정적 원인 가운데 하나인 도시사회의 불평등에 분명히 근본적 영향을 끼쳤다. 동시에 길버트는 세계화와 국제 자본 흐름의 복잡한 효과를 제시하면서 사회적 양극화와 분리는 증가했으나 대규모의 공동체적 소요나 시위는 일어나지 않았다고 주장한다. 이는 개발도상국 국가들과 도시 정부들이 시민들의 생활수준을 완만하게 높이고 복지 제공을 개선한 결과로 보인다.

이어지는 3개 장에서는 근대 도시화에 의한 도전과 기회를 살펴본다. 마틴 멜로시Martin Melosi는 19세기 대규모의 도시성장이 가져온 위생, 물 공급, 오염, 쓰레기 처리 같은 환경문제가 신규 전문 서비스 및 도시 서비스, 사회정의의 새 개념, 사망률 감소 등 결정적 의료 성과를 발생시키는 데 도움을 준 방법에 대해 논의한다(37장). 제1차 세계대전 이전 환경문제가 유럽과 북아메리카의 도시 거버넌스urban governance에 충격을 주었던 것처럼, 그는 아시아와 다른 개발도상국들의 급성장하는 도시들에서 커지는 환경적 압력이 어떻게 중요한 부담을 불러일으킴과 동시에 종종 서양에서 빌려오지만 언제나 그런 것만은 아닌 그 해결책들을 제시하는지를 소개한다. 38장에서 마르야타 히에탈라Marjatta Hietala와 피터 클라크Peter Clark는 도시 창의성urban creativity의 개념과 현실을 살펴본다. 베를린·뉴욕·도쿄 같은 근대의 선도적 혁신도시innovative city, 방갈로르Bangalore 같은 좀 더 특화된 기술 중심지, 킹스턴Kingston(자메이카)·스톡홀름Stockholm 같은 틈새 문화도시niche cultural city에서 증거를 찾으면서 그들은 창의적 성공을 위한 조건들을 비평한다. 결집, 노동이동(성)labour mobility과 다양성, 교육, 기술과 문화산업의 상호작용, 국제성, 공공 지원의 중요한 역할이 그 조건들에 포함된다. 히에탈라와 클라크는 이 모든 요소가 같은 공간에 존재하는 것은 아님을 주장하며, 창의적 발전을 형성하기 위한 도시 간 경쟁의 역할과 신세대의 혁신을 지원할 창의적 자원 저장고의 선도적 중심지에 대한 중요성을 강조한다. 초기 시기부터 표상representation들은 도시의 명성과 문화적 영향력을 만들어내기 위해 중요했으나(24장 참조), 한누 살미Hannu Salmi는 39장에서 20세기 초반부터 영화가, 그것이 유럽이든 할리우드Hollywood든 발리우드Bollywood든 날리우드Nollywood(나이지리아)든, 고취된 도시 의식과 정체성을 생성하고 근대성의 빛나는 극장으로서의 도시 이미지와 동시에 충격적 도시 이미지를 결정하는 데서 필수적이라고 주장한다. 텔레비전과 인터넷 같은 새 유형의 매체와 함께, 영화는 세계화되는 세상에서 도시의 눈부신 영향력 구축에 도움을 주었다.

근대 도시화는 선택할 필요조차 없었다. 19세기 후반부터 교외에 사는 도시민의 비중이 증가했고 20세기 후반에는, 몇 안 되는 예외의 하나로 유럽이 있기는 했지만, 세계 많은 지역에서 교외가 일반화되었다. 유시 야우히아이넨Jussi Jauhiainen이 42장에서 설명하듯, 교외의 역사는 고대까지 거슬러 올라가나 교외화suburbanization는 특히 19세기와 20세기에 엄청나게 폭발했다. 따라서 우리는 거의 모든 주요 글로벌 도시global city ─ 파리와 아테네에서 봄베이·카이로·상파울루São Paulo에 이르기까지 ─ 의 외곽에서 자생적으로 지어진 판자촌들이 첫 세대 이후 빈번하게 '개선'되는 것을 흔히 발견한다. 그리고 많은 종류의 계획된 교외 곧 연립주택 교외, 빌라 교외, 산업 교외, 정원 교외, 출입통제 공동체, 끝없이 뻗어 있는 준準계획적 교외들(미국의 교외)이 존재한다. 교외는 사회적 불평등과 분리 문제를 일으킬뿐더러 도시의 재정, 시민 거버넌스의 활력, 전략적 도시계획의 효율성을 위협한다. 41장에서 천상밍Xiangming Chen과 헨리 피츠Henry Fitts는 현대의 거의 멈출 수 없는 또 다른 도시 현상인 미국, 동남아시아 및 라틴아메리카에서 가장 두드러진 거대도시와 도시지역의 성장에 대해 조망한다([지역지도 III.8], [지역지도 III.5~7] 참조). 이들의 분석은 사회적·공간적 불평등의 양상, 세계화의 영향, 그러한 확장에서 기인한 재정과 거버넌스 문제, 과도하게 성장한 기업체, 운송과 기반설비에 대한 영향에 중점을 둔다. 21세기 초반 아시아와 여타 지역 초거대도시의 약 절반은 이전에 유럽 열강이 세운 식민도시colonial city다.

40장에서 토머스 멧캐프Thomas Metcalf는 소규모 재在외국민expatriate 거주지enclave와 대다수 토착인구로 이루어진 (특히 아프리카와 오스트랄라시아의) 정주민타운settler town부터 제국의 항구도시, 행정 중심지, 휴양타운resort town까지 식민타운의 범위를 검토한다. 각기 다른 식민권력〔식민국〕colonial power에 의한 도시 건설은 그들 국가만의 독창성이 있지만 동시에 인종별 구획 만들기, 강력한 치안 유지, 도시계획, 빈약한 규제, 최소한의 시정 민주주의 같은 중요한 공유된 특징도 있다. 제국의 항구들은 카롤라 하인Carola Hein의 항구도시들에 대한 검토에서 다시 등장한다(43장 참조). 하인은 고대부터 도시사회가 서로 경제적, 문화적 상호작용을 하는 것에 결정적이었던 항구도시가 도시 네트워크를 연결·동원하는 변화한 관문의 역할을 하면서 어떻게 19세기 국제적 교역과 식민화colonization의 발전에서 강력한 주체가 되었는지를 규명한다. 그러나 20세기 후반에는 기계화와 컨테이너 수송이 극적 충격을 가했고, 일부 선택된 거대 허브 항만들(홍콩Hong Kong, 香港과 로테르담 Rotterdam 같은)이 국제적 교역을 지배하게 되었다. 이는 다른 많은 오래된 항구를 수변水邊 관광과 여러 서비스 활동을 통한 경제적 재활성화의 싸움으로 몰아넣었다. 도시화는 승자와 패자가 존재하는 게임임을 결단코 잊어서는 안 된다.

《옥스퍼드 세계도시문명사》의 모든 것은, 44장에서 퍼넬러피 코필드Penelope Corfield가 묘사하는 대로, 이론의 여지가 없이 세계 발전의 '거대사big history'에서 도시와 타운이 인기 선수들임을 증명한다. 코필드가 주장한 바와 같이 "지구적으로 도시가 되는 것은 시간을 통해 이루어낸 인간의 위대한 집합적 성취 가운데 하나다." 그 과정에 단 하나의 거대서사Grand Narrative는 존재하지 않는다. 도시 성장과 쇠퇴에 관한 순환적 이론들, 도시의 진보성에 대한 서양의 목적론적 증명들, 도시의 혁명적 힘에 대한 사상들은 모두 도시화 과정과 그 영향들의 복합적 순열 및 복잡성을 이해하는 데 실패했다. 여기서 코필드는 변화를 관리하고 변화에 적응하고 그것을 즐기는 장소로서 단기적 격변과 심층의 연속성이라는 두 측면 모두를 통해 도시를 볼 필요가 있다고 제안한다. 그와 같은 관점에서 더 분명하게 각 장에서 제기된 결정적 요소들 가운데 일부를 볼 수 있으며, 이는 역사 속에서 도시가 어떻게 형성되었는지를 이해하는 핵심이다. 결정적 요소들은 국가와 시장 세력 사이, 지배자들과 도시들 사이, 서로 모방하고 경쟁하는 도시들 사이 강력한 긴장, 도시민의 끊임없는 이동(성), 사회적 구조와 문화적 정체성의 지속적 재형성 같은 것들이다. 《옥스퍼드 세계도시문명사》는 도시 세계의 형성이 대도시의 형성과 어떻게 다른지를, 화려한 현대적 도시 모델도 형태와 규모가 다른 수많은 도시 공동체의 정돈되지 않은 집합으로부터 건설되었음을 보여준다. 우리는 현대의 세계화 추세에 앞서 초기부터 도시의 공유된 상호작용 경험들을 체험할 수 있다. 동시에, 이 책은 모든 차원—지역, 국가, 현지—에서 도시 분화와 도시 다원주의의 본질과 효과를 탐구한다. 그것은 초기 도시들의 시대만큼 오늘날에도 중요하다.

요컨대 이 **핸드북**이 처음부터 분명히 밝힌 바와 같이, 지구적 도시사에 대한 확정적이고 포괄적인 시각을 제공하리라고 기대하지는 않는다. 그보다 이 책 《옥스퍼드 세계도시문명사》는 고대부터 현재까지를 아우르는 장들을 통해 분석의 틀을 마련하고, 비교사적 논의와 토론의 장을 열어가며, 심화 연구를 위한 주제들과 질문들을 제시하고자 한다. 또 장기지속적 도시화의 무한한 복잡성을 강조하며, 마지막으로 절대로 사라지지 않을 주제에 다채로운 색깔의 조명을 환히 비추고자 한다.

주

1 http://www.unfpa.org/pds/urbanization.htm; http://www.citypopulation.de/world/Agglomerations.html

2 중요한 초기 연구들로 유럽과 비유럽 도시들에 대해서는 Peter Hall, *The World Cities* (London: Weidenfeld and Nicolson, 1966); 같은 저자의 보다 포괄적인 연구로는 *Cities in Civilization: Culture, Innovation and Urban Order* (London: Weidenfeld, 1998); 인구학적 분석으로는 Tertius Chandler and Gerald Fox, *3000 Years of Urban Growth* (New York: Academic Press, 1974); 경제발전에 관해서는 Paul Bairoch, *Cities and Economic Development from the Dawn of History to the Present* (London: Mansell, 1988).

3 [표 1.3]을 참고하라. http://www.citypopulation.de/world/Agglomerations.html; http://bwnt.businessweek.com/interactive_reports/livable_cities; http://www.euromonitor.com/Top_150_City_Destinations. World Urbanization Prospects의 2007년 개정에 대해서는 http://esa.un.org/unup/index.arp?panel=2.

4 R. Park, R. D. McKenzie and Ernest Burgess, *The City* (Chicago: Chicago University Press, 1925); F. Braudel, *La Méditerranée et le Monde Méditerranéen a l'époque de Philippe II*, 2 vols. (Paris: Colin, 1949); L. T. Fawaz and C. A. Bayly, eds., *From the Mediterranean to the Indian Ocean* (New York: Columbia University Press, 2002), 2와 그 이하.

5 M. Weber, *The City*, ed. D. Martindale and G. Neuwirth (New York: Collier Books, 1962), 특히 88.

6 Cf. Peter Burke, "Urban History and Urban Anthropology of Early Modern Europe", in D. Fraser and A. Sutcliffe, eds., *The Pursuit of Urban History* (London: Edward Arnold, 1983), 69-82.

7 G. Sjoberg, *The Preindustrial City, Past and Present* (Glencoe, Ill.: Free Press, 1960).

8 Fawaz and Bayly, eds., *From the Mediterranean*, 6; E. Said, *Orientalism* (New York: Pantheon Books, 1978); 다음도 참고하라. C. A. Breckenbridge and P. van der Weer, eds., *Orientalism and the Postcolonial Predicament* (Philadelphia: Univ. of Pennsylvania Press, 1993).

9 Cf. R. Rodger, ed., *European Urban History: Prospect and Retrospect* (Leicester: Leicester University Press, 1993); P. J. Corfield, "Historians and the Return to the Diachronic", in G. Harlaftis et al., eds., *The New Ways of History: Developments in Historiography* (London: Tauris Academic Studies, 2010), 14-15.

10 S. Sassen, *Global City: New York, London, Tokyo* (Princeton: Princeton University Press, 1991, 2001); Fu-Chen Lo and Yue-Man Yeung, eds., *Globalization and the World of Large Cities* (Tokyo: UN University Press, 1998); N. Brenner and R. Keil, eds., *The Global Cities Reader* (London: Routledge, 2006).

11 Walter Christaller, *Die zentralen Orte in Süddeutschland* (Jena: Gustav Fischer, 1933); 크리스탈러가 중국사 학자들에게 끼친 영향력에 대해서는 William Skinner, ed., *The City in Late Imperial China* (Palo Alto: Stanford University Press, 1977). J. C. Russell, *British Medieval Population* (Albuquerque: University of New Mexico Press, 1948); idem, *Medieval Regions and their Cities* (Newton Abbott: David and Charles, 1972); K. Davis, *Urbanization in Latin America* (New York: Milbank, 1946); idem, *World Urbanization, 1950-1970* (Berkeley: Institute of International Studies, University of California, 1969-1972).

12 Colin Renfrew, "The City through Time and Space", in J. Marcus and J. A. Sabloff, eds., *The Ancient City: New Perspectives on Urbanism in the Old and New World* (Sante Fe: School for Advanced Research, 2008), 36-37은 연결성의 의미를 강조하지 않은 채 해당 주제의 일부를 제시한다.

13 P. Clark, *European Cities and Towns* (Oxford: Oxford University Press, 2009), 199, 234, 322-3; Richard G. Fox, ed., *Urban India: Society, Space and Image* (Durham, N.C.: Duke University Press, 1970), 200.

14 다음 부분들에 대한 더 많은 참고문헌은 개별 장들의 주들을 참고하라.

15 Marcus and Sabloff, eds., *The Ancient City*, chs.13-15; 이 책의 7장과 20장도 참고하라.

16 G. Brogiolo and B. Ward-Perkins, eds., *The Idea and Ideal of the Town between Late Antiquity and the Early Middle Ages* (Leiden: Brill, 1999); G. Brogiolo et al., eds, *Towns and Their Territories between Late Antiquity and the Early Middle Ages* (Leiden: Brill, 2000); C. Wickham, *Framing the Early Middle Ages: Europe and the Mediterranean 400-800* (Oxford: Oxford Unversity Press, 2003).

17 J. Heitzman, *The City in South Asia* (Abingdon: Routledge, 2008), 34-41.

18 페스트의 광범위한 영향에 대해서는 D.C. Stathakopoulus, *Famine and Pesilence in the Late Roman and Early Byzantine Empire* (Aldershot: Ashgate, 2004), 특히 111과 그 이하.

19 Cf. N. di Cosmo et al., eds., *The Cambridge History of Inner Asia* (Cambridge: Cambridge University Press, 2009), 특히 100과 그 이하. 대륙 간 교역 및 기타 접촉의 성장과 관련한 고전적 설명에 대해서는 J. Abu-Lughod, *Before European Hegemony: The World System AD 1250-1350* (Oxford: Oxford University Press, 1989); D. A. Agius and I. R. Netton, eds., *Across the Mediterranean Frontiers* (Turnhout: Brepols, 1997), ch.1.

20 다음도 참고하라. Clark, *European Cities*, 34-37, 105.

21 다음도 참고하라. D. Behrens-Abouseif, "The Mamluk City", in R. Holod et al., eds., *The City in the Islamic World: I* (Leiden: Brill, 2008), 296-311.

22 이 책의 19장을 참고하라. 더 알기 위해서는 A. Reid, ed., *Southeast Asia in the Early Modern Era* (London: Cornell University Press, 1993).

23 E. Cheong, *Hong Merchants of Canton 1684-1798* (London: Curzon Press, 1996).

24 T. Raychauduri and I. Habib, eds., *Cambridge Economic History of India: I 1200-c.1750* (Cambridge: Cambridge University Press, 1982), 434-454; Heitzman, City, 71과 그 이하; G. Riello and T. Roy, eds., *How India Clothed the World* (Leiden: Brill, 2009), 1-22.

25 C. A. Bayly, *Rulers, Townsmen and Bazaars 1770-1870* (Oxford: Oxford University Press, 1992), 209와 그 이하.

26 E. Eldem et al., eds., *The Ottoman City between East and West* (Cambridge: Cambridge University Press, 1999), 48과 여기저기; S. Ozmucur and S. Pamuk, "Real Wages and Standards of Living in the Ottoman Empire 1489-1914", *Journal of Economic History*, 62:2 (June, 2002), 316.

27 1800년 이전의 유럽 무역에 대한 보다 긍정적인 해석해 대해서는 Clark, *European Cities*, 139-157, 217-219.

28 Cf. Jean-Luc Pinol, ed., *Histoire de l'Europe urbaine* (Paris: Seuil, 2003), II, 287-352.

29 G. B. Nash, *The Urban Crucible: The Northern Seaports and the Origins of the American Revolution* (Cambridge, Mass.: Harvard University Press, 1979); S. K. Schultz, "The Growth of Urban America in War and Peace 1740–1810", in W. M. Fowler and W. Coyle, eds., *The American Revolution: Changing Perspectives* (Boston: NorthEastern University Press, 1979); Clark, *European Cities*, 136.

30 D. M. Anderson and R. Rathbone, eds., *Africa's Urban Past* (Oxford: James Currey, 2000), 4–6, 67과 그 이하.

31 A. Lees and L. H. Lees, *Cities and the Making of Modern Europe* (Cambridge: Cambridge University Press, 2007), chs. 2–4.

32 Clark, *European Cities*, 229, 231–232.

33 Cf. K. T. Jackson and S. K. Schultz, eds., *Cities in American History* (New York: Alfred A. Knopf, 1972), 251–352.

34 Lees and Lees, *Cities*, 48–54과 여기저기; Clark, *European Cities*, ch.13.

35 R. Murphey, "The Treaty Port and China's Modernization", in M. Elvin and G. W Skinner, eds., *The Chinese City between Two Worlds* (Palo Alto: Stanford University Press, 1974), 20–21, 22–28.

36 도쿄에 대해서는 N. Fiévé and P. Waley, eds., *Japanese Cities in Historical Perspectives* (London: Routledge, 2003), 26과 그 이하.

37 Cf. L. Bethel, ed., *Latin America: Economy and Society 1870–1930* (Cambridge: Cambridge University Press, 1989), 85와 그 이하.

38 Cf. J. Gugler, ed., *World Cities beyond the West* (Cambridge: Cambridge University Press, 2004).

39 T. Lorrain and G. Stoker, eds., *La privatisation des services urbains en Europe* (Paris: La Découverte, 1995).

40 K. M. Kruse and T. J. Sugrue, eds., *The New Suburban History* (Chicago: Chicago University Press, 2006), 1; 교외 도시화에 대한 더 많은 정보는 이 책의 42장을 참고하라.

41 Clark, *European Cities*, 357–358, 367–369.

42 다음도 참고하라. Y. Elsheshtawy, ed., *Planning Middle Eastern Cities* (Abingdon: Routledge, 2004).

43 K. Fujita and R. C. Hill, eds., *Japanese Cities in the World Economy* (Philadelphia:

Temple University, 1993), 7-10, 66과 여기저기.

44 P. Bairoch, "International Industrialization Levels from 1750-1980", *Journal of European Economic History*, 11 (1982), 301-310. 이 책의 34장 [표 34.1]도 참고하라.

참고문헌

Bairoch, Paul, *Cities and Economic Development from the Dawn of History to the Present* (London: Mansell, 1988).

Clark, Peter, *European Cities and Towns 400-2000* (Oxford: Oxford University Press, 2009).

Elvin, M., and Skinner, G. W., eds, *The Chinese City between Two Worlds* (Palo Alto: Stanford University Press, 1974).

Gugler, J., ed., *World Cities beyond the West* (Cambridge: Cambridge University Press, 2004).

Hall, Peter, *The World Cities* (London: Weidenfeld and Nicolson, 1966).

Hall, Peter, *Cities in Civilization: Culture, Innovation and Urban Order* (London: Weidenfeld, 1998).

Heitzrnan, James, *The City in South Asia* (Abingdon: Routledge, 2008).

Jackson, K. T., and Schultz, S. K., eds., *Cities in American History* (New York: Alfred A. Knopf, 1972), 251-352.

Lees, A., and Lee, L. H., *Cities and the Making of Modern Europe* (Cambridge: Cambridge University Press, 2007).

Lo, Fu-Chen, and Yeung, Yue-Man, eds., *Globalization and the World Large Cities* (Tokyo: UN University Press, 1998).

Pinol, Jean-Luc, ed., *Histoire de l'Europe urbaine* (Paris: Seuil, 2003).

Sjoberg, Gideon, *The Preindustrial City, Past and Present* (Glencoe, Ill.: Free Press, 1960).

Weber, Max, *The City*, ed. D. Mrtindale and G. Neuwirth (New York: Collier Books, 1962).

제1부

초기 도시

EARLY CITIES

개관

Surveys

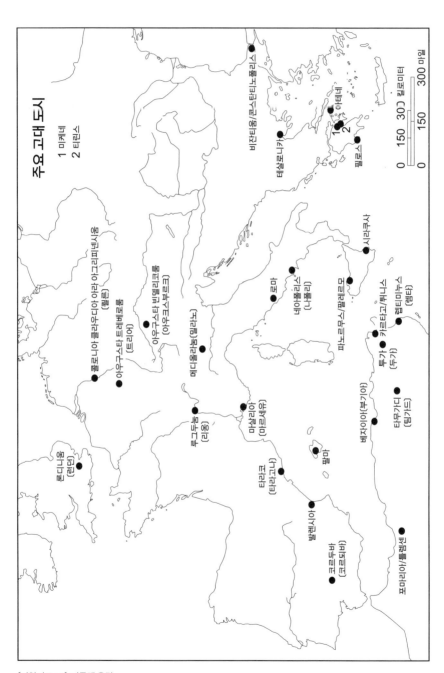

주요 고대 도시

1 미케네
2 티린스

비잔티움/콘스탄티노폴리스

테살로니카

아테네

1
2

필로스

시라쿠사

콜로니아 클라우디아 아라 아그리피넨시움
(쾰른)

로마

아우구스타 트레베로룸
(트리어)

아우구스타 빈델리코룸
(아우크스부르크)

네아폴리스
(나폴리)

메디올라눔(밀라노)

파노르무스/팔레르모

투가 카르타고/투니스

렙티마누스
(렙티)

론디니움
(런던)

루그두눔
(리옹)

마실리아
(마르세유)

바에티아(부기아)

티무가디
(팀가드)

팔마

타라코
(타라고나)

발렌시아

코르두바
(코르도바)

포마리아/틀렘센

0   150   300 킬로미터

0   150   300 마일

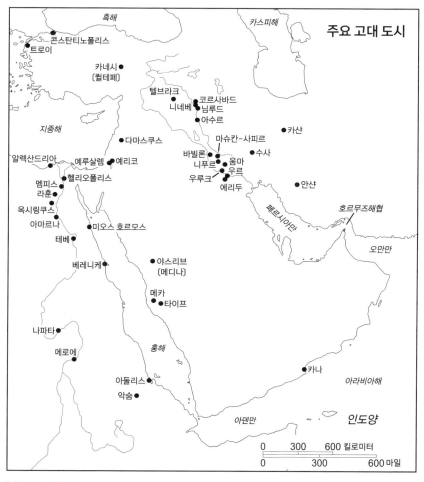

주요 고대 도시

흑해

카스피해

콘스탄티노폴리스
트로이

카네시
(퀼테페)

텔브라크
니네베　코르사바드
　　　님루드
아수르

카샨

지중해

다마스쿠스

마슈칸-사피르
바빌론
니푸르　옴마
우루크　우르
에리두

수사

알렉산드리아
예루살렘　예리코
헬리오폴리스
멤피스
라훈
옥시링쿠스
아마르나
테베

미오스 호르모스

안샨

페르시아만

호르무즈해협

오만만

베레니케

야스리브
(메디나)

메카
타이프

나파타

메로에

홍해

아둘리스
악숨

카나

아라비아해

아덴만

인도양

0　　　300　　　600 킬로미터
0　　　300　　　600 마일

[지역지도 I.2] 중동

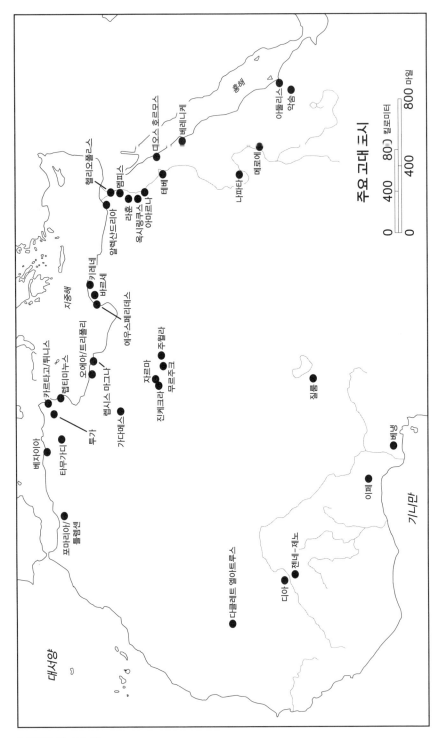

주요 고대 도시

대서양

홍해

지중해

기니만

헬리오폴리스
멤피스
라훈
알렉산드리아
옥시링쿠스
아마르나
테베
나파타
메로에
아둘리스
악숨
베레니케
미오스 호르모스

키레네
바르세
에우스페리데스

오에아/트리폴리
렙티스 마그나
자르마
무르주크
주월라
진케크라

카르타고/튀니스
렙티마누스
가다메스
타무가디
베자이아

투가

포마리아/틀렘센

다클레트 에아트루스

디아
젠네-제노

베냉

이페

질룸

[지역지도 I.3] 아프리카

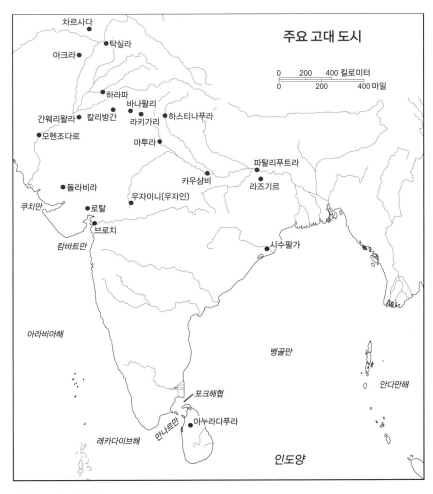

주요 고대 도시

차르사다

탁실라

아크라

하라파

바나왈리

간웨리왈라   칼리방간   라키가리   하스티나푸라

모헨조다로

마투라

돌라비라

쿠치만   로탈   우자이니(우자인)   카우샴비

파탈리푸트라

라즈기르

브로치

칸바트만

시수팔가

아라비아해

벵골만

안다만해

포크해협

아누라다푸라

만나르만

래카다이브해

인도양

[지역지도 I.4] 남아시아

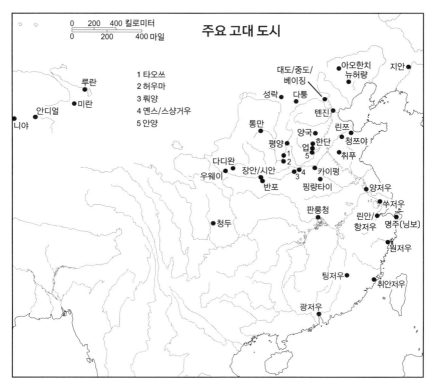

주요 고대 도시

0   200   400 킬로미터
0   200   400 마일

1 타오쓰
2 허우마
3 뤄양
4 옌스/스샹거우
5 안양

루란
미란
안디얼
니야

대도/중도/베이징
아오한치 뉴허량
지안
성락
다퉁
톈진
양국
린쯔
통만
청쯔야
평양
한단
업
취푸
다디완
장안/시안
카이펑
우웨이
반포
핑량타이
양저우
수저우
판룽청
린안
명주(닝보)
청두
항저우
원저우
팅저우
취안저우
광저우

[지역지도 I.5] 중국

제2장

메소포타미아
Mesopotamia

오거스타 맥마흔

Augusta McMahon

세계 최초의 도시들이 기원전 제4천년기〔기원전 4000~기원전 3001〕에 메소포타미아(오늘날의 이라크, 시리아 북동부, 튀르키예〔터키〕 남동부, 이란 남서부)에서 형성된 것은 널리 알려져 있다. 도시사의 시초에 대한 이와 같은 설정으로, '메소포타미아의 도시'는 흔히 도시들의 과거와 현재를 다루는 개괄적 연구에 포함된다. 그런데 단일한 '메소포타미아의 도시'는 존재하지 않았다. 그 대신에 3000년 넘게 변화해온 정치적·경제적 맥락 속에서, 그리고 매우 다양한 경관landscape을 지닌 30만 제곱킬로미터가 넘는 영역 여기저기에서 가변적 메소포타미아 **도시들**의 변형들이 존재했다. 특히 강성했던 남부(이라크 남부, 바빌로니아)와 북부(이라크 북부, 시리아 북동부, 아시리아) 간 변형이 두드러졌다.

이 장에서는 메소포타미아 도시들의 주요 특징을 살펴볼 것이다. 여기에는 후기 선사시대(기원전 3850년 무렵, 후기 금석金石병용기Late Chalcolithic Period) 가장 이른 초기의 '유기적' 사례들과 기원전 제1천년기〔기원전 1000~기원전 1〕의 (신아시리아 제국과 신바빌로니아 제국) 인공 도시들이 포함된다. 먼저 메소포타미아 도시들의 정의와 기원, 시경관의 양상을 살펴볼 것이다. 이어 도시 생활의 긍정적 측면과 부정적 측면을 알아보고, 도시에 대한 메소포타미아의 내부자다운emic 사유를 다루며, 도시화와 탈도시화의 통시적 경향을 고찰할 것이다. 마지막으로, 도시 거주민과 도시를 지탱하게 해주는 주변 지역 사이 관계, '도시국가'의 개념도 검토할 것이다.

도시 정의하기: 크기 혹은 구성물?

메소포타미아 남부와 북부 가장 이른 초기의 도시들(기원전 3500년 무렵 이라크 남부 우루크Uruk와 니푸르Nippur, 기원전 3850년 무렵 시리아 북동부 텔브라크Tell Brak)은 50~75헥타르〔0.5~0.75제곱킬로미터〕 정도로, 그 절대적 크기만 가지고는 도시였음을 가늠할 수가 없다. 권력의 위계hierarchy와 사회-경제적인 수평적 위계heterarchy가 더 유용한 요소다. 메소포타미아 도시들은 언제나 하나 혹은 그 이상의 종교적, 정치적 그리고/또는 경제적 기관들이었고, 물질화한 기념(비)적 건축물 복합단지〔복합체〕complex(궁전이나 신전)를 포함했다(9장 참조). 이러한 건축물 복합단지는 그것이 잘 보이는 곳에 자리를 잡았고 모든 도시 거주민에게 서비스를 제공했다는 점에서는 '공적'이었으나, 그것이 접근이 제한적이었고 일반인과 대비되는 엘리트의 헤게모니를 표출했다는 점에서는 사적 성격을 지니기도 했다. 이 복합단지는 매번은 아니더라도 종종 시경관city scape의 물리적 중심이었으며(중남미 도시들의 '진원지epicentre'와 유사했다[1]), 도시의 대부분과 많은 배후지를 볼 수 있었으며 그 반대의 경우도 마찬가지인 랜드마크landmark이기도 했다.* 가장 유명한 것은 기원전 3200년 무렵 남부 메소포타미아 도시인 우루크의 종교적 복합단지였다. 이곳에는 250미터에서 400미터까지 확장된 에안나Eanna 신전 구역의 건물들과 기원전 제3천년기 후반의 그 유명한 지구라트ziggurat〔고대 바빌로니아, 아시리아 유적에서 발견되는 일종의 신전으로서 고대의 성탑聖塔〕들을 예시했던 아누Anu 신전과 그 기단基壇이 있었다. 기념(비)적 건축물은 도시별·시대별로 설계 도면에서는 각양이었을지라도, 어느 곳이건 가시적 규모, 울타리 쳐진 넓은 안뜰courtyard, 중첩된 방, 인상적인 부벽扶壁이 있는 파사드façade〔정면正面 외벽〕, 공식적 입구를 갖추었다. 신전과 궁전은 남겨진 가장 큰 최초의 문헌 자료 보관소였다.

널리 받아들여지는 도시city의 특성 목록은 성벽city wall과 같은 또 다른 가시적 요소를 포함하지만, 이는 추정되는 것만큼의 일반적 현상은 아니었고 종종 도시의 기원보다 뒤늦게 나타나는 요소였다. 인구밀도 또한 도시 분류에서 필수 요소로 흔히 거론되곤 한다.[2] 메소포타미아인의 동네는 조밀한 군집 거주지로 인구밀도가 높았다. 특화된 생산

---

* 영어 "cityscape"는 도시 자체 경관을 의미하고 "urban landscape"는 도시적 경관을 의미하는데 둘 모두 우리말로 "도시경관"으로 번역된다. 이 책에서 "city scape"는 "시경관"으로, "urban landscape"는 "도시경관"으로 옮긴다.

이나 산업 역시 도시의 특성으로 언급된다.[3] 물질문화·건축물·기록물에서 알 수 있듯, 메소포타미아 도시들에는 각기 특화된 경제와 이질적인 사회적·직업적 정체성을 지닌 거주민이 존재했다. 이러한 각양각색은 도시의 '인구학적demographic' 개념을 충족한다.[4] 쓰기writing는 주로 급성장하는 경제를 기록·관리하고 이질성을 규범화하기 위해 발명된 도시의 기술이었다. 게다가, 메소포타미아 도시는 주변 경관과 정주지settlement를 농촌화하고 공생적인 경제·종교·사회 관계망을 창출하는 것을 포함해 경계 너머에까지 영향을 끼쳤다는 점에서 '기능적인' 도시였다.[5] 아마도 메소포타미아 도시에 대해 가장 명확한 정의를 제공하는 것은 다른 특성들보다 마지막 요소 즉 넓은 배후지에[6] 대한 의존과 도시와 대비되는 농촌의 존재일 것이다.[7] 농촌화ruralization는 정주지 크기의 새로운 상대적 규모와 행동의 새로운 방향성 모두에서 느껴졌을 것이다. 배후지 경관을 가로지르는 도시 안팎으로의 이동이 증가했을 것이고, 도시경관 자체도 변모했을 것이다. 도시는 매우 가시적으로 창조된 랜드마크였다.

메소포타미아 도시 재구성의 방법론적 문제들

메소포타미아의 도시공간urban space에 대한 지식은 아쉽게도 불완전한데, 메소포타미아 도시 전체가 발굴된 적이 없기 때문이다. 이런 문제는 메소포타미아가 유일한 것만은 아니다. 우리는 흔히 서로 기능이 다른 지역 간의 관련성을 이해하는 데서 어려움을 겪는다. 고립적으로 발굴된 신전 복합단지와 분리된 단위로서의 동네가 그 사례다. 동네가 발견된 모든 발굴지에서는 경계벽들 및 2~3미터의 좁은 길들과 함께 집들이 서로 인접해서 밀집해 있고, 동네의 경계가 발굴지의 경계이기도 하다. 그렇기에 기능적 공간들 사이의 변화와 전체적 시경관은 가시적으로 파악되지 않았다. 동네는 수백 제곱미터로 확장되는가 아니면 열린 공간, 뚜렷한 벽, 공공건축물, 노동 구역으로 둘러싸인 집들의 소규모 밀집인가? 밀집된 동네가 도시 전역에서, 그리고 도시마다 나타났는가? 도시의 열린 공간들은 다목적으로 공동체가 소유했는가 아니면 권력에 의해 통제되는 관리 구역이었는가? 도시 경계 구역이 발굴된 사례는 극히 드물고, 이것은 도시와 비도시적 공간 사이의 변화, '교외' 활동과 토지의 소유권에 관한 정보의 부족을 낳는다. 마지막으로, 메소포타미아 도시들에 시장이 존재했는지를 말해주는 확실한 물리적 증거가 부족하다. 도시의 경계 구역들이 활발한 물물 거래를 위한 장소로 기능하지 않았을까 추측할 뿐이다.

도시경관urban landscape에 대한 지식의 차이는 도시와 지역의 인구 규모를 추정 상태로 남아 있게 한다(8장 참조).[8] 인구 규모의 불확실성은 내부적 사회구조와 농업, 축산업, 자원 유지 영역에 대한 해석과 재구성에 영향을 준다.

도시 간 비교분석을 위한 자료 역시 부족하다. 한 도시의 잘 발굴된 궁전palace은 규모와 권위에서 차이가 있는 (아직 발굴되지 않은) 궁전과 다를 수 있으나 너무나 자주 이를 비슷하다고 추정한다. 기원전 제 3천년기 기르수Girsu[9] 남부 유적지에 관련된 풍부한 문헌 자료를 기반으로 1920~1930년대 남부 메소포타미아 '신전국가temple-state'를 재구성한 사례는 조심스러운 이야기다. 해당 문헌을 연구한 학자들은 처음에는 다른 권위를 거의 배제하고서 신전temple을 경제적으로나 정치적으로 강력한 권한을 소유한 것으로 재구성했다. 이후 비교가능한 자료가 많아지면서 이 재구성은 수정된다. 그리하여 통상적으로 기원전 제3천년기 지도자들의 권력은 세속적 측면과 종교적 측면이 합쳐진 형태였으며, 궁전과 신전의 권한은 도시마다 시기마다 달랐다는 것이 공통된 의견이다. 이처럼 적은 증거에 기반을 두면서도 현재 일반적인 것으로 받아들여지는 것들은 무엇일까?

메소포타미아 도시들은 또한 시간이 흐르면서 팽창되거나 축소되었다. 도시의 어느 한순간이 다음 단계의 도시를 의미하진 않는다. 지표면의 물질문명 수집과 연대 측정을 통해 시기별 도시들의 모습을 스케치할 수는 있지만,[10] 이는 단지 스케치일 뿐이다. 게다가 내부자다운 emic 개념 정의의 문제가 제기된다. 메소포타미아는 풍부한 문헌 기록을 가지고 있었고, 이곳의 과거 거주민들은 습관적으로 사람·신·사물을 자세하게 사전적 목록으로 구분했다. 그런데 메소포타미아의 언어에는 마을village, 타운town, 도시를 구분하는 단어들이 없었다. 고고학자들과 도시사학자들이 찾는 규모, 내용, 사회-정치적 복잡성의 변수는 문헌에 명시되지 않았다. 메소포타미아의 거주민에겐 어떤 집단이든 같이 거주하는 장소가 규모나 내부 구조의 구별 없이 알루ālu(아카드어) 혹은 우루URU(수메르어)라고 지칭되었다. 이와 같은 현대적/고대적 용어 사이 불일치는 궁극적으로 방법론적 문제를 함의한다. 연구자들은 건축물과 물질문화에 집중하기 때문에 메소포타미아 도시들의 재구성에는 종종 거주민이 누락이 된 것처럼 보인다. 통상적으로 제도의 중요성이나 상위계층 대 하위계층의 서로 다른 도시경험urban experience은 논의되지만 개인들의 경험은 거의 논의되지 않으며, 노인 대 청년 혹은 남성 대 여성의 다양한 도시적 삶은 더욱 논의되지 않는다.

도시의 기원과 도시의 형성

메소포타미아 남부(이라크 남부)의 첫 번째 도시는 기원전 3500년 무렵의 우루크 유적지에 위치한다는 게 전통적 견해다. 인접 지역들이 남부의 영향을 받고서야 도시화가 진행되었다는 것 역시 널리 알려진 바다. 그러나 메소포타미아 북부(시리아 북동부 텔브라크와 텔하무카르Tell Hamoukar)에 대한 최근의 발굴과 조사를 통해 이미 기원전 제5천년기〔기원전 5000~기원전 4001〕후반 또는 기원전 4200년 무렵에 도시 규모의 부지가 성장했고, 도시화한 지역 정주지들의 위계, 기념(비)적 공공장소, 사회-경제적 복합단지가 존재했음이 밝혀졌다.[11]

물리적으로, 메소포타미아 북부와 남부의 도시들은 각양각색이었다. 우루크는 중앙의 종교기관들을 기준으로 밀도가 높고 잘 정리되어 있었다.[12] 북부 도시들은 조금 더 가변적이었는데, 밀집된 중앙 지역과 덜 밀집된 외곽 타운들이 있었다. 북부 도시들을 대표하는 것은 종교적 권위와 세속적 권위로, 이 두 권위의 물리적 위치는 남부 도시들에서보다 덜 중심적이었고 덜 두드러졌다. 그러나 남부와 북부 도시들 모두 노동의 특화와, 도시 인구 및 농촌 인구의 통합이라는 가장 중요한 도시적 특성들을 공유했다.

이 메소포타미아의 도시들은 어떻게 발전했을까? 많은 메소포타미아 도시는 긴 생애사를 가지고 있는바 통상 신석기 혹은 금석병용 선사시대(기원전 제6천년기 또는 더 이른 시기)에 농촌 마을에서 시작되었으며, 초기 도시화를 넘어 이후 몇천 년간 경제적·사회적 발전을 이루었다. 메소포타미아 가장 이른 초기의 도시들은 자연발생적 조건과 결정적으로 지역적 이주 둘 모두에 힘입어 확장되었다. 메소포타미아 북부와 남부 모두에서 초기 도시들은 '타운'에서 상대적으로 빠르게 성장했는데 최소한으로 점유된 원형圓形의 부지 내에서 형성되었다. 원형 부지의 예전 인구 대부분은 도시로 유입되었고, 반면에 토지는 군집을 이룬 인구를 부양하기 위해 더욱 집약적인 농업에 사용되었다. 기원전 제4천년기 후반 우루크는 반경 약 15킬로미터를 드문드문 차지한 원형 부지에 자리를 잡았고,[13] 약간 더 이른 초기 시기의 텔브라크 역시 비슷하게 반경 8킬로미터가량의 원형 부지를 보유했다.[14] 이러한 이주immigration는 새로운 경제적 기회와 제조업 및 교역의 효율성을 수용하는 사람들을 포함하는 긍정적 이동이었을 수도 있고, 방어적 이유에서였을 수도 있으며, 이에 더해 통제적 도시권력에 의한 인구의 재배치를 반영하는 것일 수도 있다. 실제적 권력 구조에서 비롯된 추진이었건 거침없는 경제적 유인이었건, 자석과 같은 양상이 이 지역의 도시 기원에 결정적이었으며 타운과 도시를 구분했다.

초기의 빠른 성장 이후, 메소포타미아 북부와 남부 도시 대다수는 100~150헥타르(1~1.5제곱킬로미터)의 자연 고원을 차지했다.[15] 그런데 이 도시들은 계속해 축소되다가 다시 성장하거나 혹은 정치적 권위에 의해 의도적으로 팽창했다. 처음부터 인공도시artificial city로 형성된 곳들은 드물었다. 이 도시들은 변함없이, 팽창하는 지역국가들의(이라크 중부의 구바빌로니아 히라둠Haradum처럼)[16] 전초기지거나 제국의 전초기지(이라크 북부의 신아시리아 코르사바드Khorsabad처럼)였다. 제국의 수도들은 지역의 자연 고원만큼의 영역을 차지했고, 성벽 안 규모는 300헥타르에서(님루드Nimrud와 코르사바드처럼) 700헥타르에(신아시리아 니네베Nineveh와 신바빌로니아 바빌론Babylon처럼) 이르기도 했다. 이 도시들에는 공공건축물과 함께 세워진 요새들이 밀집해 있었다. 거주지 영역은 분산되어 있거나 없기도 했다. 이러한 비자연적인unnatural 도시 혹은 '이식된planted'[17] 정주지는 위계적 권력을 여실히 보여주지만, 도시의 핵심적 요소라 할 도시 내부의 다양성과 사회-경제적 이질성은 미미했다. 도시의 매우 눈에 띄는 외관과 덜 통합적이고 응집되지 않은 내부는 실제 사용되는 도시가 아니라 외부적 시선을 위한 기념물로서의 정체성을 반영하는 것일 수도 있다. 그러나 제국의 수도들을 지칭하는 메소포타미아의 용어(앞부분 참조)는 유기적 장기 정주지를 지칭하는 용어와 같았다.

계획 도시공간과 비계획 도시공간

계획되거나 혹은 계획되지 않은 도시경관들은 때때로 도시 당국이 도시 인구를 어느 정도로 통제했는지를 알려주는 지표로 이용되기도 한다. 메소포타미아 도시들은 다른 많은 고대 도시처럼 '계획되지 않고unplanned' 유기적으로 발전한 주거 지역과 함께 엄격하게 계획된 기념비적 복합단지들로 이루어져 있었다. 이 두 구성 요소는 서로 연관이 없어 보이지만, 기념(비)적 구조물은 조망이나 교통로를 창출할 때 계획되지 않은 것으로 보이는 지역들에서의 활동과 이들 지역으로의 이동에 영향을 끼쳤을 것이다. 많은 메소포타미아 도시의 주ᴛ 신전은 가장 밀집된 위치와 발굴지에서도 지속적 관심을 받는 위치를 차지하고 있다. 메소포타미아의 도시들은 '걸어 다니는 도시walking city' 영역만큼의 규모였으며, 도보 외 두 번째 교통수단이 필요하지 않았다. 논란의 여지가 있으나, 신전의 안팎으로 이동하는 사람들과 상품들은 점차 도시의 외형이나 다른 구역들의 형성에 영향을 끼쳤을 것이다. '계획되지 않은' 거주 구역들까지도 기념(비)적 지점들에 잠재적으로 활발하게 영향을 받았고 교통 양상과 연계되었다.

그런데 신전들이 메소포타미아 도시들을 뿌리내리게 했을까? 도시 대다수는 하나의 수호신과 주 신전을 보유하고 있었다. 메소포타미아는 다신교 문화로, 도시에는 종종 상징적 건축물부터 작은 성소까지 많은 신전이 있었다. 일부 도시들은 확연히 다신교적 특성을 드러냈으며(인더스와 비교해 니푸르가 그러했다. 5장 참조), 반면에 다른 도시들은 하나의 압도적 신전(우르Ur)을 보유했다. 기원전 제3천년기부터, 궁전은 분리된 구조물이었고 신전과 대척점에 있었다. 사상적, 경제적 측면에서 두 장소는 심상지도mental map와 물리적 도시경관 둘 모두에 영향을 주었다('심상지도'는 인지심리학에서 사용되기 시작한 용어로 실측 지도와 달리 개인 또는 공동체의 공간적 상상력과 의미 부여에 의해 형성되는 지도다). 이 건물들이 접근성과 주거공간에 끼친 영향을 구분하고 식별하기는 불가능하다. 실제 시각적으로 형식화된 공공공간과 덜 눈에 띄게 조직된 개인공간을 대비하는 것이 계획의 목표였을지도 모른다. '유기적인 organic' 것과 '불규칙적인irregular' 것의 개념들은 문화적으로 정의되었고[18] 현대인에게 불규칙적이라고 여겨지는 공간들은 어쩌면 거주민들의 사회적 상태를 명확하게 반영했을 수 있다.

이 계획된 건축물들은 무엇이었을까? 기원전 제3천년기 메소포타미아 남부 문헌들에는 왕들의 가장 중요한 활동 가운데 하나로 신전 수리나 재건축을 언급한 부분이 있다. 이들 문헌에서는 실용적 세부사항이 빈약해서, 새 건축물들이 더욱 크고 빛나거나 혹은 단순히 새로워졌다고만 언급한다. 그러나 계획자의 이름과 연계된 계획에 대한 물리적 증거는 충분하다. 건축물과 신전 확장에 관한 명확한 사례 하나는 기원전 제3천년기와 기원전 제1천년기의 우르 종교 복합단지다(기원전 제3천년기 후반에 330×195미터 규모의 복합단지는 기원전 제1천년기에 400×255미터 규모로 확장되었다).[19] 대칭축, 높은 벽과 문, 신전의 기능에 필요한 것 이상의 공간을 통합하는 것이[20] 일반적으로 우르와 메소포타미아 남부 복합단지의 특성이었으며, 이들 복합단지는 반복적인 '빈empty' 안뜰로 유명하다. 이 안뜰은 공간을 장악해 구성되었는데, 의식과 축제가 열리는 '공연 무대', 사회적 결속, 종교적 행사 혹은 이념적 순응의 메시지를 전달하는 장소로 사용되었을 것이다.[21] 게다가, 신전 복합단지는 건축물을 공간과 빛으로 둘러싸 역설적 의미로 폐쇄적이었음에도 개방되어 있었다(도시의 종교공간에 관한 논의의 심화는 10장을 참조). 기원전 제3천년기 중반 하파자Khafajah(메소포타미아 중부)의 이난나Inanna 신전[22] 혹은 기원전 제3천년기 후반 니푸르(메소포타미아 남부)의 이난나 신전의 확장처럼, 공적 재건축은 때때로 물리적 주변의 주택들을 포함했다. 사유재산을 전유하는 이와 같은 능력은 지도자 및 기관의 권력과 균형 잡힌 계획의 완벽한 실행을 강조하는 증거다.

대조적으로, 메소포타미아 북부 신전들은 통상 실室이 1개거나 비교적 작은 건축물에 적은 수의 실들로 구성되었고 남부와 같이 경외감을 불러일으키는 초대형 안뜰은 없었다. 그러나 두꺼운 벽들은 높이가 상당했는바, 기원전 제3천년기의 텔카슈카슈크 III Tell Kashkashuk III 유적지(6.6×7.8미터에 벽의 두께는 1.2미터)와 마리Mari의 성소들 혹은 기원전 제2천년기의 에블라Ebla와 텔브라크의 신전들이 그러하다. 따라서 '필요 이상의' 공간 모델은 북부에서도 여전히 적용된다. 북부에서 폐쇄적 공간은 수평보다는 수직으로 구성되었고 남부와 유사하게 권력의 표상을 구현했다. 메소포타미아 남부와 북부 모두 외적으로 높은 가시성을 확보했다.

메소포타미아의 궁전들은 기원전 제1천년기의 제국 수도들(님루드, 코르사바드, 니네베, 바빌론)의 시기 때까지 신전들보다 덜 알려져 있지만, 메소포타미아 남부와 북부에 흩어져 있는 알려진 더 이른 초기의 사례(기원전 제3천년기 이라크 남부 키시Kish 및 에리두Eridu, 기원전 제3천년기 시리아 텔베이다Tell Beydar · 텔비아Tell Bi'a · 마리 · 텔추에라Tell Chuera, 기원전 제2천년기 시리아 텔브라크 · 텔알리마Tell al-Rimah · 텔레일란Tell Leilan · 마리)는 신전과 유사한 공간 원칙을 따랐는바 곧 기념(비)성, 대칭적 요소, 여분의 방과 넓은 안뜰 둘 다에 해당하는 과도한 공간의 폐쇄성이다. 궁전 건축과 신전 건축 모두 상당한 경제적 투자가 필요했고, 도시 기관과 그 뒤에 있는 엘리트의 권력을 물리적으로 표상하고 과시했다. 아스테카의 진원지와 다르게, 메소포타미아의 신전들과 궁전들은 폐쇄적인 벽들로 둘러싸여 접근성이 제한적이었다. 그러나 도시의 많은 거주민은 행정적으로나 경제적으로니 그 두 장소와 연관되었다. 궁전과 신전이 교역, 수공업, 토지 관리의 주요 고용주였기 때문이다. 궁전과 신전은 접근은 제한적이었을 수는 있으나 분명하게 금지되지는 않았으며 도시 거주민 일상생활의 한 부분이었을 것이다.

학술지 《도시계획 리뷰Town Planning Review》에 게재된 〔오스트레일리아 태생의 고고학자〕 비어 고든 차일드Vere Gordon Childe의 도시혁명urban revolution에 대한 유명 논문에 이어, 메소포타미아 연구자 헨리 프랭크포트Henri Frankfort는 기원전 3500년경의 메소포타미아 도시들이 "명백하게 역동적이고 팽창적인 기관"이었다는[23] 주목할 만한 현대적 해석을 내놓았다. 사회학자들은 현대의 '창의도시creative city'에 관해 경제활동의 집중, 특정 부류의 이민, 부 획득 기회의 장소, 소외계층 지원 체계, 예술·문학·문화의 발전을 언급한다. 유사하게, 메소포타미아 도시들은 최고의 부를 누렸고, 일상적 산업 생산품과 이국적 상품들이 모여 있었으며, 예술과 문학의 요람이었다. 현대의 도시들과 메소포타미아의 도시들은 모두 기술적, 이념적 혁신의 창의적 동력이었다.

그런데 프랭크포트 논문의 주요 골자는 메소포타미아의 계획도시와 비계획도시 사이의 대비였다. 사르곤 II세Sargon II(재위 기원전 721~기원전 705)의 신아시리아 도시 코르사바드는 계획도시planned city 모델로 사각형 벽과 대부분 정확하게 위치한 문 및 건물(대칭 오류로 약간의 변형이 존재함에도)의 전형이다. 대조적으로, 메소포타미아 남부와 북부의 도시 주거지 동네 대부분은 과도하게 불규칙적으로 '유기적'이었다(예컨대 기원전 제3천년기 바그다드 북동부 디얄라Diyala계곡의 하파자 및 텔아스마르Tell Asmar,[24] 이라크 북부 텔타야Tell Taya, 기원전 제2천년기 우르와 니푸르가 그러하다). 메소포타미아 도시주의urbanism 학자들이 계획되지 않은 공간들을 탐구할 때 필연적으로 의지하는 것이 바로 이들 주거지 구역이다. 이 장에서 '동네neighbourhood'는 주택이 대부분인 지속적 건조물 구역이란 의미로 사용되며, 우리는 이곳에서 거주민들이 자주 사회적 접촉을 했다고 추측한다. 위의 사례들은 메소포타미아 동네들이 '중핵에 밀집'되어 있거나 인구밀도가 높고 물리적으로 집약되어 있음을 말해준다. 집들은 공간과 대지 경계에 제약을 받았지만 일관된 지향성의 시도는 보이지 않았다. 집들은 기하학적으로 제한되어 있지 않고, 외부의 윤곽과 내부의 구획은 시간이 지나면서 점차 바뀌어갔다. 길들과 골목들은 구불구불하고 불연속적이었으며, 도로포장이나 배수 공사 같은 공공사업은 시행되지 않았다. 집들은 경계벽을 공유했고 도로를 기준으로 군집을 이룬 또는 연속된 블록(5~15개 집들) 형태로 분류되었다. 도로, 골목, 혹은 작은 광장과 같은 공공장소는 끼워 맞추기 식으로 제공되었다.

거주용 건물과 상업용 건물은 작은 성소들에 인접해 있었다. 특히 도시공간의 소규모 구역 설정이 분명했던 우르에서 그러했다. 그리고 이집트에서와 같이(텔엘아마르나Tell el-Amarna[25]) — 거주민의 지위를 나타내는 것일 수 있는— 여러 크기의 집들이 매우 인접해 있었다. 그러나 부나 지위에 따른 명확한 주거 분리는 없었다. 다양한 지위를 가진 가구들의 근접성은 상호접촉을 촉진했을 것이며, 도시 동네의 전체적 이미지는 비공식적이긴 하지만 하층에서 상층으로 발전해간 강한 사회적 응집력이다. 여러 층위의 통합과 상호작용이 있었던 것으로 보

인다. 매일 대면 접촉을 했을 하나의 거리 또는 골목의 주민들 사이에
서, 상호작용이 덜 빈번한 인접 블록 내의 주민들 사이에서, 그리고 실
제 접촉이 거의 없는 여러 블록이나 거리에서도 직업〔전문직으로서의〕
활동이나[26] 혈통을 공유하는 이들 사이에서 그러했을 것이다. 물론 동
네의 협동에 대해서는 공식적 문서로 남은 바가 없으며 동네는 예컨대
과세와 같은 특정 목적의 단위로 간주되지도 않았다. 세속적 혹은 종
교적 이유에 의한 교류는 개인 간의 혹은 가족 구성원 간의 일이지 거
주지와 관련된 것은 아니었다.

　밀집되고 이질적인 도시 동네의 모습은 기원전 제2천년기 초반의
우르,[27] 기원전 제3천년기의 아부살라비크Abu Salabikh, 하파자, 텔아스
마르Tell Asmar에서[28] 가장 명확하게 나타난다. 그런데 기원전 제2천년
기 초반 시기의 니푸르 '태블릿언덕Tablet Hill'에서 발굴된 두 곳(TA 구
역 TB 구역)의 경우는 서로 다른 모습을 드러내는바, TA 구역은 우르
와 같은 절충된 형태의 집들을 보여주고 TB 구역은 더 공식적으로 배
열된 대규모 주택 군집을 보여준다.[29] 위에서 언급한 대로, 동네들의
경계 또는 물리적으로 정의되는 특성에 대한 현재의 지식은 미비하다.
도로와 골목은 거주 블록들을 구분하긴 했지만, 이것이 주택 군집 내
부에 접근하는 줄기 연결dendritic 방식만큼의 외부적 경계는 아니었다.
게다가 도시의 중심보다 외곽 구역의 주택 밀집도가 더 낮았을 가능성
도 있다. 메소포타미아 북부의 가장 이른 초기의 두 도시인 텔브라크
와 텔하무카르는 기원전 제4천년기에 타운 외부에서 확장된 정주지를
보여준다. 각각은 밀집된 건물들의 중심 구역에 더해 이를 둘러싸거나
혹은 한쪽으로 치우쳐 있으면서 낮은 밀집도를 보이고 마을들과 더 일

반적으로 관련되는 영역을 가지고 있었다. 기데온 셰베리Gideon Sjöberg
의 고전적 '전前산업도시preindustrial city'는 중앙에 엘리트의 거주 구역과
권력기관이 있고 이를 2개 혹은 그 이상의 점점 더 낮은 계층과 더러
운 산업체들이 둘러싸고 있는 형태이고,[30] 이를 브라크에 적용할 수 있
는데 브라크 발굴 구역의 외곽에서 제혁과 도자기 생산의 흔적이 나왔
기 때문이다. 그런데 동심원 배치는 기원전 제2천년기 중반의 도시 니
푸르에는 적용되지 않는바, 왕이 위임한 남쪽으로의 도시팽창이 엘리
트와 관련된 넓은 주택에 활용되었기 때문이다.

　메소포타미아의 초기 도시들(예를 들어 구바빌로니아의 하라둠)에는
계획에 따른 주택도 이따금 존재했으나, 이것들은 상대적으로 소규
모이며 지방의 수도와 교역의 거점 같은 단일 기간 정주지라는 경향
이 있었다. 기원전 제1천년기에 공간과 장소를 통제할 수 있는 도시
의 잠재력이 인정되었고, 제국의 지도자들은 권력을 창출하고 유지하
려는 전략의 일환으로 신도시들을 건설했다. 신아시리아 수도들의 주
거지 구역과 관련한 현대의 지식이 빈약하더라도(앞의 내용 참조), 남
부의 신바빌로니아 도시들에는 이런 측면에 관한 더 큰 증거가 존재
한다. 바빌론과 우르 둘 모두에는 기하학적 기준에 기반을 둔, 직각의
도로들로 도시 블록들을 설정한 도시계획city planning의 요소들이 존재
한다. 그러나 기원전 제1천년기의 바빌론을 완전한 격자형 도시로 재
구성하는 과정은 부족한 데이터로 추측에 의존할 뿐이다.[31] 거대한 신
바빌로니아 제국조차도 모든 메소포타미아 동네들의 유기적 특성과
그들의 수천 년 이어진 전통을 완전히 극복할 수 없었다. 바빌론과 우
르 모두에서 새로 거리 정비가 진행될 때에도 오랫동안 이어져온 부

지와 주택의 방향성은 유지되었다. 주택과 거리의 방향이 상충하면서 톱니바퀴 모양이 특징인 파사드들과 사다리꼴 방들이 등장했다. 이것은 메소포타미아인들의 권력에 대한 저항이 구체화한 몇 안 되는 사례이며, 이런 저항은 특히 도시의 넓은 부지를 소유한 상류층 내부에서 발생했다.

메소포타미아 도시들은, 여러 층위의 해석이 가능하더라도, 기본적으로 불평등했다. 아모스 라포포트Amos Rapoport가 제시한 '고차원적 의미'에서[32] 건조建造공간은 문화적 우주론과 가치체계를 반영한다. 이러한 사항이 메소포타미아의 기념(비)적 건축물 복합단지에 적용되었을 것으로 추측할 수 있지만, 건물들은 너무 다양하고 이 주제와 관련한 문헌은 아무것도 말해주지 않는다. 지구라트는 물리적으로 산처럼 생겼으나 메소포타미아 가치체계에서 산은 강보다 덜 중요했다. 님루드와 코르사바드의 정사각형 도시계획들은 전통적 지도자들의 별칭인 '사방四方의 왕king of the four quarters'을 반영하는 것으로 보이지만, 현대의 연구들은 이를 지지하지 않는다. 따라서 메소포타미아 도시들을 통해 그 거주민들의 우주관이나 가치를 탐구하려는 시도는 실패했다. 그러나 건축물들을 지위와 권력의 물질적 표현과 동일시하는 라포포트의 '중차원적 의미'는 기념(비)성, 높은 가시성, 노동 및 자본 투자, 왕실 위원들을 식별해주는 명확한 설명과 관련 있다. 가시성은 높으나 신전과 궁전에 대한 제한된 접근—도시 거주민들과의 최소한의 통합—은 무언의 이념을 표현한다. 그리고 메소포타미아 도시들은 정확하지만 보다 미묘하게 라포포트의 '저차원적 의미'에 일치하는바, 특히 빽빽하게 포장되고 명백하게 불규칙적으로 공간화된 거주 구역들은 거주민들의 일상적 경험과 신체적 관행을 반영하면서 동시에 이런 관행들을 제한한다.

도시화의 주기

메소포타미아의 도시화urbanization는 지역적 차원에서나 개별 정주지에서 경험했던 것처럼 규범적인 단일 방향적 경향은 아니었다. 도시화의 절정(도시 중심지urban centre에 지역 인구의 최대치가 집중한)은 기원전 제3천년기 후반에 북부와 남부 모두에서 발생했다. '자연적인natural' 도심의 최대 크기 역시 이 시점에서 약 100~150헥타르[1~1.5제곱킬로미터]에 이르렀다. 이 크기는 지속가능한 농업 영역에 기반을 둔 것이지만 동시에 지역에서 이용가능한 교통 기술, 사회적 관계, 경제적 상호연결성, 종교적·정치적 이념에도 적합한 것이었다.

기원전 제3천년기의 도시화는 도시화 경향의 두 번째 물결이었고 결코 그 마지막이 아니었다. 가장 이른 초기의 도시 부지들은 메소포타미아 북부에서는 기원전 제5천년기 후반에서 기원전 제4천년기 초반에 나타났고, 메소포타미아 남부에서는 기원전 제4천년기 중반에 나타났다. 기원전 제4천년기 후반인 기원전 3200년경에 규모와 수치 면에서 최초의 정점이 나타났다. 이는 곧 기원전 3000년경의 몰락(거의 논의되지 않는)으로 이어진다. 이 기간에 도시는 대다수가 줄어들었고 몇몇은 버려졌다. 경제와 정치의 변화가 기원전 제3천년기에 도시를 다시 살렸으나 기원전 제3천년기가 끝날 무렵 두 번의 추가적 탈도시화

de-urbanization 사건이 연이어 발생했다. 기원전 제2천년기와 기원전 제1천년기 내내 일어난 추가적 도시회와 탈도시화는 덜 극단적이었고 정치 발전과 기후변화에 여러 측면으로 연결될 수 있다.

오래 유지되었던 한 장소의 연대기는 메소포타미아의 일반적 정주 주기를 보여준다. 메소포타미아 남부 중심에 있는 니푸르는 십중팔구 기원전 제6천년기에 몇 헥타르 정도의 소규모 마을에서 시작되었을 것이다(이 정주지는 이후 이곳을 차지한 이들에 의해 땅 아래에 묻혔지만 후대에 나타난 물질문화를 통해 알려졌다).[33] 이곳에서는 가장 중요한 신전인 바람의 신 엔릴Enlil의 신전 아래쪽에 이미 성소가 있었을 것이다. 니푸르는 기원전 제4천년기 말 우루크가 확장된 시대에 약 50헥타르〔0.5제곱킬로미터〕에 이르렀고 이후 축소되었다. 그러나 니푸르는 기원전 제3천년기 중반 초기 메소포타미아 왕조 시기Early Dynastic Period에 다시금 '자연적으로' 성장해 약 40~50헥타르에 이르렀고, 도시는 알려진 몇 개의 추가적 신전과 구조화되지 않은 동네들을 포함했다. 중심적 위치, 관개와 교통 면에서 유프라테스Euphrates 수로로의 쉬운 접근성, 농경지의 좋은 집수량은 인근의 마을들 및 타운들과 견주어 니푸르의 성장과 지배적 지위에 한몫했다. 지역의 다신들 가운데 주신主神 엔릴의 도시로서 니푸르의 부지는 종교적 중요성도 지녔었다. 엔릴 신전은 기원전 제3천년기 후반 아카드Akkad 제국 시기에 왕실이 위임한 팽창의 대상이었다. 지역의 정치적 혼란 이후로 니푸르는 안정된 규모와 내부 구조를 갖추었고, 도시는 우르 제3왕조Ur III의 왕들에 의해 기원전 제3천년기의 마지막 세기에 확장되었다. 이 확장은 도시를 둘러싼 135헥타르의 성벽과 새롭고 이때까지 비어 있었던 도시의 남쪽을 포함했다. 엔릴 신전의 기단은 같은 시기에 지구라트 꼭대기로 올려졌고, 주변의 이난나 신전은 눈에 띄게 팽창되었으며 적어도 1개의 거주지 동네가 더 큰 건물들 및 넓은 도로들과 함께 재건축되었다.

그러나 기원전 제2천년기에 니푸르는 급격히 위축되었다. 처음에는 정치적 태만과 종교적 재구성으로 엔릴 신전의 권한이 축소된 때문이었고, 궁극적으로는 환경이 파괴되고 중요한 유프라테스 수로의 수자원이 부족해진 때문이었다. 도시는 기원전 1720년경에 눈에 띄게 버려졌고(일부분은 사구로 덮였다), 이후 기원전 1400년경 다시 새 카시트Kassite 왕조 왕들의 통치 아래 정치적 동기에서 두 번째 팽창의 목표물이 되었다. 우르 제3왕조의 도시 성벽이 다시 지어졌고 신전의 재건축으로 새로운 인구를 위한 일자리가 창출되었다. 도시의 남쪽은 현대의 '도시 스프롤urban sprawl'〔무분별한 도시적 팽창〕과[34] 유사하게 늘어나는 교외 주택들과 정원들로 채워졌다. 또 다른 환경적, 정치적 문제가 더 동쪽으로부터의 군사 침입으로 발생했으며, 이로 인해 니푸르는 주 신전의 보수를 제외하고 기원전 1225년부터 750년까지 사실상 다시 방치되었다. 도시는 이어 신아시리아 제국의 병영〔주둔지〕garrison, 마지막 도시 성벽 건립, 더 많은 신전 건축을 경험했으며, 기원전 제1천년기 중반에는 도시 거주민들과 점점 많아져 흔해진 유목민들의 상호작용을 위한 주요 교역 거점이 되었다. 기원전 제1천년기 후반에 걸친 니푸르의 또 한 차례의 점진적 쇠퇴는 도시가 아케메네스Achaemenes 제국과 셀레우코스Seleucos 제국 시대에 속주 중심지로 사용되고 기원후 1~2세기에 파르티아Parthia 제국의 요새로 사용되면서 일시 중단되었고, 이후 정주지는 사산Sasan 제국 및 초기 이슬람 시기Early Islamic Period

에 축소되었으며(아마도 도기 제조의 지역 중심지가 되었을 것이다) 최종적으로 800년경에 버려졌다.

이 주기들은 단지 몇 헥타르에서 135헥타르 이상까지 니푸르의 팽창과 축소를, 계획된 공간과 유기적 공간 비율의 변동을 보여준다. 규모와 내부 경관의 변화 원인은 자연적 성장, 정치적 목표, 환경 쇠퇴나 개선의 조합 등 여러 가지가 될 수 있다. 니푸르의 예외적 지속가능성은 그 지리적 중심 위치와 수자원 덕으로 보이지만, 이 요소들은 성공적이지 못한 다른 정주지도 가지고 있던 것이었다. 아마도 종교적 중요성과 종교에 대한 정치적 주목이 결정적 요인이었을 수 있다. 이런 주기들이 오늘날의 독특한 다층적 유적을 만들어낸바, 때로는 이것이 도시의 수축 기간에 과거 시경관이 지녔던 특징일 수 있다. 니푸르의 주기들은 우르의 그것과 같이 장기간 유지된 다른 남부 도시들에도 적용된다. 메소포타미아 북부 도시(텔브라크 등)들은 진화나 변이에 대해 비교가 가능한 주기들을 가지고 있는데 그 폭이나 시간대에서 다른 양상을 보인다. 이는 해당 지역의 다채로운 기후와 정치적 경향에 기인한다. 부지의 축소나 탈도시화는 니푸르의 사회적 붕괴가 아니라 적응 전략으로 여겨진다.

도시 물류와 문제점

메소포타미아 남부 도시들은 모두 물류 이동에 제한이 있었다. 농업이 관개에 의해서만 가능했던 이 건조한 지역에서 하도河道나 운하의 연결은 필수적이었다. 강과 운하는 관개용으로 잘 알려져 있고 당연히 강조되었으며, 교통용으로서 강과 운하도 마찬가지였다. 거대한 건축 자재나 농산물의 지배적 운송수단이 배였기 때문이다. 많은 도시가 수자원을 중심으로 건설되었다(바빌론·마슈칸-샤피르Mashkan-shapir·라르사 Larsa·우르의 운하들, 혹은 니푸르·바빌론의 강가 협곡 등).〔스위스 태생의 프랑스 건축가〕르코르뷔지에Le Corbusier는 '내일의 도시city of tomorrow'는 강에서 멀어져야 하고, 강의 중요성은 무형의 서비스 기능으로 축소되어야 한다는 유명한 주장을 펼쳤다. 현대 부두의 불결함과 산업적 압박이 그의 사고에 영향을 준 것으로 보인다. 도시 끝자락이었던 과거 메소포타미아의 강둑들은 많이 탐사되지 않았으나 긍정적 도시 요소라 할 수 있는 시장, 정원, 혹은 상류층 집이 강둑 인근에 있었던 것으로 보인다. 따라서 물은 거리와 기념(비)적 건축물만큼이나—농업, 교통, 생명을 위해—도시 중심지와 도시화의 경관에서 이동성 및 공간의 방향성을 정하고 특징지었다. 강은 여러 역할을 했다. 강은 가장자리를 형성하거나 기능적 구역 사이에 유한한 경계를 형성해 이동을 제한시켰다. 또 반대로 강은 이동을 촉진하고 다른 지점에서는 불가능한 도시에 대한 조망 혹은 도시를 관통하는 조망을 제공하는 능동적 이동 경로이기도 했다.

메소포타미아 북부 도시들은 강과 운하 의존도가 덜 높았는데, 인접한 수원은 여전히 중요했으나, 이 지역의 농업은 일반적으로 강우량에 의해 뒷받침될 수 있었기 때문이다. 특히, 기원전 제1천년기 제국들이 북쪽에 운하를 만들었다. 이것은 비에 의존해 농업 수확량을 보충하고 도시와 배후지를 상징적이자 실용적으로 함께 묶으면서 경관에 통치자의 상징을 각인하려는 이중의 목적이 있었다.

　그러나 일반적 도시 수원의 근접성에 대한 모든 강조에도 불구하고, 메소포타미아 도시민들은 강이나 운하에서 물을 얻기 위해 자주 상당한 거리를 이동해야 했다. 우물은 사실상 알려지지 않았고(인더스와는 달랐다. 5장 참조), 운하는 도시 안을 관통하지 않았다(기원전 제2천년기 초반의 마슈칸-샤피르와 기원전 제1천년기의 바빌론은 제한된 예외 사례다). 이미 언급한 대로 메소포타미아 도시의 실용적 공공서비스는 밝혀지지 않았다. 종교적 서비스와 방어, 외교, 분쟁 해결과 같은 무형의 지원은 제공되었으나, 행정 당국은 일상생활에서 시간이 많이 소요되는 가장 기본적인 지원을 제공하지 않았다.

　물은 가져와야 했다면, 쓰레기는 치워져야 했다. 쓰레기는 전적으로 도시만의 문제는 아니지만, 도시 거주민들은 소규모 집단들에 비해 더 크고 더 처리하기 어려운 쓰레기 더미를 발생시킨다. 메소포타미아 도시들의 밀집된 도시공간의 사용과 민간 설비들의 부족은 쓰레기 처리를 부가적 문제로 만들었다. 이미 유목민의 수렵과 채집에서 정착 농업을 가능하게 한 신석기시대로의 전환을 통해 물질문화의 양이 극적으로 증가했고, 이는 변하지 않는 경향의 시작이었다. 도시민은 더 많은 도구와 도자기를 소유하기 시작했고 그것들을 더욱 자주 부서뜨렸다. 음식 쓰레기, 인간과 동물의 분뇨, 강화된 생산 과정에서 나온 재료의 부스러기들 역시 도시 쓰레기가 되었다. 전통에 따르면, 일부가 제거된 상태의 쓰레기가 토양의 비옥도를 높이기 위해 들판에 뿌려졌다('거름'). 특히 기원전 제3천년기 메소포타미아 북부의 여러 정주지 주변 여기저기에서 그 증거가 발견된다. 다른 쓰레기들은 집과 도로와 같이 그것이 생성된 장소에 그대로 남겨졌고 방과 도로를 채우곤 했다. 쓰레기가 지층을 형성했고, 지층이 쓰레기였다. 이 둘은 모두 고고학의 기본 요소다. 그러나 지층과 거름이 모든 도시 쓰레기를 포함할 수는 없었다. 기원전 제4천년기 중반의 텔브라크와 기원전 제3천년기의 아부살라비크와 우르에서는 쓰레기가 도시경관을 조성하고 눈에 띄게 하는 물질 재료로 활용되었다. 텔브라크에서는 쓰레기 더미가 폭력적 투쟁으로 인한 일련의 대규모 무덤을 덮었으며, 수 세기 동안 도시의 바깥 경계를 부분적으로 정의했다. 아부살라비크와 우르에서는 쓰레기가 신전의 업무 지구와 산업 지구에 쌓였다. 쓰레기 더미는 신전 봉헌물, 점토 인장印章과 점토판, 가구 쓰레기, 부장품 등을 포함했다. 각각의 경우에서 생성된 것은 '신성한 쓰레기'로, 이것은 특이한 내용물로 쌓여서 가시성이 높았다. 쓰레기 더미와 매장지의 통합은 긍정적 모습을 창조하면서 문제를 해결하는 방법이었을 것이다.

쓰레기 관련 논의의 부족은 메소포타미아 도시 경험의 다른 문제들에 대한 논의를 꺼리는 것을 말해준다. 메소포타미아의 도시들은 기술과 이념 혁신의 원천이면서도 동시에 사회적 갈등과 소외의 배양지이기도 했다. 전쟁은 도시에만 국한된 것은 아니었으나 메소포타미아 도시화 이후로 더욱 정교해지고 공식화되었다. 이는 수자원이나 토지를 둘러싼 도시 간의 갈등(예술과 문헌에 표현된 움마-라가시Umma-Lagash전투)이나 사회 내부의 갈등(텔브라크의 대규모 무덤들)을 나타낸다. 도시들은 분명히 효과적이었다. 그렇지 않았다면 그렇게 많이, 또 오래 유지되지 않았을 것이다. 그러나 도시에서 사는 것에는 비용과 희생이 따랐다.

미완의 도시

고고학자들은 도시를 포함한 많은 정주지를 '국면phase' '단계level' 또는 여타의 명확하게 정확한 시간의 조각으로 시각화해서 논의한다. 이러한 용어는 통시적 변화 또는 정지 상태에 대한 설명을 용이하게 하고, 다른 정주지와의 효율적인 비교를 가능하게 한다. 그러나 메소포타미아의 도시들은 정주지이자 동시에 과정이었다. 그것들은 계속해서 진화했다. 민간이 하는 집 벽의 재건축이든 국가에서 위임한 신전 복합단지의 건축이든 건설은 특히나 계속되었다. 지속적 건설은 실제로 메소포타미아 도시의 특성 목록에 추가될 수 있다.

지속적인 건설 프로젝트의 가장 명확한 사례는 초기 국가 및 후기 제국과 연결되었다. 우루크의 주요 종교 지구인 에안나 복합단지는 기원전 제4천년기 중반에 도시 크기를 갖춘 정주지로서의 특성이 가장 두드러졌다. 특히 기원전 제4천년기 후반 약 200년 동안에 이 복합단지에서 자주 사용되지 않는 20여 개 구조물이 건축되고 파괴되고 재건축되었다. 기존 구조물의 재건축을 통해 지도자들은 전통의 가치를 강조하면서 자신들이 전통과 연결되어 있음을 드러냈다. 지도자들은 새로운 것, 때때로 기존의 것보다 더 큰 건축물을 창조하면서 재건축을 자신과 연결하기도 했다. 그리고 전체적 도시경관은 오래된 건물과 새 건물, 수리된 건물, 폐허가 된 건물과 폐허 구덩이, 개방공간, 건설 현장 등으로 구성되었다. 일례로, 기원전 제1천년기의 문헌은 개방공간을 기록하며 폐허가 된 집들의 매매를 언급하고 있다.[35]

고고학자들은 또한 '최종' 계획안에 초점을 맞추고 있지만, 아마

틀림없이 건설 과정이 과거에 많은 건축 프로젝트의 동일한 목표였을 것이다. 신아시리아 궁전 건설과 더불어 새 주요 도시들은 수십 년 동안 의도적으로 확장되었다. 건설 프로젝트의 확장은 사람에 대한 통제, 공간에 대한 통제 및 창출, 시간에 대한 통제를 구체화했다. 노동의 노동의 집합성collective nature과 그에 따른 사회 통합 및 이념의 수용을 강조하는 비슷한 주장은 아즈텍족과 마야족의 건설 프로젝트와 관련해서도 제기되었다.[36]

배후지와 도시, 도시와 도시국가

로버트 맥코믹 애덤스Robert McCormick Adams는 메소포타미아 도시주의urbanism에 관련해 도시와 배후지hinterland 사이 상호작용을 특히 중시하는 접근법을 옹호하는 가장 권위 있는 학자다.[37] 도시와 배후지의 경제적 관계 재구성과 정치적 도시국가city-state의 재구성은 전통적으로 도시와 물류로 연결된 주변 지역의 부지 규모 위계(많은 수의 마을, 적은 수의 타운, 1개의 도시)에서 시작되는 것으로 설명되었다. 텍스트 또한 이둘의 재구성에 아주 중요하다. 텍스트 분석을 통해 이라크 남부의 움마Umma 영향권에서 약 150개의 연계 정주지가 확인되었으며 그것은 타운에서부터 마을, 주택의 작은 군집에 이르기까지 다양했다.[38] 도시와 그 배후지는 흔히 지형적으로 밀접했지만, 중요한 자원 지역과 소비자 지역(습지, 대초원steppe)은 가깝거나 혹은 멀더라도 도시 중심지와 경제적으로 연계될 수 있었다. 원거리 교역 물품은 멀리 떨어진 지역도 수많은 메소포타미아 도시의 경제적 배후지로 인식될 수 있음을 시사한다(우르의 왕릉Ur Royal Cemetery에서 출토된 인더스 구슬들이 그 예다. 5장 참조). 마찬가지로, 도시의 정치적 통제는 가까운 곳에, 그리고 먼 곳에도 미칠 수 있었다. 메소포타미아 남부에서 배후지는 보통 북서-남동 축을 따라 뻗어 있었고, 이는 강 협곡과 운하의 방향에 의해 결정되었다. 메소포타미아 북부에서 배후지는 발터 크리스탈러Walter Christaller의 이론이 제시하는 정다각형에 가까웠으나 강과 암석 노출지rock outcrop에 의한 교통의 편리나 제한에 영향을 받았을 수도 있다.

초기 메소포타미아 도시개발urban development의 경제적 모델에서, 물리적으로 도시를 생성시켰던 사람들의 이주는 도시와 연결된 배후지의 공예품 생산 기능의 상실을 의미했다. 도시에 유입된 배후지 수공업은 도시의 효율적인 중앙집중적 산업으로 변모했다. 새로운 상품(엘리트의 장식품)과 일상품(도자기, 직물)의 상품화는 도시 정주지urban settlement와 이곳의 경제적 군집으로 생성되었고 수요 및 공급과 연계되었다. 점차 독점적으로 농업적이고 농촌화한 배후지는 도시에서 쓰일 더 많은 생계품과 가공되지 않은 자원(곡물, 직물용 양모, 벽돌용 짚 등)을 생산했고 그 대가로 제조된 물품을 획득했다.

전문화, 여성(섬유 제조업의 핵심 노동자)의 통합적 역할, 수요 연계 생산이라는 포스트포디즘Post-Fordism의 모습은 사실상 기원전 제4천년기 중반부터 이미 메소포타미아 도시들의 전형적 모습이었다. 이것은 제인 제이콥스Jane Jacobs의 '도시 경제생활의 점화'와[39] 에드워드 W. 소자Edward W. Soja의 '공조(시네키즘Synekism)'[40] 즉 밀집하게 군집한 인구가 제공하는 긍정적인 경제적 자극과 경제적 얽힘을 반영한다. 그런데 시장의 위치, 엘리트 경제와 산업의 위치는 메소포타미아에서 이따금씩 이동했다. 초기 도시들의 생산 집약화는 성숙기 도시들의 일부 산업 분산과 대조된다. 예를 들어 테라코타terracotta 명판名板의 생산은 기원전 제2천년기 추반 우르에서 약 1.5킬로미터 떨어진 인근 타운 디크디까Diqdiqqah로 전파되었다. 반면에 니푸르에서 동쪽으로 약 24킬로미터 떨어진 움엘하프리야트Umm el-Hafriyat의 도기 생산지는 기원전 제3천년기부터 기원전 제2천년기까지 여러 도시 중심지에 서비스를 제공했다. 제조업이 분산되고 생산의 물리적 위치가 이동했을 수는 있는바, 이런 변화를 지원하고 가능하게 한 것은 모두 도시의 수요였다. 산업의 분산─그리고 이에 수반하는 노동자labourer 거주지의 분산─에 대한 유사성은 1880~1900년대 시카고의 풀먼Pullman과 캘러멧Calumet 타운십township〔군구郡區. county(군)의 하위 행정구역 단위〕과 인디애나의 개리Gary에서 볼 수 있다.

도시와 정치적 국가는 메소포타미아에서 서로 깊이 얽혀 있었다. 가장 먼저 알려진 국가들은 중심부에 도시들이 있었고, 최초의 도시들은 국가들의 중심이었다. 메소포타미아 도시 네트워크가 지닌 정치적 도시국가의 특성은 부분적으로 경제 교류 모델을 바탕으로 형성되었다. 일부 초기의 작업장과 공예품 생산이 독점적 엘리트의 후원 또는 제도적 규제를 통해 적어도 간접적으로 통제되었다는 증거가 있기 때문이다. 따라서 도시─배후지의 경제 관계는 정치적 요소와 결합했다. 도시의 여유 부분을 채울 농촌 인구를 위한 도시 기관들의 종교와 시민 규정은 나머지 도시국가의 구조를 충족시켰다. 메소포타미아의 도시국가 모델 연구는 구조주의적 마르크스주의Structural Marxism의 영향을 아주 많이 받았다. 배후지는 부분적으로 착취를 받고 저개발 상태였으며 도시의 절반으로 인식되었다. 이런 인식은 한편으로는 경제적·경험적 기반 때문이었고, 다른 한편으로는 신전과 궁정 기관들에 대한 고대 문헌의 불균형 때문이었다. 종교 활동, 치안, 법과 관련된 무형의 성과는 대부분 조금밖에 기록되지 않았고 그 절대적 가치도 명확하지 않았다. 메소포타미아의 도시국가는 매우 성공적인 정치적·경제적 구조였고, 더 큰 영토국가territorial state 또는 지역국가regional state가 붕괴했을 때에도 종종 하나의 중심이 되었다. 도시국가들은 흔히 제국의 허식 속에서 유지되었다.

문헌과 예술 속의 메소포타미아 도시들

메소포타미아는, 이집트와 로마 세계처럼, 많은 고고학적 증거와 풍부한 당대 기록 자료를 결합하게 만든다. 세계에서 가장 이른 초기의 도시들이 있었던 것과 마찬가지로, 메소포타미아는 경제적 상호작용을 관리하기 위해 메소포타미아 남부 도시에서 발명된 최초 기록물의 원천이기도 했다〔메소포타미아를 중심으로 고대 오리엔트에서 사용된, 인류 최초의 문자인 쐐기문자 또는 설형문자楔形文字 기록물을 말한다〕. 메소포타미아의 거주민들은 역사, 법, 과학, 의료, 수학, 문학을 기록하며 이 새로운 기술의 가능성을 빠르게 수용했다.

개별 도시들은 메소포타미아의 신앙체계와 정치적 수사에서 엄청난 반향을 일으켰다. 문헌에는 도시가 파괴되고 도시 수호신의 보호가

사라졌을 때 나온 애가(《수메르와 우르의 멸망에 대한 애가Lamentation over the Destruction of Sumer and Ur》〈니푸르 애가Nippur Lament〉), 왕권을 구체적으로 서술한 유사 역사 문헌(《수메르 왕명록Sumerian King List》), 파괴된 적의 도시 수를 기록한 것으로서 특히 신아시리아의 왕들(센나케리브〔신헤립〕 Sennacherib, 아슈르바니팔Ashurbanipal) 사이에서 인기 있었던 군사원정 연보 등이 있다.

반면에, 도시는 메소포타미아 예술에서 드물게 표현되긴 했어도, 기원전 제1천년기의 제국 예술은 이 주제의 짧은 인기를 담고 있다. 신아시리아 궁전의 부조들은 포위하거나 점령한 외국 도시들을 자주 보여주었고, 점령한 도시의 상징물을 운반하는 포로가 된 지도자들의 행렬도 가끔씩 보여주었다. 모든 경우에 도시의 표상은 외부에서 볼 때 가시적으로 가장 확연한 모습들인, 총안銃眼이 있는 도시 성벽과 탑들을 통해 형성되었다. 모든 정주지를 표현하기 위해 알루/우루alu/URU 용어를 같이 사용하는 것과 마찬가지로 이러한 예술적 표상들은 놀라울 정도로 포괄적이었다.

결론

메소포타미아 도시들에는 계획된 신전과 궁전이라는 기본 요소와 동시에 계획되지 않은 동네와 산업 구역도 존재했다. 그런데 개별 도시들은 각양의 방법으로 이런 요소들을 결합하고 배치했다. 수자원 공급, 수송 통로, 배후지와의 연결은 제국의 인공도시가 등장하기 전까지 치안이나 높은 상징적 가시성보다 더욱 중요한 〔도시의〕 위치 변수였다. 메소포타미아의 도시들과 도시국가들은 어려운 일상생활 물류와 사회적 스트레스를 말해주는 증거에도 불구하고 성공적으로 오래 유지된 구조였다. 개별 도시들과 지역 전체는 장단기적 사건 및 경향에 관련된 점령, 성장, 쇠퇴의 다양한 주기를 겪었다. 무엇보다도 메소포타미아의 도시는 끊임없이 변화하고, 만들고, 소비하고, 버리고, 건설하는 과정이자 장소였다.

1 M. E. Smith, *Aztec City-State Capitals* (Gainesville : University Press of Florida, 2008) ; id., "V. Gordon Childe and the Urban Revolution : A Historical Perspective on a Revolution in Urban Studies", *Town Planning Review*, 80.1 (2009), 3 29 ; id., "The Archaeological Study of Neighborhoods and Districts in Ancient Cities", *Journal of Anthropological Archaeology*, 29 (2010), 137-154.

2 V. G. Childe, "The Urban Revolution", *Town Planning Review*, 21 (1950), 3-17 ; M. Van de Mieroop, *The Ancient Mesopotamian City* (Oxford : Clarendon, 1997).

3 G. Algaze, *Ancient Mesopotamia at the Dawn of Civilization* (Chicago : University of Chicago Press, 2008), 특히 지역적 교역과 원거리 교역 발생에 대해 참고하라.

4 L. Wirth, "Urbanism as a Way of Life", *American Journal of Sociology*, 44.1 (1938), 1-24 ; Smith, *Aztec City-State Capitals*.

5 M. E. Smith, "Form and Meaning in the Earliest Cities : A New Approach to Ancient Urban Planning", *Journal of Planning History*, 6.1 (2007), 3-47 ; id., *Aztec City-State Capitals*.

6 G. Emberling, "Urban Social Transformations and the Problem of the 'First City' : New Research from Mesopotamia" in M. L. Smith, ed., *The Social Construction of Ancient Cities* (Washington, DC : Smithsonian Books, 2003), 254-268.

7 N. Yoffee, "Political Economy in Early Mesopotamian States", *Annual Review of Anthropology*, 24 (1995), 281-311.

8 N. Postgate, "How Many Sumerians per Hectare?", *Cambridge Archaeological Journal*, 4.1 (1994), 47-65.

9 A. Deimel, *Sumerische Tempelwirtschaft zur Zeit Urukaginas und seiner Vorgänger* (Rome : Analecta Orientalis, 1931) ; A. Schneider, *Die Anfänge der Kulturwirtscahft, Die Sumerische Tempelstadt* (Essen : 1920) ; A. Falkenstein [M. deJ. Ellis, trans.], *The Sumerian Temple City*, Sources and Monographs, Monographs in History, Ancient Near East 1/1 (Los Angeles : Undena Publications, 1974).

10 U. Finkbeiner, *Uruk Kampagne 35-37, 1982-1984 : Die archäeologische Oberflächenuntersuchungen*. Ausgrabungen in Uruk-Warka Endberichte 4 (Mainz : von Zabern, 1991) ; J. Ur, P. Karsgaard, and J. Oates, "Early Urban Development

in the Near East", *Science*, 317/5842 (2007), 1188.

11 Emberling, "Urban Social Transformations"; J. Oates et al., "Early Mesopotamian Urbanism: A New View from the North", *Antiquity*, 81 (2007), 585-600; Ur et al., "Early Urban Development"; A. McMahon and J. Oates, "Excavations at Tell Brak, 2006 & 2007", *Iraq*, 69 (2007), 145-171.

12 H. Nissen, "Uruk: Key Site of the Period and Key Site of the Problem", in. J. N. Postgate, ed., *Artifacts of Complexity, Tracking the Uruk in the Near East* (London: British School of Archaeology in Iraq, 2002), 1-16.

13 R. McC. Adams and H. Nissen, *The Uruk Countryside* (Chicago: University of Chicago Press, 1972).

14 Emberling, "Urban Social Transformations"; Oates et al., "Early Mesopotamian Urbanism"; Ur et al., "Early Urban Development"; H. Wright et al., "Preliminary Report on the 2002 and 2003 Seasons of the Tell Brak Sustaining Area Survey", *Annales Archéologiques Arabes Syriennes*, 49/50 (2007), 7-21.

15 우루크는 250헥타르(2.5제곱킬로미터)에 달했다. Finkbeiner, *Uruk Kampagne* 35-37.

16 C. Kepinski-Lecomte, "Spatial Occupation of a New Town Haradunr", in K. R. Veenhof, ed., *Houses and Households in Ancient Mesopotamia* (Istanbul: Nederlands Historisch-Archaeologisch Instituut, 1996), 191-196.

17 G. Cowgill, "Origins and Development of Urbanism: Archaeological Perspectives", *Annual Review of Anthropology*, 33 (2004), 525-549.

18 Smith, "Form and Meaning"; R. Laurence, "Modern Ideology and the Creation of Ancient Town Planning", *European Review of History*, 1 (1994), 9-18.

19 C. L. Woolley, *Ur Excavations V: The Ziggurat and Its Surroundings*. Joint Expedition of the British Museum and the Pennsylvania University Museum (London: Carnegie, 1939).

20 B. Trigger, "Monumental Architecture: A Thermodynamic Explanation of Symbolic Behaviour", *World Archaeology*, 22.2 (1990), 119-132.

21 T. Inomata and L. S. Cohen, "Overture: An Invitation to the Archaeological Theater", in T. Inomata and L. S. Cohen, eds., *Archaeology of Performance: Theaters of Power, Community and Politics* (Lanham, Md.: Altamira, 2006), 11-44.

22 P. Delougaz, *The Temple Oval at Khafajah* (Chicago: Oriental Institute Publication 53, 1940).

23 H. Frankfort, "Town Planning in Ancient Mesopotamia", *Town Planning Review*, 21 (1950), 99-115.

24 P. Delougaz, H. Hill, and S. Lloyd, *Private Houses and Graves in the Diyala Region* (Chicago: Oriental Institute Publication 88, 1967).

25 B. Kemp, "Bricks and Metaphor", *Cambridge Archaeological Journal*, 10.2 (2000), 335-346에서 343.

26 M. van de Mieroop, "Old Babylonian Ur", *Journal of the Ancient Near East Society*, 21 (1992), 119-130.

27 C. L. Woolley, and M. E Mallowan, *Ur Excavations VII: The Old Babylonian Period*. Joint Expedition of the British Museum and the Pennsylvania University Museum (London: Carnegie, 1976); K. Keith, "Tue Spatial Patterns of Everyday Life in Old Babylonian Neighborhoods", in Smith, *The Social Construction of Ancient Cities*, 56-80.

28 Delougaz et al., *Private Houses and Graves*; Postgate, "How Many Sumerians?", 54.

29 D. McCown and R. C. Haines, *Nippur I: Temple of Enlil, Scribal Quarter and Soundings* (Chicago: Oriental Institute Publications, 78, 1967); E. Stone, *Nippur Neighborhoods* (Chicago: Oriental Institute, 1987); E. Stone, "Houses, Households and Neighborhoods in the Old Babylonian Period: the Role of Extended Families", in Veenhof, *Houses and Households*, 229-235; E. Stone, "Mesopotamian Cities and Countryside", in D. C. Snell, ed., *A Companion to the Ancient Near East* (Oxford: Blackwell, 2007), 157-170.

30 E. Burgess, "Tue Growth of the City: An Introduction to a Research Project", *Proceedings of the American Sociological Society*, 18 (1923), 85-97; G. Sjoberg, *The Preindustrial City: Past and Present* (Glencoe Ill.: Free Press, 1960).

31 H. Baker, "Urban Form in the First Millennium BCE", in G. Lieck, ed., *The Babylonian World* (London: Routledge, 2007), 66-77.

32 A. Rapoport, *The Meaning of the Built Environment: A Nonverbal Communication Approach* (Tucson: University of Arizona Press, 1990).

33 다음도 참고하라. M. Gibson, "Patterns of Occupation at Nippur", in M. deJ.

Ellis, ed., *Nippur at the Centennial* (Philadelphia: University Museum, 1992), 33-54.

34 M. E. Smith, "Sprawl, Squatters and Sustainable Cities: Can Archaeological Data Shed Light on Modern Urban Issues?", *Cambridge Archaeological Journal*, 20 (2010), 229-253. 유사한 '교외'는 라르사의 북쪽 경계에서 발견되었다. Y. Calvet, "Maisons privées paléo-babyloniennes à Larsa: remarques d'architecture", in Veenhof, *Houses and Households*, 197-209.

35 H. Baker, "From Street Altar to Palace: Reading the Built Environment of Urban Babylonia", in E. Robson and K. Radner, eds., *Oxford Handbook of Cuneiform Culture* (Oxford: Oxford University Press, 2011), 533-552.

36 Smith, *Aztec City-State Capitals*.

37 다음을 참고하라. Adams and Nissen, *Uruk Countryside*; R. McC. Adams, "An Interdisciplinary Overview of a Mesopotamian City and Its Hinterlands", *Cuneiform Digital Library Journal*, 2008, 1; id., *Land behind Baghdad* (Chicago: University of Chicago Press, 1965); id., *The Heartland of Cities* (Chicago: University of Chicago Press, 1981).

38 P. Steinkeller, "City and Countryside in Third Millennium Southern Babylonia", in E. C. Stone, ed., *Settlement and Society: Essays Dedicated to Robert McCormick Adams* (Los Angeles: Cotsen Institute and Chicago: Oriental Institute, 2007), 185-211.

39 J. Jacobs, *The Economy of Cities* (New York: Random House, 1969).

40 E. W. Soja, *Postmetropolis: Critical Studies of Cities and Regions* (Oxford: Blackwell, 2000).

참고문헌

Adams, R. McC., *Heartland of Cities: Surveys of Ancient Settlement and Land Use on the Central Floodplain of the Euphrates* (Chicago: University of Chicago Press, 1981).

Adams, R. McC., "An Interdisciplinary Overview of a Mesopotamian City and Its Hinterlands", *Cuneiform Digital Library Journal* (2008.1): www.cdli.ucla.edu/

pubs/ cdlj/2008/cdlj2008_001.html

Adams, R. McC., and Nissen, H., *The Uruk Countryside: The Natural Setting of Urban Societies* (Chicago: University of Chicago Press, 1972).

Algaze, G., *Ancient Mesopotamia at the Dawn of Civilization* (Chicago: University of Chicago Press, 2008).

Baker, H., "Urban Form in the First Millennium BCE", in G. Lieck, ed., *The Babylonian World* (London: Routledge, 2007), 66-77.

Childe, V. G., "The Urban Revolution", *Town Planning Review*, 21 (1950), 3-17.

Emberling, G., "Urban Social Transformations and the Problem of the 'First City': New Research from Mesopotamia", in M. L. Smith, ed., *The Social Construction of Ancient Cities* (Washington, DC: Smithsonian Books, 2003), 254-68.

Frankfort, H., "Town Planning in Ancient Mesopotamia", *Town Planning Review*, 21 (1950), 99-115.

Oates, J., McMahon, A., Karsgaard, P., al-Quntar, S., and Ur, J., "Early Mesopotamian Urbanism: A New View from the North", *Antiquity*, 81 (2007), 585-600.

Smith, M. E., "Form and Meaning in the Earliest Cities: A New Approach to Ancient Urban Planning", *Journal of Planning History*, 6/I (2007), 3-47.

Steinkeller, P., "City and Countryside in Third Millennium Southern Babylonia", in E. C. Stone, ed., *Settlement and Society: Essays Dedicated to Robert McCormick Adams* (Los Angeles: Cotsen Institute and Chicago: Oriental Institute, 2007), 185-211.

Stone, E., *Nippur Neighborhoods* (Chicago: Oriental Institute, 1987).

Stone, E., "Mesopotamian Cities and Countryside", in D. C. Snell, ed., *A Companion to the Ancient Near East* (Oxford: Blackwell: 2007), 157-170.

Ur, J., Karsgaard, P., and Oates, J., "Early Urban Development in the Near East", *Science*, 317/5842 (2007), 1188.

Van de Mieroop, M., *The Ancient Mesopotamian City* (Oxford: Clarendon, 1997).

Veenhof, K. R., ed., *Houses and Households in Ancient Mesopotamia* (Istanbul: Nederlands Historisch-Archaeologisch Instituut, 1996).

Yoffee, N., "Political Economy in Early Mesopotamian States", *Annual Review of Anthropology*, 24 (1995), 281-311.

제3장

고대 지중해의 도시들
Cities of the Ancient Mediterranean

로빈 오즈번

Robin Osborne

앤드루 윌리스-하드릴

Andrew Wallace-Hadrill

자신의 마지막 저서 《그리스 안내기Guide to Greece》에서 중부 그리스 포키스Phokis의 소규모 타운 파노페우스Panopeus에 관한 널리 알려진 논의를 하면서, 2세기 그리스 작가 파우사니아스Pausanias는 정주지settlement에 치안사무소, 체력단련장〔김나지움〕gymnasium, 극장, 시민센터(아고라agora), 공공분수 등이 없어도 도시로 인정될 수 있는지 질문한다 (10.4.1). 지중해 도시화를 둘러싼 현대의 논의들 역시 개별 도시에 집중되어 있으며, 방어시설, 종교시설, 시민센터를 그리스 도시의 본질적 특성으로 꼽는 매우 유사한 접근법을 취한다.[1] 몇몇 학자는 다소 추상적인 특질에 초점을 맞춘 특성 목록을 작성했는데, 가장 유명한 비어고든 차일드의 목록에는 공예의 전문화, 문자의 사용, 사회적 계층화

social stratication가 포함되어 있다.[2] 그러나 고대 도시의 '필수적 특성'이 '정치·종교·문화 중심지의 생성'이라는 가장 일반적인 정의조차 도시 city의 가장 근본적인 특성을 간과한 채 도시로 간주되는 것을 과도하게 결정해버리는바, 고대 지중해 도시들의 폭넓은 다양성과 관련한 가장 중요한 한 가지 요소가 —도시들이 자치('자율적autonomous')와 자기충족 ('자급자족적autarkic')의 단위라는 자부할 만한 지위에 있었을지 모를지라도— 도시들은 광범위한 네트워크network의 노드node〔결절점〕로서 기능했다는 점이기 때문이다.[3]

그리스·로마 문명, 그리고 종종 문자 그대로 그리스인과 로마인의 도시 생활은 현대 도시를 지배하는 많은 것의 영감이 되었다. 고대 도시에 대한 이런 논의는 도시에 거주하는 서로 다른 많은 방식이 이미 고대antiquity에 얼마나 많이 개발되었는지를 보여주고, 또한 도시들이 언제나 광범위한 네트워크를 원했으나 자주 이와 단절되었음을 의미하는 (경제적 및 여타의) 의존과 독립 사이의 기본적인 긴장을 드러내준다.

이 장에서는 고대 지중해 도시의 독특한 성격을 논의한 이후, 고대 지중해의 역사가 도시들의 네트워크 형성과 개발의 역사이고 다른 방식으로 조직된 네트워크들 사이 경쟁의 역사였음을 제시할 것이다. 다음으로 이러한 네트워크에서 전문적 역할을 담당하기 위해 발전한 각양각색의 도시들을 탐험할 것이다. 상대적으로 인구가 밀집되고 규모가 큰 공동체들은 언제나 특정 정치 조직을 요구하고 더욱 큰 경제 네트워크에 의존한다는 점을 인정하면서도, 우리는 정치도 경제도 반드시 도시화urbanization의 주요 동인은 아님을 강조하며 도시가 매우 제한된 정치적 또는 경제적 권력을 소유한 집단에 의해 운영되었음을 지적할 것이다. 우리는 특정 시대의 특정 도시나 도시 유형을 언급하기보다 도시의 중첩되는 역할 및 관계의 범위를 실증하기로 선택했다. '고전기 도시the classical city'나 '헬레니즘기 도시the Hellenistic city'나 '고대 후기 도시the late antiquity city' 같은 특정 시대만의 도시는 존재하지 않는다고 믿기 때문이다. 어떤 역할은 몇몇 시대의 도시에서 더욱 자주 나타났고 어떤 역할은 다른 시대의 도시에 나타났지만, 더욱 일반적인 도시주의urbanism 연구의 맥락을 고려해본다면, 이들의 역할을 시대별로 배분하기보다는 뚜렷한 역할을 장려하는 도시 네트워크의 중요성을 강조하는 게 특별하게 가장 의미 있을 것이다.

고대 지중해 도시의 특성

고대 지중해의 분지는 현대 도시의 기초가 형성된 곳이라고 주장되곤 한다. 확실히 기원전 제1천년기의 긴 기간과 기원후 제1천년기〔1~1000〕의 전반기에 지중해는 근대 초기까지 다시 등장하지 않을 밀도 높고 복잡한 도시 네트워크의 발전을 경험했다([지역지도 I.1] 참조).

고대 지중해 도시들은 특히 세 가지 면에서 주목할 만하다. 첫째, 아주 많은 고대 지중해 도시는 의도적이고 인위적으로 착상된 것인 만큼 자연적으로 성장하지 않은 생성물이자 정주지였다. 고대 지중해 세계는 도시 세계였고, 거주민들이 그렇게 만들었다. 그들은 이를 단일한 프로그램으로가 아니라 반복적으로 수행했다. 지중해의 모든 강대국은 도시 형성에 자신들의 권력을 투영했다.

　이미 기원전 9세기 초반에 페니키아인들은 북아프리카, 스페인[에스파냐] 남부, 사르데냐, 시칠리아에 일련의 뚜렷한 도시 정주지를 창출하는 서부 지중해의 도시 형성 프로그램을 시작했다. 기원전 8세기, 7세기, 6세기 동안 그리스인들은 지중해 중부(서쪽으로는 지금의 스페인 북동부 암푸리아스Ampurias[고대 명칭 엠포리온Emporion[="시장Marketplace"]]까지), 에게해 북부와 흑해, 지중해 동부 끝 주변(이집트의 나우크라티스Naukratis 포함) 여기저기와 리비아에 도시를 형성했다. 이 중 일부 도시는 개별적인 시도로 설립되었고 일부 도시는 기존의 도시들이 다른 장소에 새 정주지들을 만들어 이를 자신들과 연결할 목적에서 의도적으로 설립되었다. 기원전 5세기, 4세기, 3세기에 그리스의 가장 강력한 도시들, 특히 아테네Aθήνα[Athenae]와, 이후 헬레니즘 세계의 왕들은 (마케도니아의 필리포스 2세Philippos II[재위 기원전 359~기원전 336]가 알렉산드로스 대왕과 그 후계자들이 따를 방식을 설정했다) 전략적 이유로 선택된 장소에 계획적인 정주지를 설립했다. 로마Roma는 처음에는 이탈리아에서 그 이후에는 이탈리아 너머에서 신도시들을 만들고 구도시들로부터 거주민들을 유입시켰고, 일반적으로 그곳을 "콜로니아colonia"[식민시]라고 지칭하며 통제권을 확립했다["colonia"는 영어로 "식민지"를 뜻하는 현대 용어 "colony"의 어원이기도 하다]. 로마인들은 이 과정이 기원전 6세기의 왕들로까지 거슬러 올라간다고 믿었으며, 그것은 기원전 3세기 초반까지는 분명하게 계속되었다. 로마인들은 같은 방식으로 '파종된seeded' 도시들 가운데 많은 수를 계속해서 점령했다.

　도시가 성공적으로 형성되는 데는 두 번째 특징[연결성]이 크게 이

바지했다. 고전고대classical antiquity〔고대 그리스·로마 시대〕는 도시국가 city-state로 유명하지만, 고대 도시들은 독립된 영역의 한복판에서 고립된 인구 중심지가 아니라 종교적, 정치적, 경제적 네트워크에 통합되었다.[4] 몇몇 도시는 매우 제한적인 방향으로만 연결성connectivity을 최대화해 특별한 결과를 낳도록 설계된 얇은 네트워크의 한 부분이었던바, 페니키아인들에 의해 만들어진 일련의 도시에서 그러했다. 이 가운데 많은 도시가 이후의 도시 공동체들이 다시는 차지하지 않은 부지에 있었다는 것은 주목할 만하다.[5] 그러나 대부분의 도시는 처음부터 최대한의 방향으로 연결되는 두텁고 유연한 네트워크의 한 부분이었거나 점차 그렇게 되었다.[6] 이러한 연결성은 자율성antonomy의 중요성에 대한 도시 자체의 반복적 주장에도 불구하고 의심할 여지가 없다.

개별 단위unit들의 자율성이 그것들의 네트워크를 응집력 있고 효율적으로 만들었다. 각 단위는 지배적인 중심지 주변에서 농장, 마을, 소규모 정주지 군집의 자체 네트워크에 의해 형성된 것으로 생각할 수 있다. 도시들은 영토 통제를 위해 계속해서 경쟁했다. 자신들의 고유한 네트워크 구성 부분들을 통합하기 위해서였다. 성공적 도시들은 다른 도시들을 희생시키며 더욱 많은 영토를 흡수했다. 그런데 내부 네트워크를 확장하는 것과 외부 네트워크를 확장하는 것 사이의 차이를 모두가 알고 있었다. 아테네가 자신의 국경을 통제하기 위해 〔그리스 남부의〕 메가라Megara와 충돌한 것과, 아테네가 메가라를 자신의 동맹 네트워크에 가입하도록 강요한 것이 그러한 차이였다.

셋째, 고대 지중해 도시들에 기반을 둔 공동체는 자신들의 집단에 대한 자의식이 있었으며 전체 자원의 매우 많은 부분이 공동체의 개인

구성원이 아니라 공공 편의시설이나 공동체 전체의 관심을 끌었던 건물과 기념물에 사용되었다. 지중해 도시에서 시선을 끄는 것은 궁전들과 성이 아니라 스토아와 신전이었다. 정확하게 어떤 공공의 편의시설이 어디에 건립되었는지는 도시마다 달랐어도, 상업 활동, 시민 정부, 혹은 모든 주요 종교 축제의 핵심 요소인 체육, 음악, 여타 문화 행사를 가능하게 하고 과시하는 일련의 기념(비)적 공동체 시설은 정기적으로 건립되었다.

천 년이 넘도록 고대 지중해의 도시들은 눈에 띄는 공통적 특성들을 가지고 있지만, 고대 도시와 고대 도시화를 단일한 현상으로 생각해서는 안 된다. 고대 경제의 특성을 발견하고자 하는 고대 역사가들은 흔히 기원전 8세기부터 기원후 6세기까지 지중해 전체를 동일한 역사적 원동력에 의해 인간 정주지가 형성된, 하나의 단일한 역사적 국면으로 취급해왔다.[7] 그리스와 로마의 사상은 도시를 도시 배치의 양상, 도시의 사회적·정치적 형성, 뚜렷한 도시문화, 도시와 시골 사이 관계라는 관점에서 지속적 영향을 끼칠 수 있도록 개념화했다. 이것은 하나의 단일한 고대 도시가 존재했고 고대 도시가 근대 도시와 유사하다는 시각을 더욱 고무했다.

그러나 우리가 도시라고 부르고 싶은 정주지들을 살펴보면 고대 지중해에서 발견되는 엄청난 다양성을 강조하게 될 것이다. 가장 이른 초기의 정주지 토대들부터 알렉산드로스에서 로마 제국에 이르는 복합적 제국의 형성까지 도시가 영토를 통제하는 도구로 간주되었을지라도, 아울러 도시가 자주 사회적, 경제적, 그리고/또는 문화적 변화를 주도했고 문명의 척도로 보였을지라도, 고대 도시는 그 형태와 기능이 너무나 각양이라 현대 도시주의urbanism 이미지 내에서는 어떠한 단순 방식으로도 자리매김하기 어렵다.

막스 베버Max Weber가 언급했듯이, 도시(부副도심 및 마을의 네트워크)와 시골의 정치적·경제적 통합 관계는 도시가 주변 시골과 대비되었던 중세 유럽의 도시와는 전혀 다르다.[8] 고대는 몇몇 대규모 도시 복합체를 이루었고, 특히 로마가 그러했다. 그러나 고대 도시 중심지urban centre 대부분은 인구가 많지 않았으며(피레우스Piraeus 항구를 포함하는 고전기 아테네조차도 14만 명의 도시 및 교외 인구가 있었을 뿐이다), 가시적으로 거주민이 없는 행정 중심지도 있을 수 있었다. 생산 활동(음식, 포도주, 기름, 의류 혹은 벽돌 등)이 농촌의 생산과 밀접하게 통합된 상태에서는 도시경제urban economy의 특성을 파악하기가 어렵다. 지중해 교역의 밀집된 네트워크는 물품 교환을 상당한 수준으로 증대시켰으나, 로마 제국에서만 이것이 상업을 경제의 독립된 영역으로 발전하도록 장려했다는 점은 분명하다.

시간이 흐르며 정말로 변화가 있었다. 모든 초기 도시 정주지urban settlement는 작았고, 그중 상당수는 현대 도시주의의 어떤 기준에서도 매우 작았다. 하지만 고대 내내 도시의 평균 규모가 커졌으며, 한층 더 두드러지게는, 가장 큰 도시와 가장 작은 도시의 규모가 엄청나게 차이 났다. 거대한 제국의 중심인 로마가 100만 명의 인구를 수용할 정도로 성장했을 뿐 아니라 정치적으로 훨씬 덜 중요한 도시들―이집트의 안티오크Antioch나 알렉산드리아―이 로마 규모의 약 절반으로 팽창했다. 발터 크리스탈러가 서로 다른 경제적, 정치적, 문화적 조건에서 중심지를 중심으로 형성된 네트워크의 다양한 성격을 탐구할 때 추상적으로 유형화한 힘은 우리가 관심을 기울이는 천 년 기간에 확인이 되는데, 이 힘은 매우 다른 형태와 능력의 도시들을 필요로 하거나 생산하는 네트워크 내에서 차등적 흐름을 만들어간다.

네트워크 역사로서 도시의 역사

고대 지중해의 역사는 도시 네트워크urban network가 형성되고, 확장되고, 집중되고, 해체되는 이야기다. 네트워크와 노드는 서로 연결되어 있어서 어느 쪽도 다른 쪽이 없이는 유지될 수 없다. 기원전 9세기에서 기원전 6세기 사이에 도시라고 부를 수 있는 최초의 공동체들이 나타났고, 이 공동체들은 새 도시 정주지의 생성을 통해 다른 공동체들과 서로 즉각적으로 연결되었다. 페니키아인과 그리스인은 모두 자신들의 고향과 멀리 떨어진 곳에서 새 공동체들을 구축했다. 페니키아인은 북아프리카, 스페인, 지중해 서부에서, 그리스인은 에게해 북부, 흑해, 아드리아해, 시칠리아, 이탈리아, 프랑스 남부, 북아프리카에서 그러했다.[9] 정주민들이 여러 도시에서 왔을지라도 특정 도시에 대한 배후 연결이 특권이 되었다. 이것은 새 도시들이 새 공동체의 자율성, 자치적 독립성과 양립할 수 있었지만, 새 도시들이 스스로 만들게 될 연결망에서 모^母도시mother city와의 동일화가 중요하다는 주장이었다. 에비아Évvoia섬의 칼키스Chalcis 등 일부 도시는 해외의 하나의 혹은 소수의 정주지와 연결되었고, 이오니아Ionia의 밀레투스Miletus 등 일부 도시는 매우 많은 수의 정주지와 연결되었다. 관계망 형성에서 특별한 역할을 했던 도시들은 모두 작은 규모여서 그들이 단순히 잉여 인구를 분산했다는 생각은 상식에 어긋난다. 그 도시들은 네트워크를 효율적으로 확장하는 일에 참여한 것이다.

이 같은 도시 정주지의 확장이 문해력literacy의 확대와 맞물리는 것은 우연이 아니다. 지중해를 가로질러 확장된 네트워크를 유지하는 데 필요한 소통은 글쓰기를 요구했다. 그리스인들이 페니키아인들로부터 해외 정주라는 생각만이 아니라 알파벳을 빌려온 것은 놀라운 일이 아니다. 전혀 다른 현지의 알파벳이 모도시와 공유되는 것 또한 마찬가지로 놀랍지 않다. 글쓰기는 공간에 따른 도시의 확장과 시간에 따른 도시의 확장 둘 다에 필수적이었다. 글쓰기의 가장 이른 초기의 공적 사용의 하나는 법률을 기록하는 것이었고, 새 정주지들은 입법자들의 이야기에서 두각을 나타냈다. 확립된 규정들이 제공하는 규칙성은 도시 형태에서 보이는 규칙성과 일치했다. 첫 번째 정주지에서 방어용 성벽은 거의 보이지 않았다. 그 대신 이곳에서는 뚜렷한 공공구역의 지정과 처음에는 다소 불완전하더라도 두 세대 내에 완전히 규칙적이 되는 도시공간urban space의 구획이 나타났다. 첫 번째 격자형 도시 양상은 밀레투스의 히포다모스Hippodamus of Miletus가 기원전 5세기에 이를 이론화한 것보다 훨씬 앞서는 기원전 7세기에 나타난다〔히포다모스는 밀레투스 출신의 기원전 5세기 그리스 철학자이자 건축가, 도시계획가다〕.[10]

도시 중심지들과 네트워크의 상호의존성은 이 초기 시기에 설립된 세 번째 독립적 네트워크에서 잘 설명된다—아마도 페니키아와 그리스의 사례에 영향을 받았을 에트루리아인의 네트워크였을 것이다. 에트루리아인들은 야금 자원을 가져 그리스인들 및 페니키아인들과 접촉하게 되었고, 기원전 8세기와 7세기에 이들의 도시 네트워크는 도시 중심지를 갖춘 자율적 도시 네트워크로 매우 빠르게 진화했으며, 다시 우연에 의해서가 아니라, 개별 도시들이 볼로냐Bologna 주변 포Po 계곡 및 그리스의 영토 확장과 겹치는 이탈리아 남부 살레르노에까지 새 공동체를 구축하면서 도시 네트워크도 동시에 확장하기 시작했다. 에트루리아인들도 페니키아인들과 그리스인들처럼 문해력, 정교하고 독특한 도시문화, 계획도시planned city를 함께 발전시켰다. 격자도시 grid-city는 페니키아의 솔룬토Solunto와 마찬가지로 에트루리아의 마르차보토Marzabotto와 폼페이Pompeii의 특성이다. 이탈리아 중부에서도 신 도시 네트워크 모델이 즉각적으로 영향을 끼친다. 로마는 중심부의 포룸forum, 카피톨리노Capitolino의 기념(비)적 발전, 시민 공동체의 재구축과 함께 기원전 8세기부터 주목할 만한 도시 중심지로 대두했으며, 동시에 공동체 의식을 지닌 라티움Latium의 이웃 지역들 역시 자치적 도시 단위와 네트워크 연합 사이에서 고유한 균형을 유지한 독립 도시들의 연맹으로 대두했다.[11] 〔"포룸" 곧 "포로 로마노Foro Romano"는 "로마인의 광장"이라는 뜻이다. 라틴어로는 "포룸 로마눔Forum Romanum"이다. "카피톨리노 〔언덕〕"는 고대 로마의 발상지로 전해지는 7개 언덕의 하나로 제우스신전 등이 있었던 종교의 중심지다. 영어로 "수도"를 뜻하는 "capital"이 여기서 유래했다. "라티움"은 이탈리아 중부, 테베레강 동남부에 위치한 지방 또는 옛 왕국이다. 기원전 1000년 무렵에 남하한 라틴인이 정주해 고대 로마의 발상지가 된 곳이다.〕

네트워크를 통한 물품, 서비스, 사상의 흐름은 거의 균일하지 않다. 지리적 위치, 자원, 혹은 지역의 역사적 기회들로 일부 노드가 네트워크를 지배할 정도로 성장한 때문이다. 유별나게 영토가 넓은 도시와 자신을 동일시하는 곳이 거의 없다는 점이 그리스 해외 정주지의 주목할 특징이다. 그래서 스파르타Sparta와 아테네는 정치적으로는 그리스 본토를 장악했으나 1~2개 초기 정주지의 모도시로 간주되었을 뿐이다. 그러나 다른 어떤 도시들도 이 스파르타와 아테네 두 도시와 같은 네트워크를 갖추지 못했다. 스파르타는 기원전 6세기에 자신의 펠로폰네소스반도 지배를 보장하는 정치적 동맹 네트워크를 형성했다〔펠로폰네소스동맹〕. 기원전 5세기 아테네는 약 250개 도시로(그리스 세계 전체의 1000개가 넘는 도시 가운데) 제국 네트워크를 형성해 이를 페르시아에 대항하는 군사적 필요성에 활용했고, 이것은 네트워크 진화에서 고전적 사례가 되었다.

아테네 제국의 도시들은 엄밀히 해석할 경우 자율성을 유지했으나, 아테네에서 흘러나온 것은 군사력인 반면 아테네로 흘러들어간 것은 강요된 기부금이면서 동시에 자유무역이었던 터라 자원 흐름의 균형이 항상 불안정했다. 이런 불안정한 흐름은 그 자체가 네트워크 외부의 사람들에게 위협이 되었고, 〔아테네의〕 도시팽창urban expansion이 〔다른 도시들의 경우와〕 차별화하는 현상임을 눈에 띄게 했다. 아테네의 주적主敵 스파르타는 낮은 수준의 기념(비)성을 추구했고 마을과 유사한 군집 내에 분산 정주 하는 등 도시적 구조에서 아테네와 정반대 모습을 드러냈다. 스파르타의 네트워크는 전적으로 정치적이어서, 해상교역과 글을 읽고 쓰는 능력(그래서 소통)을 배제했다. 스파르타에서나 펠로폰네소스Peloponneso동맹 네트워크 대부분의 노드에서나 모두 도시화라고 할 만한 게 없었다. 동맹에서 유일하게 도시화한 구성원은 다른 네트워크의 부분이기도 했던 코린토스Corinthos 같은 도시들이었으며,

코린토스가 펠로폰네소스동맹이 아테네와 충돌하게 만든 것은 우연은 아니었다〔코린토스는 스파르타와 펠로폰네소스동맹을 맺고 있었다〕.

알렉산드로스가 페르시아 왕 다리우스 3세Darius III〔재위 기원전 336~기원전 330〕를 패배시킨 이후 형성된 헬레니즘 왕국도 도시 네트워크에 똑같이 의존했다. 알렉산드로스의 아버지 필리포스 2세는 이미 마케도니아의 도시화와 도시 기반을 마케도니아의 영향력을 확대하는 도구로 사용했고, 알렉산드로스〔재위 기원전 336~기원전 323〕와 그 후계자들은 신도시들을 부지런히 설립했으며 아프가니스탄의 아이카눔Ai Khanoum에 이르는 동쪽으로 멀리 확장되는 네트워크의 가능성을 보여주었다.[12] 이러한 토대들은, 그리고 마찬가지로 알렉산드로스가 페르세폴리스Persepolis에서 페르시아의 행정 및 의식 중심지를 불 질러 사라지게 한 악명 높은 파괴는 도시가 제국의 노드로서 담당해야 하는 역할(또는 담당하지 말아야 하는 역할)이 무엇인지를 인식하게 해준다. 헬레니즘 도시라고 할 만한 것들은 없었지만, 알렉산드로스가 첫 번째로 세운 도시였던 이집트의 특별한 도시 알렉산드리아Alexandria는 이집트 세계, 근동, 지중해 사이에서 가장 중요한 관문으로 기능했고, 다른 어떤 도시들과도 크게 달랐다.

헬레니즘 세계의 왕들이 세운 새 도시들은 기존의 도시들을 대체하지 않았다. 왕들은 기존 도시 네트워크를 파괴하기는커녕 그것들을 활용했다. 중앙 통제와 관료 구조의 필요성은 자신들의 고유한 영역을 관리하는 도시들의 활동을 통해 크게 줄어들었다. 자율성 이념과 왕권에 대한 전통적 적대감이 이념적 긴장을 조성했으나, 도시들은 —헬레니즘 세계의 왕의 통치에서든 로마의 지배에서든— 새로운 힘의 현실을 기존의 구조 내에 통합할 수 있었다. 심지어 헬레니즘 세계의 왕들을 신격화하는 것 역시 폴리스polis의 상징적 구조 내에서 이러한 현실을 적용하는 방식이었다.

티투스 리비우스Titus Livius는 알렉산드로스의 제국 확장이 로마가 이탈리아로 영향력을 확장하는 것과 연대적으로 일치하는 점을 지적한다. 로마 확장의 기제는 연속적 전쟁이 아니라 새 정주지들의 네트워크를 만드는 것이었다. 거주 주체가 로마 시민이든 라틴 동맹이든 콜로니아는 현지 수준에서 스스로 조직할 수 있는 공동체를 통해 영토를 통제하는 효과적인 방식이었다. 기원전 4세기부터 기원전 2세기까지 공화정 중기 로마의 이탈리아는 종종 로마와 다른 지위와 관계에 있는 공동체들의 조각보 혹은 모자이크로 특징지어진다. 직접 통제의 대상이 되는 거대한 동질적인 영토적 권역은 존재하지 않았다. 로마 역시, 알렉산드로스와 그의 후계자들과 마찬가지로, 네트워크의 확장을 통해 운영되었고, 노드가 분리되어 있어 서로 다른 특성과 상태를 유지할 수 있었기 때문이다.[13]

도시 중심지는 일부 영역에서 다른 곳에서보다 더 효율적이었음이 입증되었다. 그리스가 차지한 이탈리아 남부와 에트루리아가 차지한 이탈리아 중부 및 포계곡에서 도시 노드들이 성장했다. 반면 이탈리아 산악지대 중심부, 로마 근처 사비니 산지 같은 삼니움Samnium인들의 영역은 현저하게 도시화되지 않은 상태로 남아 있었다. 비슷하게 그리스에서도 펠로폰네소스반도 북부와 그리스 중서부 지역은 동시대인들에게 도시화되지 않은 곳으로 보였고, 폴리스라기보다는 부족 혹은 혈연 공동체적 성격을 띠었다. 이러한 구분은 아리스토텔레스가 제안하는 모델에 비해 훨씬 덜 치밀했으며, 삼니움과 에피루스Epirus의 공통적 특징은 〔이 두 곳의〕 더 크고 부족 단위의 더 강한 정체성이 별도의 네트워크 노드를 형성할 수 있고 그래서 기념(비)적 중심지를 개발할 수 있는 더 큰 집단 내에서 독립적 단위로 등장하지 못한다는 것과 관련 있다는 점이다.

아우구스투스Augustus〔재위 기원전 27~기원후 14〕의 승리와 새로운 제국 통치 모델의 발전은 기껏해야 제국적 관료제의 형성과 중앙 통치 구조의 개혁에 부분적으로만 의존했다. 도시의 독립적 노드는 이 체계에 변함없이 결정적 역할을 했으며, 노드 간 대규모 네트워킹의 잠재력은 견줄 데 없을 정도로 구현되었다. 아우구스투스와 그 후계자들은 이탈리아의 오랜 식민 영토에 있는 옛 콜로니아들에서건, 이제 더 중요해진, 특히 스페인·갈리아Gallia·북아프리카(도시화의 극적 증가가 나타나는) 같은 새 해외 콜로니아들에서건, 지중해 동부에서건 간에 끊임없이 도시를 건설하는 데 적극적이었다. 도시들은 브리타니아Britannia 처럼 새로운 야만인barbarian 영역으로의 확장과 종종 화려한 기념(비)화 둘 다를 추구했다. 오랫동안 도시화가 전형적이었던 소아시아Asia Minor(터키〔튀르키예〕)의 중심지는 뚜렷한 고고학적 흔적을 남긴 전에 없는 규모의 기념(비)적 개발을 경험했으며, 이것은 시리아에서 북아프리카 마우레타니아Mauretania 지역까지 이슬람 세계가 될 광범위한 활 모양의 영역에서도 마찬가지다. 이는 예외적으로 로마가 의식적으로 의도한 거라는 설명이 제기되고 있다. 황제가 늘 속주로 취급했던 이집트는 로마 제국에서 효과적으로 독립된 일련의 도시 중심지로 서서히 분화되었을 뿐이다. 파라오가 확립한 중앙 집권 체계의 그림자는 짙었다. 해안가의 알렉산드리아는 예외 중의 예외로서 계속 존속했다. 이 도시를 알렉산드로스가 창조했고 프톨레마이오스Ptolemaios 왕조나 로마 제국 정부가 왕권의 거대도시metropolis로 인정했기 때문이다.[14]

로마 제국은 단순한 네트워크가 아니라 네트워크들의 네트워크였다. 로마 정부가 속주 수도에 의존했고 속주들이 지방 수도들에 의존했다면, 그것은 또한 병영〔주둔지〕garrison의 네트워크에 의존한 것이기도 하다. 제국이 팽창함에 따라, 떠나가는 군인들이 시민들로 대체되고 요새가 타운이 되면서 군단 편제는 도시 네트워크화의 길을 따르게 되었다. 제국이 사실상 정체된 이후, 군사기지의 네트워크는 시민 정부의 발전과 점점 분리되었으나 로마의 평화〔팍스 로마나〕pax Romana 시기에 시민 정부가 행동할 가능성에 필요불가결한 것으로 계속해 남았다. 기독교의 성장은 더욱 큰 네트워크를 추가했다. 근본적으로 도시 종교였던 기독교는 특정한 장소와 확고하게 연결된 모든 교회 관리인의 위계를 통해 종교의 활동을 조정했다. 그리고 이렇게 분리된 모든 네트워크는 로마의 도로 네트워크를 기반으로 하는 매우 효율적이고 효과적인 육로 통신 체계의 발전을 통해 가능했다.

로마 제국의 성장이 도시 네트워크의 확장과 통합 속에서 추적될 수 있다면, 로마 제국의 붕괴는 네트워크의 붕괴다. 고대 후기late antiquity 도시들의 이야기는 복합적이고 다양하다. 네트워크가 안정적인 정치적·군사적 지원을 제공하지 못하면서, 네트워크의 연결성이 침략과 불안으로 다각도의 방해를 받으면서, 개별 도시들은 매우 각양의 궤적을 경험했다. 지중해 동부에서는 네트워크의 많은 부분이 손상되지 않았고 도시들이 계속 번성했다. 북아프리카에서는 반달족의 침입으로 네트워크가 완전히 파괴되었고 수많은 도시 부지가 그냥 버려졌다. 보급을 복합적 장거리 네트워크에 의존했던 로마 자체는 커다란 인구 감소를 경험했고, 더는 항구도시가 필요하지 않았기에 〔테베레강 하구의〕 오스티아Ostia는 방치되었다. 그러나 스페인, 갈리아, 이탈리아 북부에서는 마르세유Marseilles나 밀라노Milano 같은 중심지가 상당한 연속성continuity을 경험할 수 있을 만큼 충분한 지역적 네트워크가 살아남았다.[15]

도시들의 위계

현대 사상에서 도시는 위계hierarchy적 장소로 정의되며 부락hamlet · 마을village · 타운보다 크고 법률적으로도 상위 개념이다. 지금까지 설명한 네트워크 내에서 공식적 위계의 정도는 다양했다. 고전고대를 통틀어 공식적 위계는 일반적으로 존재하지 않았다. 가장 규범적인 것은 도시 내부의 행정 단위가 다른 곳에서의 행정 단위와 근본적으로 같다는 점이다. 아테네의 타운은 서로 구분되는 '데모스demos'를 포함하고 있었으며, 이것은 아티카Attica의 시골에서도 마찬가지였다. 로마 세계는 유사한 개념으로 비치vici와 파기pagi를 가지고 있었다〔'데모스'는 고대 그리스 폴리스의 자치 행정구역 또는 마을을, '비치'는 로마 시대 도시 동네나 농촌 마을을, '파기'는 로마 시대 부족 농촌 영토를 세분한 행정 단위를 지칭한다〕. 그러나 도시들의 네트워크가 위계질서의 공식적 부분이 아니었다는 사실이 도시와 다른 정주지 사이 혹은 도시들 사이에 분화가 존재하지 않는다는 것을 의미하지는 않는다. 그것과는 거리가 멀다.

정확하게 네트워크의 핵심은 서로 다른 노드들이 각기 다르게 네트워크에 이바지한다는 점이다. 이는 아마도 한자Hansa동맹 도시들과 마찬가지로 서로 다른 노드들이 서로 다른 경제적 자원에 접근할 수 있었기 때문일 것이다. 한편 고대 그리스에서 보이오티아Boeotia연맹을 결성한〔기원전 447〕 도시들이 저마다의 지역적 권한을 통해 연맹 군대에 공헌했던 것처럼, 서로 다른 노드들이 서로 다른 정치 공동체를 지배할 수도 있다. 그러나 종종 서로 다른 노드는 동일한 유형의 자원을 서로 다른 형태로 제공하는 것이 아니라 완전히 다른 유형의 자원을 제공했다. 이러한 공급의 차이가 비공식적 도시위계를 형성하는지는 공급된 서로 다른 유형의 자원 간에 뚜렷하고 안정적인 관계가 존재하는지에 달려 있을 것이다. 가장 일반적으로 이런 관계의 불안정성은 네트워크 내에서 권력이 어느 한 방향으로 흐르지 않도록 해주었다.

지중해 전역에서 천연자원의 세분화는 처음부터 새 인간 정주지의 형성을 촉진한 한 요소였고, 이들 정주지는 물리적 정착, 신과 인간의 결합 모두에서 더욱 차별화한 자원을 제공하는 역사를 형성했다. 매우 높은 비율의 도시가 구축한 연결의 형태는 지중해를 가로지르는 것이었고, 따라서 많은 투자가 필요하지 않았던 이와 같은 연결은 다양한 목적을 추구하는 다른 도시의 변화하는 영역과 쉽게 결합할 수 있었다. 이 다른 도시들이 일정한 거리 안에 있을 필요도 없었다. 멀리 떨어진 도시들까지도 스스로 모도시와 연결되거나 경제적이거나 종교적인 연결에 기반을 둔 특별한 관계를 형성할 수 있었다. 하나의 네트워크에서 하나의 역할을 행하도록 설정된 도시들은 정치적 혹은 종교적 혁신, 전쟁, 자연재해에 직면했을 때 서로 다른 요구가 서로 다르게 표출되었기에 자신들이 다른 네트워크들과도 연결되어 있음을 알아차렸다. 지리적 이해는 이를 가능케 했으나 강제하진 않았다. 지중해 도시들은 그들의 경쟁적 공급자들에 대항해 네트워크 내에서 자신의 자리를 유지하려 항상 경쟁 상태에 있었다.

지중해의 엄밀한 주변부에서 헬레니즘 세계 동부의 육상제국land empire들이나 로마의 북서 속주들로 이동하는 순간 네트워크의 본질은 필연적으로 변한다. 네트워크들은 육상 통신에 더 많이 의존했는데 이는 네트워크가 도로에 의존했음을 의미했다. 도로는 초기 투자와 지속적인 유지 보수가 필요했으며, 한번 건설되고 나서는, 이동의 방향을 결정했다. 지중해를 가로지르는 소통 양상은 새로운 종류의 관계에 영향을 줄 수 있는 방식으로 자발적으로 변할 수 있었지만, 육상제국에서의 관계들은 단단하게 고정되어 있었다. 이러한 상대적 경직성은 로마 제국 내에서 더 많은 정주지 위계가 등장하는 한 가지 이유다. 육상 통신이 더 느렸고 특정 유형의 연결이 효과를 얻기에는 거리에 따른 심각한 제약이 따랐다. 이 두 요소는 경쟁을 감소시켰고, 조건이 적절하다면 도시 네트워크의 밀집도가 지중해 주변에서 요구되는 것보다 훨씬 더 일관적이라는 점을 의미했다. 조건이 더 어려웠을 때는 이런 네트워크가 훨씬 더 취약했다. 지중해로부터 멀리 떨어진 도시화의 역사는 성장과 쇠퇴 주기에 훨씬 더 영향을 받았다.

알렉산드로스가 이집트에 알렉산드리아를 건립해 하나의 도시가 지중해에서 이용가능한 잉여 곡물의 엄청난 비율을 차지하기 전까지, 그리고 알렉산드로스 대왕의 후계자들인 프톨레마이오스 왕조 지배자들이 이 독특한 경제적 지위를 활용하고자 독특한 정치와 문화 자원을 추가하는 것을 결정하기 전까지, 고대 도시들의 규모는 아무리 크다 할지라도 모든 다른 네트워크를 심각하게 왜곡하지 않았다. 로마는 군사적 정복을 통해 거대한 지역으로부터 자원을 집중시켰고 정치·경제 네트워크를 밀접하게 조율함으로써 알렉산드리아까지 능가했다.[16] 두 예시 모두에서 단일 노드의 성장에 필요한 본질적 요소는 정치·경제 기능의 조합이었고, 노드 자체의 성장은 위계를 피할 수 없게 만드는 경제적 무게중심을 창조했다.

지중해 도시의 다양성

지역적 교환의 중심지로서의 도시. 폼페이는 현대 연구자들에게 고대 도시의 표면 아래로 내려가 그 조직을 구체적으로 살펴보고 그 목소리를 들을 드문 기회를 제공한다. 그런데 우리가 이 도시에 가까이 다가갈 수 있다는 인상은 착각이다. 폼페이는 고대 도시의 이상적 유형의 표본을 제공하는 것이 아니라, 나폴리만灣에서 초기 제국의 번영이라는 맥락에서 장소와 시간에 의해 결정된 특별한 사례의 스냅사진을 제공할 뿐이다. 폼페이는 처음에는 보기보다 조금만 드러낸다. 바쁜 상점들은 타운의 상업적 삶을 증명하는 것처럼 보이고, 행인들에게 투표하라고 촉구하거나 엘리트 구성원들에게 투표하라고 말하는 상인집단의 목소리는 현지 교역과 정치 사이에 필요한 연결을 제공하는 것처럼 보인다. 때때로 지중해 서부를 건너온 암포라amphora 도기에 생선소스를 채운 아울루스 움브리키우스 스카우루스Aulus Umbricius Scaurus처럼 지중해를 가로지르는 대규모 교역을 예시하는 인물이나 저택 안마당의 모자이크 장식을 암포라 도기로 자랑스럽게 묘사한 인물도 등장한다.[*] 그러나 더욱 자세히 살펴보면, 폼페이 교역은 대부분 소규모로 현지에서 이루어졌음이 드러난다. 집들은 광범위한 번영이 엘리트의 지배를 받지 않은 지역 인구 전체에 얼마나 퍼질 수 있는지를 예시해준다. 그러나 과거 주인에 표하는 노예의 존경심을 강조하려는 욕구가 특징인 사회에서 번영은 피상적 개념이다. 이 문제는 베수비오^{Vesuvio} 화산의 개입[79년 베수비오산의 대분화로 인한 폼페이의 매몰]이 없었더라도 터질 수 있었던 거품이었으며 로마 제국 전역에서 복제된 거품이기도 했다.[17]

산업의 도시. 현대 학자들은 어떤 고대 도시도 산업에 의존하지 않았으며 상업 이득을 중심에 두지 않았음을 종종 환기하게 만든다. 그런데 일부 도시가 특정 생산품에 의존한 것은 진지하게 논의되지 않는다. 특히 고대 세계의 많은 도시는 광물 자원에 대한 특권적 접근에 의존했다. 아테네는 영토의 남부에 자리한 은광에 강하게 의존했고, 타소스^{Thasos} 같은 도시는 자신의 영지뿐만 아니라 타운 지하에도 중요한 광산을 보유했다. 고대 도시 내부 광물 자원의 소유권은 확실하지 않았으나, 귀금속에 대한 접근성은 고대 도시가 분명하게 정기적으로 통제했다. 적어도 아테네가 케아^{Kea}의 도시들에 대한 정치적 수단으로

---

[*]　'암포라 도기'는 고대 그리스 도기류의 하나로, 목 부분이 몸체에 비해 좁고 양쪽에 손잡이가 달린 항아리 모양의 도기를 말한다. 여기서 말하는 '생선소스^{fish sauce}'는 로마 시대의 일종의 액젓인 발효 조미료 '가룸^{garum}'을 말한다. 아울루스 움브리키우스 스카우루스는 당대 폼페이 제일의 가룸 제조·판매업자였다.

서 석간주石間硃, ruddle를 자원으로 사용하려 시도했던 방식을 보면 그리힌데, 다른 광물 지원 역시 마찬가지였다.[18]

그러나 케아섬으로부터 그리스 본토까지 해협을 통제했던 도시인 타소스는 금과 은을 넘어 지배권을 확장했다. 포도주 판매에 관한 일련의 법률과 함께 손잡이에 인장이 새겨진 많은 암포라 도기는 음식산업이건 광산업이건 도시와 도시의 특별 생산품 사이 강한 동일시를 말해준다. 크세노폰Xenophon의 노동 분업에 관한 논의가 양보다 질에 관련 있던 것처럼, 타소스도 주로 질에 신경을 썼다. 하지만 고대 도시가 경제에 관심이 없었다는 것을 보여주기는커녕 이것은 확실히 도시의 명성, 그리고 타소스적이 되는 것의 본질이 양질의 포도주와 순은에 대한 타소스라는 라벨과 연관되어 있는 정도를 나타낸다.

화물집산지entrepôt**로서의 도시.** 질서정연함이 일부 도시에서 선호되는 모습이었다면, 그것은 끊임없는 압력에 맞서는 것이었다. 고대의 도시들, 무엇보다도 항구도시port city들은 주기적으로 임시 거주민들을 받아들였으며 질서정연한 정치 사회로서의 도시가 아니라 만남의 장소로서의 도시에 관심을 보였다. 일시적 거주자의 규모는 많은 도시에서 매우 중요했는데, 기원전 2세기의 델로스Delos가 가장 많았을 것이라는 점에 의심의 여지가 없다. 에게해 한복판이라는 전략적 위치를 차지하고 있는 델로스는 단순한 키클라데스Cyclades('환형')제도가 아닌 에게해의 상징이자 모든 이의 성역sanctuary으로, 지중해 전체의 삶의 허브로 변모했다. 이것은 로마인들이 델로스에 특권적 조세 지위를 부여한 때문이었다.

면세 지위는 정치적 선물로서 델로스에서의 거래 비용을 다른 지역의 경우보다 저렴하게 만들었다. 이로써 델로스는 지중해 중부와 동부에서 경제적 영향력을 행사하려는 사람들을 위한 장소가 되었고 결과적으로 정치적 영향력을 행사하려는 사람들도 끌어들였다. 작은 면적에 고유한 주요 자원이 없었던 델로스의 유일한 자산은 이 도시가 점한 위치였고, 이는 오직 방문객의 수로 전환될 수 있는 경우에만 자원이 되었다. 델로스는 내부의 삶이 외부를 지향하는 것에 의존하는 도시였다.[19]

국가state**로서의 도시.** 그리스 역사가들은 그리스의 폴리스가 독특한 정치형태를 표상한다고 오랫동안 주장했는바, 폴리스의 타운과 시골은 동등하고 상호보완적 역할을 하는 정치 단위이며, 폴리스 안에서 도시와 농촌은 구분될 수 없었으며 중심부는 경관을 지배하지 않았고 그 반대도 마찬가지였다는 점을 들어서였다.[20] 이런 주장은 많은 부분 상투적이었음에도, 고전기 아테네에서 도시와 시골countryside 사이에 뚜렷한 구분이 있었음을 입증하려는 최근 시도들은 의도와 달리 도시와 농촌rural이 경제와 마찬가지로 정치와 문화에서도 복잡하게 얽혀 있었다는 점을 예증하는 데 성공했을 뿐이다.[21]

아테네는 결코 그리스의 전형적인 폴리스가 아니었다. 아테네는 영토(2400제곱킬로미터)와 인구 규모(기원전 5세기에 30만~40만 명) 둘 모두에서 매우 컸는데, 인구밀도는 도시뿐 아니라 아티카 전체에서도 주목할 수준이었다. 그러나 문헌이나 금석문으로 표현된 많은 고대의 증거는 아테네에서 정치 활동이 확대되었음을 분명하게 드러낸다. 모든 18세 이상의 자유민 남성 아테네인이 참여할 수 있는 민회Assembly와, 민회에서 논의할 모든 안건을 준비한 500인회는 다소 독점적으로 아테네의 타운에서 회합했다. 그런데 500인회Council of Five Hundred는 139개의 '데모스(마을/구역)' 각각의 아테네인들에게 할당된 인원으로 구성되었고, 데모스 가운데 일부만이 타운 안에 있거나 타운 가까이에 있었다. 데모스는 그들 나름의 방식으로 행해진 적극적인 정치 활동이었고, 아테네인들은 데모스 차원에서 정치적으로 살아가는 것이 무엇인지를 배웠다. 아테네의 치안판사나 정치적 활동가의 할당이 계획될 때마다 그 인원 대부분은 타운 외부에 배정되었으며, 이런 경향은 시간이 지나면서 감소하기는커녕 증가했다.[22]

아마 틀림없이 민주주의로서 아테네의 성공은 자신들의 삶을 통해 아테네에 봉사해야 하는 사람들 사이에서 경험의 최대 다양성을 정치적 의사 결정의 핵심으로 통합하는 데 달려 있었다. 타운은 도시국가 전역의 공동체들에서 복제되는 삶의 모델과 틀을 제공했는데, 공동체들 가운데 일부는 너무 작아서 결코 타운으로 불리지 않는 곳들도 있었다. 아테네인들의 지역 공동체에 대한 결합은 현대인의 관점에서 도시와 시민의 결합으로 보였으며, 모든 데모스가 완전한 시설을 자랑할 수는 없으나 타운임을 표시하는 극장, 성역, 방어시설들은 시골 전역에서 다양하게 복제되었다. 아테네 도시국가는 도시의 영토에 대한 지배만큼이나 영토를 가로지르는 도시의 복제를 통해 작동했다.

정돈된 공간으로서의 도시. 이미 기원전 5세기 초반의 정치사상가들은 타운의 계획이 사회적 계획이 되어야 한다고 믿었다. 밀레투스의 히포다모스는 여러 중요한 5세기의 타운계획들을 수행했다. 아리스토텔레스는《정치학Politika》에서 히포다모스가 도시사회의 계층을 도시의 규칙적 공간들에 연계하고자 했다고 기술했다.[23] 히포다모스 훨씬 이전으로 거슬러 올라가는 가장 이른 초기의 규칙적인 타운계획들이 사회공학의 의식적 혹은 이론화한 행위로 얼마나 많이 수행되었는지는 확실하지 않다. 그러나 5세기 이후에는 인구를 어떻게 공간 전역으로 배치할지를 생각하지 않고서, 그리고 사회적 지형도와 관련된 토지 소유권을 생각하지 않고서 도시를 계획하는 것이 불가능했다.

그리스 도시에서 공간 질서 형성의 주목할 사례로는 기원전 7세기에 만들어진 셀리누스Selinous〔셀리눈테Selinunte〕시가 있다. 이곳에서는 격자형 계획의 근본적인 재조정과 함께 균일한 거리 파사드street façade〔거리에 위치하는 모든 건물 전면부의 유사한 형태〕도 발견된다.[24] 다른 도시들은 다른 방법으로 유사한 결과를 도출했다. 폼페이는 이미 아르카이크기〔상고기上古期〕Aarchaic Period에 원래의 비규칙적 정주지가 확장되고 새로운 규칙적 도시로 둘러싸이게 되었다.*

서비스 중심지service-centre**로서의 도시.** 이 장을 시작하면서 언급한〔중부 그리스 포키스의 소규모 타운〕파노페우스에 대한 파우사니아스의 암시에 의하면, 도시를 만드는 것은 도시가 제공하는 시설들이다. 파우사니아스건 오늘날의 고고학자건 사회학자건 간에 유사한 접근법을 채택하는 것은 매우 타당하다. 시설의 존재 여부와 그 수용 능력은 모두 도시 형성을 촉진하는 것이자 도시 형성의 결과다. 특히 도시가 될 장소를 명시적으로 선택하는 경우, 시설물 제공은 계획자들의 목록에서 상위를 차지한다.

---

*   '아르카이크기'는 고풍스러운 시기를 뜻하며 고대 그리스에서 폴리스들이 형성되기 시작한 기원전 8세기 중반부터 고전고대가 시작된 기원전 5세기 초반까지를 지칭한다(이 책에서는 기원전 750~기원전 500). '고졸기古拙期'라고도 한다.

이는 메세네Messene에서 잘 드러나는바, 이 도시는 펠로폰네소스반도 남부를 스피르티가 다시 장악하는 것을 경계하려고 의도저으로 설립된 도시 성채였다. 이 도시에는 기념(비)적 성벽뿐만 아니라 파우사니아스가 언급했고(4.31) 최근의 발굴들이 점점 더 드러내 주는 것처럼 극장, 경기장stadium, 체력단련장〔김나지움〕, 아고라, 스토아stoa, 의회건물, 급수汲水 건물, 주요 성역들이 있었다〔'스토아'는 고대 그리스의 아고라 안에 있던, 기둥이 늘어선 복도다. 시민이 산책하거나 집회할 때에 이용되었다〕. 메세네 사례에서도 모든 시설이 처음부터 만들어진 것은 아니다. 로마 세계에서도 마찬가지였다. 문명의 중심지로 만들어진 브리타니아 내 콜로니아인 클라우디아 비트리스Claudia Victrix(오늘날의 〔잉글랜드〕 콜체스터Colchester) 정주지에는 표준적 편의시설들이 제공되었으며, 이것들은 시간이 흐르면서 천천히 개발되었다.[25]

그런데 파노페우스의 사례는 의도적인 특별한 기념(비)적 공급 없이도 어떻게 기본적인 도시 서비스들이 제공될 수 있었는지를 보여준다. 계획자들의 도시와 함께 계획이 없었음에도 운영되는 도시가 존재한 것이다.

기념물monument로서의 도시. 투키디데스Thucydides는 스파르타의 권력과 도시의 부족한 물질적 발현 사이의 간극을 비아냥거린 것으로 유명했다. 헬레니즘 세계의 한 방문자는 자신의 반응을 기록한 글에서 아크로폴리스Acropolis 바깥에서 보이는 아테네의 부정적 모습에 대해 마찬가지로 비아냥거렸다. 그런데 기념(비)성monumentality에 대한 기대는 도시들이 전시 장소가 될 기회를 제공했다. 전시도시display city에 대한 가장 두드러진 사례는 소아시아에서 발견되는데, 아프로디시아스

Aphrodisias보다 더 놀라운 곳은 없다. 이 도시의 주요 자산은 피상적이게도 그 명칭이었고, 그것은 로마에 대한 확실한 연결고리를 제공했다. 무엇보다도 세바스테이온Sebasteion 건축에서 그 진가가 드러났는바, 이 건축물은 모든 파사드를 통해 효과적으로 표현되는 황제 숭배의 거대한 중심지였다. 세바스테이온에서 역사는 신화가 되었고 신화 또한 역사가 되어 판타지의 세계를 만들었다. 과도한 냉소주의에 빠지지 않은 채 이 기념물에 관련된 종교적 숭배를 무시하지 않는 것이 중요하지만, 아프로디시아스를 주요 중심지로 만든 것은 기념물 그 자체이며 관련 의례가 아니라는 점에 의심의 여지가 없다. 건〔축〕물들을 보게끔 요구되는 곳에서는 건〔축〕물과 함께 사람들도 보이곤 한다.[26]

문화, 교육, 도시성urbanity**, 종교로서의 도시.** 알렉산드로스와 그의 후계자 프톨레마이오스 왕조 통치자들은 지중해와 밀접하게 결합된 알렉산드리아에 신도시를 건립하고 발전시키며 역사적으로 고립된 이집트를 지중해 교류의 주류로 이끌었다. 이집트 곡물 수출의 주요 항구라는 경제적 중요성 외에도, 이 신도시는 다양한 인구를 혼합하는 데 크게 이바지했다. 마케도니아와 그리스의 새 통치 계급과 현지 인구들을 서로 접촉하게 하고, 특히 유대인의 이주를 촉진한 것이다. 궁정court은 도서관과 박물관을 통해 문화와 교육을 장려하면서 그리스의 유산과 정체성을 강하게 드러냈다. 알렉산드리아는 지중해에서 학문과 과학 연구의 주요 중심지의 하나로 빠르게 자리매김을 했으며, 지역적 현상이던 그리스 문화를 지중해 동부 여러 국가의 엘리트들이 자신을 드러낼 수 있는 '보편적' 언어였던 코이네Koine로 변환하는 데서 커다란 역할을 했다.* 인구의 혼합은 문화의 혼합이 아니라 지배문화의 새로운 언어 확립으로 이어졌다. 종교는 중요한 역할을 했고 알렉산드리아는 이시스Isis 여신 숭배와 같은 새로운 종교 활동의 요람으로 부상했다. 알렉산드리아는 민족, 문화, 종교가 구별되는 각양의 사람들이 서로 만나고, 관계를 맺고, 때때로 폭력적 결과를 낳는 충돌이 발생하는 장소로 로마 제국을 통해 고대 후기까지 그 역할을 유지했다.[27]

제국 통제의 결과이자 도구로서의 도시. 로마는 전형적인 고대 도시이자 동시에 규칙들을 파괴하는 예외였다. 도시 바로 옆 배후지hinterland에서 재배된 주식품staple foodstuff을 통해 안정적으로 자급자족했던 지중해의 도시들이 거의 없긴 했지만, 대다수 도시는 자신들이 대부분의 시간 동안 자기네의 필요를 충족시킬 수 있을 것으로 여겼다. 제국적 로마의 인구는 기원전 두 세기 동안에 급증해 100만 명 이상이 되었고, 이는 로마가 수입하는 주산물, 특히 수입 곡물에 크게 의존해야 한다는 것을 의미했다. 그러나 로마는 자신이 통치하는 지역을 통해 계속 자급자족을 가능하게 할 수 있었는데, 처음에는 시칠리아에서, 다음으로는 이집트와 북아프리카에서 필요한 곡물과 상품들을 가져올 수 있었기 때문이다. 즉 도시로서의 로마는 제국의 힘으로서의 로마와 연결되어 있었다. 제국의 힘은 노예에 대한 높은 의존과 더불어 전례가 없는 부와 인적 자원 축적을 가능하게 했다. 로마는 지중해의 가장 거대한 물품 교환의 중심지가 되었고 이례적으로 엄청난 범위의 수입품을 관리했다. 로마의 영토 통제에 위협이 되는 행위(야만인

---

* 코이네는 기원전 4세기 무렵 아티카의 방언을 주로 하여 성립된, 고대 그리스의 공통어를 지칭한다. 알렉산드로스의 원정으로 동방 세계에 퍼지고 로마 제국이 붕괴할 때까지 동부 지중해 지방의 공통어로 사용되었다. 신약성경에 쓰인 언어이며, 현대 그리스어의 시조이기도 하다.

의 침입 같은)는 로마의 도시 생존을 위태롭게 했다. 도시는 제국적 권력에 대한 궁극적 표현이었다. 이곳에서 황제는 자신의 통제력을 비교불가능한 규모의 세련된 건물들을 통해 과시했고, 제국의 부조금은 제국 민중을 끌어당기는 힘을 발산하면서 민중의 삶을 지탱시켰다. 황제와 그의 궁정은 로마를 지중해 전역의 엘리트가 피해갈 수 없는 중심지로 변모하게 했다. 같은 맥락에서 3세기 이후 군사적 위기와 불안정으로 황제가 도시에 오랫동안 부재했을 때, 최상의 정주지로서 로마는 그 위계가 도전을 받았고 도시 자체의 생존이 의문시되었다. 5세기의 급격한 인구 감소는 빠르게 변모한 도시 외형을 제외하고서는 도시가 제국적 권력의 붕괴에서 살아남을 수 없음을 보여주었다. 로마 교황의 등장은 다른 네트워크 속에서 로마를 단연 최고 위계의 도시로 올려놓았고, 로마의 소생과 생존을 보장했으며, 세속적 제국을 신성한 제국으로 변화시켰다.[28]

고대 도시의 구축

고대 그리스와 로마는 도시들이 매우 많은 형태로 등장했음을 예시해준다. 인간 정주지와 활동의 밀집된 군집은 매우 커다란 범위의 인간 활동을 요구하고 가능하게 한다. 이는 도시 안에서의 활동뿐 아니라 도시의 영향이 필요했던 다른 곳에서의 활동 역시 포함한다. 많은 도시에서 정치적, 경제적, 문화적 활동이 함께 작동했는데, 이들 활동이 고립적으로 발전한 상당수의 도시도 발견할 수 있다. 서로 다른 정치적·사회적 질서들은 서로 다른 요구와 서로 다른 효과를 발생시켰으며, 이는 아주 각양의 방식으로 개별 도시들에 반영되었고 도시들의 매우 다른 양상에도 반영되었다. 상대적으로 풍부한 역사 자료와 고고학 자료들은 도시 정주지가 이러한 사회적·정치적 요구에 반응했던 방식과 속도를 명확하게 드러내준다. 그러나 어떤 도시도 고립되어서는 발전하지 못했다. 한 장소에서 가능했고 또 불가능했던 것들은 이미 다른 장소에서 벌어진 일들에 영향을 받았다. 이미 도시화한 세계에서 로마가 발전했고, 로마가 존재하면서 아프로디시아스가 형성될 수 있었으며, 로마를 바탕으로 폼페이의 거품 같은 부가 유지될 수 있었다. 셀리누스 시에 부여된 질서는 파노페우스의 무형적 배후에 대한 대응이었고, 타소스가 경제 자원의 개발 구조를 형성한 것은 정치에 의해 구조화한 도시의 배후에 대한 대응이었다.

주

1 Cf. Gustave Glotz, *The Greek City and Its Institutions* (London: Kegan Paul, Trench Trubner & Co. Ltd, 1929).

2 V. Gordon Childe, "The Urban Revolution", *Town Planning Review*, 21 (1950), 9-16. 그리스 도시와의 관계에 대한 차일드의 논의에 대해서는 Catherine A. Morgan and James J. Coulton, "The Polis as a Physical Entity", in Mogens Herman Hansen, ed., *The Polis as an Urban Centre and as a Political Community*, Acts of the Copenhagen Polis Centre vol. 4. (Copenhagen: The Royal Danish Academy of Sciences and Letters, 1997), 87-144.

3 인용의 출처는 Wolfgang Liebeschuetz, "The End of the Ancient City", in John W. Rich, ed., *The City in Late Antiquity* (London: Routledge, 1992), 1의 1-49에서 특히 1. 인구밀도를 제외한 특성의 개념 정의에 반대되는 사례에 대해서는 Robin Osborne, "Urban Sprawl: What Is Urbanization and Why Does It Matter?", in Barry Cunliffe and Robin Osborne, eds., *Mediterranean Urbanization 800-600 BCE* (Oxford: British Academy/Oxford University Press, 2005), 1-16.

4 그리스 도시국가는 특히 모겐스 헤르만 한센이 기획한 많은 연구의 주제였다. Cf. Mogens Herman Hansen, ed., *A Comparative Study of Thirty City-state Cultures: An Investigation Conducted by the Copenhagen Polis Centre* (Copenhagen: Kongelige danske videnskabernes selskab, 2000); Mogens Herman Hansen and Thomas Heine Nielsen, eds., *An Inventory of Archaic and Classical Poleis* (Oxford: Oxford University Press, 2004).

5 Maria Eugenia Aubet, *The Phoenicians and the West: Colonies, Politics and Trade* (2nd edn., Cambridge: Cambridge University Press, 2001).

6 Perigrine Horden and Nicholas Purcell, *The Corrupting Sea: A Study of Mediterranean History* (Oxford: Blackwell, 2000).

7 그것들의 매우 다른 접근법에 대해서는 Moses Finley, *The Ancient Economy* (Berkeley: University of California Press, 1973). Horden and Purcell, *The Corrupting Sea*. 이 둘은 이러한 시각을 폭넓게 수용하고 있다.

8 Max Weber, "Die Stadt: eine soziologische Untersuchung", *Archiv von Sozialwissenschaft und Sozialpolitik*, 47 (1920-1), 621-772, 재출간본은 *Wirtschaft und*

Gesellschaft (Tübingen: Mohr, 1922). 베버의 고대 도시 견해에 대한 논쟁으로는 Mogens Herman Hansen, "The Polis as an Urban Centre: The Literary and Epigraphical Evidence", in Hansen, ed., *The Polis as an Urban Centre*, 34-54.

9 Irad Malkin, *A Small Greek World: Networks in the Ancient Mediterranean* (Oxford: Oxford University Press, 2011).

10 이와 같은 이론화의 개요에 대해서는 Nicholas Cahill, *Household and City Organization at Olynthus* (New Haven: Yale University Press, 2002), 1-22, 60.

11 에트루리아의 도시화에 대해서는 Nigel Spivey and Simon Stoddart, *Etruscan Italy* (London: Batsford, 1990); Vedia Izzet, *The Archaeology of Etruscan* Society (Cambridge: Cambridge University Press, 2007); Corinna Riva, *The Urbanisation of Etruria: Funerary Practices and Social Change, 700-600 BC* (Cambridge: Cambridge University Press, 2010).

12 알렉산드로스의 도시 설립에 대해서는 Peter M. Fraser, *The Cities of Alexander the Great* (Oxford: Oxford University Press, 1996); 헬레니즘 세계의 도시들에 대해서는 Richard Billows, "Cities", in Andrew Erskine, ed., *A Companion to the Hellenistic World* (Oxford: Blackwell, 2003), 196-215. Jones, *Greek City*.

13 Edward T. Salmon, *The Making of Roman Italy* (London: Thames and Hudson, 1982).

14 시로마에 대해서는 Ray Laurence et al., *The City in the Roman West c.250 BCE-c. AD 250* (Cambridge: Cambridge University Press, 2011). 이집트에 대해서는 Alan Bowman and Dominic Rathbone, "Cities and Administration in Roman Egypt", *Journal of Roman Studies*, 82 (1992), 107-127; Richard Alston, *The City in Roman and Byzantine Egypt* (London: Routledge, 2002).

15 Rich, *City in Late Antiquity*.

16 Neville Morley, *Metropolis and Hinterland: The City of Rome and the Italian Economy, 200 BCE-AD 20* (Cambridge: Cambridge University Press, 1996).

17 다음 저자에 의해 적극적으로 제기되었다. Willem Jongman, *The Economy and Society of Pompeii* (Amsterdam: J. C. Gieben, 1988).

18 타소스에 대해서는 Robin Osborne, "The Politics of an Epigraphic Habit: The Case of Thasos", in Lynette Mitchell and Lene Rubinstein, eds., *Greek History and Epigraphy: Essays in honour of P. J. Rhodes* (Swansea: Classical Press of Wales,

2009), 103-14. 키아에 대해서는 Peter J. Rhodes and Robin Osborne, *Greek Historical Inscriptions 404-323 BCE* (Oxford: Oxford University Press, 2003), no.40.

19 헬레니즘 시기 델로스 사회에 대해서는 Nicholas Rauh, *The Sacred Bonds of Commerce: Religion, Economy, and Trade Society at Hellenistic Roman Delos, 166-87 BCE* (Amsterdam: J. C. Gieben, 1993).

20 기념(비)적 탐구에 대해서는 앞의 주4를 보라.

21 Nicholas Jones, *Rural Athens under the Democracy* (Philadelphia, University of Pennsylvania, 2004), 서평에 대해서는 *Bryn Mawr Classical Review* (http://bmcr.brynmawr.edu/2005/2005-04-03.html), *Classical Review*, 55 (2005), 585-587.

22 Robin Osborne, *Demos: The Discovery of Classical Attika* (Cambridge: Cambridge University Press, 1985), *Athens and Athenian Democracy* (Cambridge: Cambridge University Press, 2010); Claire Taylor, "From the Whole Citizen Body? The Sociology of Election and Lot in the Athenian Democracy", *Hesperia*, 76 (2007), 323-345.

23 앞의 주10을 보라.

24 Franco de Angelis, *Megara Hyblaia and Selinous: The Development of Two Greek City-States in Archaic Sicily* (Oxford: Oxford University School of Archaeology, 2004), 132-134.

25 Christopher Mee and Anthony Spawforth, *Greece. Oxford Archaeological Guides* (Oxford: Oxford University Press, 2001), 246-252. Philip Crummy, "The Circus at Colchester (Colonia Victricensis)", *Journal of Roman Archaeology*, 18 (2005), 267-277.

26 Kenan T. Erim, *Aphrodisias: A Guide to the Site and Its Museum* (Istanbul: Turistik Yayinlar, 1990); R.R. R. Smith, "The Imperial Reliefs from the Sebasteion at Aphrodisias", *Journal of Roman Studies*, 77 (1987), 88-138.

27 Peter M. Fraser, *Ptolemaic Alexandria*, 3 vols. (Oxford: Oxford University Press, 1970).

28 Catharine Edwards and Greg Woolf, "Cosmopolis: Rome as World City", in Catharine Edwards and Greg Woolf, eds., *Rome the Cosmopolis* (Cambridge: Cambridge University Press, 2003), 1-20.

참고문헌

Castagnoli, Ferdinando, *Orthogonal Town Planning in Antiquity* (London: Massachusetts Institite of Technology Press, 1971).

Greco, Emanuele, and Torelli, Mario, *Storia dell'urbanistica. Il mondo Greco* (Roma: Laterza, 1983).

Gros, Pierre, and Torelli, Mario, *Storia dell'urbanistica: il mondo romano* (Roma: Laterza, 1988).

Hammond, Mason, *The City in the Ancient World* (Cambridge, Mass.: Harvard University Press, 1972).

Hoepfner, Wolfram, and Schwandner Ernst-Ludwig, *Haus und Stadt im klassischen Griechenland* (Munich: Deutscher Kunstverlag, 1994).

Jones, A. H. M., *The Greek City from Alexander to Justinian* (Oxford: Clarendon Press, 1940).

Malkin, Irad, *A Small Greek World: Networks in the Ancient Mediterranean* (Oxford: Oxford University Press, 2011).

Nicolet, Claude, Ilbert, Robert, Depaule, Jean-Charles, eds., *Mégapoles méditerranéennes: géographie urbaines retrospective* (Paris: Maisonneuve and Larose, 2000).

Wallace-Hadrill, Andrew, *Houses and Society in Pompeii and Herculaneum* (Princeton: Princeton University Press, 1994).

제4장

아프리카

Africa

데이비드 매팅리

David Mattingly

케빈 맥도널드

Kevin MacDonald

지중해 문명과 나일강 문명을 제외하면 아프리카에서 이슬람 이전의 도시화 또는 원시적 도시화는 거의 알려지지 않았다. 우리는 이것이 지구적 도시들의 연구에서 중요한 누락이라고 생각한다. 이 장에서는 먼저 주제와 개념 정의에 관한 질문들을 검토한 다음에 아프리카의 여러 초기 도시사회에 대한 간단한 조사 결과를 서술한 것이다. 이를 통해 놀랄 정도로 넓은 지리적 범위와 도시 형태의 구조적 다양성, 보다 수직위계적인 도시사회와 보다 수평위계적인 도시사회 사이의 명확한 이분법, 국가 형성 혹은 지역 간 교류에 이바지하는 타운들의 대비되는 기능이라는 세 가지 핵심 문제들을 제시할 것이다.

도시주의urbanism의 지역화localization와 집중화concentration에 관해 아

프리카 가장 이른 초기의 도시city들이 ([지역지도 I.3] 참조) 대륙의 큰 강, 특히 나일Nile강 및 나이저Niger강과 연결되어 있음을 발견하는 것은 놀라운 일이 아니다. 지중해 해안가에도 확연한 도시의 흔적들이 보이며, 이는 인접한 문명과 부분적으로 접촉했던 홍해와 동아프리카 해안에서도 마찬가지다.[1] 그런데 아프리카의 도시 형태들은 깜짝 놀랄 만큼의 각양각색으로 표현되며, 따라서 '도시'를 정의하는 규범적인 구세계Old World의 원형들에 대한 전통적 기대들을 혼란스럽게 한다.

개념 정의와 방법론적 문제들

아프리카의 초기 도시화urbanization는 지중해 문명(페니키아, 그리스, 로마)에 의한 것이거나, 또는 이슬람 시대 외부 교역이 자극한 결과로만 (대부분이) 시작된 것처럼 예외적인 것(이집트와 나일강)으로 취급되었다. 이 장에서는 아프리카에서 토착적으로 개발된 이슬람 이전의 도시 중심지urban centre들에 관한 오늘날의 실질적 증거들을 제시하고자 한다. 수단의 상上나일 지역에서 도시사회urban society의 출현은 오랫동안 인정되어왔지만(케르마Kerma, 메로에Meroe/쿠시Kush 왕국), 이제는 이집트 서부사막Western Desert과 사하라 중부Central Sahara에도, 그리고 기원전 제1천년기 후반부터 서아프리카 나이저 내륙 삼각주Inland Niger Delta와 나이저굽이Niger Bend에도 타운town들이 있었다는 것이 알려져 있다. 그런데 확실한 것은 아프리카의 이런 초기 도시화가 동질적 과정의 한 부분이 아니었고 지역적 특색이 분명했다는 점이다. 이 아프리카 초기 도시사회들은 서로 구분되었고 같은 시기 북쪽에서 이루어진 지중해 도시화의 사례와도 구분되었다. 초기 도시사회들에 관한 일반적 개념 정의는 아프리카의 이와 같은 모든 사례에 쉽게 적용되기 어렵다.[2] '이슬람 이전pre-Islamic'이라는 용어는 특정한 기간을 말하는 것이 아니라 이슬람 세계(혹은 유럽 세계)의 첫 번째 영향 이전의 시대를 뜻한다. 따라서 이 장에서 이페Ife 같은 상대적으로 원시적이고 고립된 기원전 제2천년기 초반의 정치체가 언급될 수는 있지만, 사례 대부분은 기원전 제1천년기[기원전 1000~기원전 1] 후반에서부터 서기 제1천년기[1~1000]까지와 관련이 된다.[3]

아프리카의 모든 초기 도시주의 사례에 대한 전체적 소개는 이 장에서 다루려는 범위를 넘어서기에, 아프리카 지역에서 발견된 여러 형태의 도시 정주지urban settlement 가운데 일부 사례를 선택했다. 지리적, 문화적 다양성 때문에 모든 사례 연구를 깔끔하게 포함하는 도시화에 관한 개념의 정의를 내놓기는 불가능하다. 일례로 사하라 이남 지역과 ([도형 4.1] 참조) 비교해 사하라 중부의 도시 흔적은 정주지 규모와 지역 인구 규모에 따라 작동하는 매우 다른 제약 조건들로 인해 신뢰할 만한 척도가 아니다. 검토 대상인 몇몇 사회에는 도시 귀속을 뒷받침해주는 문헌 증거들이 있지만(이집트, 마그레브Maghreb), 우리가 언급하는 많은 사례는 도시 기능들이 오직 고고학적 증거를 통해 확인되는 유적지들에 관련된다. 이러한 이유로 타운과 도시를 구별하는 것은 비현실적이다. 우리는 '도시urban'를 폭넓게 정의한다. 중핵 정주지nucleated settlement, 동시대의 다른 장소들과 비교할 때 보다 큰 영역 확장과 인구 증가, 생계 지원을 위해 연계된 배후지hinterland들의 존재, 흔히 나타나는 특화된 생산, 교역, 정치 그리고/또는 종교 활동이 그것이다. 관련 장소들은 기념(비)적 속성이 있을 수도 있고, 이는 다시 낮은 단계의 정주지들과 대비된다. 아래에서 우리는 초기 도시 경험urban experiment들 배후에 존재하는 공동체들 사이에서 만들어질 수 있는 수지위계저 사회와 수평위계적 사회의 특별한 구분을 논의할 것이다.

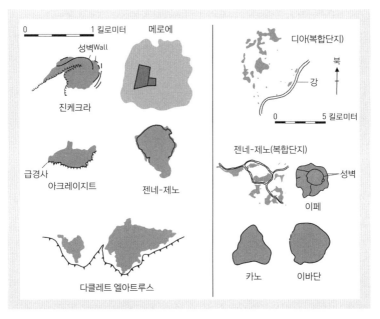

[도형 4.1] 정주지가 음영으로 처리된 여러 아프리카 도시와 원도시 부지 사이 두 개의 서로 다른 규모의 비교 평면도. 이페, 카노Kano, 이바단Ibadan의 가장 큰 성곽enceinte들은 이슬람 이후 시대나, 디아와 젠네-제노 주변으로 확장된 정주지 복합단지와 비교를 위해 포함했다(여러 자료에서 편집된 D. 매팅리 D. Mattingly의 몽타주)

수직위계와 수평위계

아프리카 도시화의 많은 사례는 국가 형성과 연관된 것으로 보이지만, 등장한 사회 유형에는 상당한 가변성이 있었다. 몇몇은 도시국가 city-state(극소極小국가micro-state)로, 다른 몇몇은 영토국가territorial state(거대국가macro-state)의 구성 요소로 귀결될 수 있었다.[4] 언뜻, 아프리카의 도시화는 뚜렷하고 강압적인 수직위계hierarchy가 출현한 사회(이집트, 가라만테스Garamantes)와, 좀 더 수평위계적인 과정이 작용한 사회로 지역적으로 나눌 수 있으며, 때로는 더 광범위한 위계 구조 안으로 압축되기도 한다(중나이저 유역). 수평위계heterarchy는 권력이 수직이 아닌 수평으로 퍼지는 조직 양식으로 정의될 수 있으며, 혈통집단과 (이념적, 기술적) 전문가집단이 공동의 결정을 협의한다.[5]* 그런데 자세히 관찰해보면 초기 도시 부지들의 수직위계 수준은 십중팔구 역사적으로, 정치적으로 우발적이었음을 알게 된다. 예를 들어 최근의 역사적 조사들에 따르면, 말리Mali의 세구Segou 지역에는 장기지속적 도시 중심지, 반¥자율적 상거래 중심지(마르카두구Markadugu), 국가권력에 의해 형성된 중심지(파두구Fadugu와 덴두구Dendugu)로 구분하는 강력한 민속〔민간〕분류법folk taxonomy이 존재했다.[6] 젠네Jenné와 같이 수평위계적으로 조직된 중中나이저 유역의 많은 도시는 상대적으로 강력한 자치를 유지하면서 국가가 영토에 몰두한 여러 시기에도 존속했다. 그와 같은 자치

---

* 'hierarchy'를 '위계'로 옮기나 여기서는 'hierarchy(하이어라키)'와 'heterarchy(헤테라키)'가 짝해서 나오고 있는 만큼 그 의미를 고려해 각각 '수직위계'와 '수평위계'로 옮긴다.

권의 인정은 '황금알을 낳는 거위의 배를 가르는killing the golden goose' 두려움 즉 이들 도시에서 오랜 시간에 걸쳐 형성된 교역 네트워크가 창출하는 경제적 번영을 파괴하는 두려움, 그리고 장소 자체가 지닌 초자연적('불멸의') 명성에 동등하게 연관되었다 존재 이유가 단지 국가권력에 연계되는 것이었던 대규모 정주지들은 상대적으로 일시적이었던 만큼 고고학적 추적이 더 어렵다. 다양한 아프리카 도시화에 관련된 비교 연구들은 초기 단계다. 이와 같은 상황에서 수직위계와 수평위계에 대한 고고학적 개념 정의는 향후 토론의 중요한 기점이 될 것이다.[7]

기능과 연결성

사하라와 사하라 이남 지역에서 이슬람 이전의 도시화는 흔히 국가 형성과 마찬가지로 원거리 접촉 및 교역과 연결되었다. 현지, 지역, 지역 간 규모에서 상업적 요소는 교환을 위한 중요 지점을 창출하는 지리적 연쇄와 함께 흔히 아프리카의 도시화를 이끈 주요 동인으로 보인다. 에티오피아를 사례로 들자면, 악숨Aksum 왕국은 제1천년기에 에티오피아고원의 교역망을 나일계곡 및 홍해와 연결된 원거리 교역 접촉에 결합했다. 그런데 특별하게 역사적 자료가 있는 시기에는 이념적 요소 역시 종교, 그리고 (때때로) 왕실 숭배의 중요한 역할을 한 중심지와 함께 아프리카 도시주의에 중요한 역할을 담당했다고 인정하는 것이 중요하다. 사하라 중부의 오아시스들에 있는 타운과 마을village들은 종종 눈에 띄게 요새화되었다. 이는 아마도 방어 용도만큼이나 지역적 권력을 투시히는 용도였을 것이다. 사하라 이남의 도시주의는 디아Dia, 젠네-제노Jenné-jeno, 혹은 이페에서 야금술과 조각 분야의 전문 인력을 번성하게 했다. 아프리카 전역에서 나타난 도시 궤적의 다양성과 이들 초기 타운이 형성한 사회 간 커다란 사회-경제적·구조적 차이에도 불구하고, 새로운 증거는 우리에게 도시 네트워크 간의 상호연결성interconnectivity을 신중하게 고려할 것을 요구한다. 도시개발urban development에서 강력한 지역적·독립적 충동을 시사하는 요소들이 있지만, 이제 우리가 묘사하는 사례들은 이전에 생각했던 것처럼 다른 도시 네트워크에서 고립되어 있거나 분리되어 있지 않다. 예를 들어, 서아프리카의 인상적 발전들은 사하라 중부의 확연한 변화와 시간대를 같이 한다. 이것이 오랫동안 무시되어온 확산주의적 관점으로 되돌아가게 하지는 않더라도, 초기 사하라와 사헬Sahel 지역의 도시 네트워크가 서로 접촉했던 것이 확실해 보인다〔'사헬 지역'은 사하라사막 남쪽 가장자리 지역이다〕. 이러한 상호작용의 범위와 속성에 대한 더 많은 조사가 필요하다. 사막을 가로지르건 바다를 가로지르건(홍해와 인도양의 경우처럼) 원거리 교역은 초기 아프리카 도시 이야기들에서 중요한 특성이다.

나일계곡의 최초의 도시화

기원전 제4천년기 이후의 정주지 중핵화와 국가 형성 과정은 나일계곡에서 잘 드러난다. 그러나 파라오 치세의 이집트, 수단의 케르마와 이후의 쿠시 및 메로에 왕국 이야기는 아프리카의 맥락에서 예외적인 것으로 여겨지는 경향이 있으며, 이는 생활을 향상하게 해준 거대한 강의 잠재력과 관련 있다. 이것은 널리 알려진 도시 얘기지만, 사실 나일강 유역에서 광범위하게 발굴된 도시 부지 수가 상대적으로 적은 까닭에 관심은 대부분 신전temple과 묘역 복합단지〔복합체〕funerary complex에 집중되어 있다. 그러나 신전 주변에 광범위하게 형성된 중핵 정주지들의 존재는 이제 이집트가 타운이 없는 국가였다는 오래된 관점을 논박할 만큼이나 충분하게 입증되었다.[8] 이 초기 도시들의 전체 규모, 배치, 조직이 메소포타미아의 그것들에 비해 덜 명확함에도, 〔고대 이집트의〕 전前왕조 시기에 중핵이 된 정주지가 존재했다는 증거들 또한 늘어나고 있다. 도시 중심지의 특정 단계에서 더 광범위한 유적이 남아 있는 경우, 이것은 일반적으로 타운이 아직 개발되지 않은 부지에서 짧은 기간만 유지되었다는 점에서 비롯하는 것이며(엘아마르나el-Amarna 또는 카훈Kahun의 사례처럼), 이와 같은 부지의 전형성은 의심되어야 한다.

그럼에도, 〔고대〕 이집트 왕조 시기의 많은 도상학과 문헌 기록은 왕정이나 고도로 위계적인 국가 내에서 도시 정주지의 기능 및 조직이 어떠했는지에 관한 실체적 맥락의 자료들을 제공한다. 이집트는 초기 발전의 일부 국면이 청동기시대 근동의 다른 도시 문명과 유사했고 특정 기간에 근동과 밀접하게 연결되어 있었으나, 이집트 사회는 여러 측면에서 독특하게 구성되어 있었다.[9] 몇몇 타운과 큰 마을은 무덤이나 피라미드 건설자들에게 주택을 제공하거나 지역 행정의 중심지 구실을 하는 등 고도의 특화된 기능을 수행했고, 많은 경우 기념(비)적 신전 복합단지[복합체]temple complex 혹은 왕권의 중심지에 집중되어 있었다.

　페르시아, 헬레니즘, 로마 시대를 관통하며 지속된 도시 형태의 정주지들은 이집트의 고대 도시에 복잡성과 외부적 영향을 추가했다. 고전 세계의 옥시링쿠스Oxyrhynchus와 같은 장소에서 살아남은 광범위한 자료들은 이런 정주지의 생활에 관한 매혹적인 수준의 세부적 묘사를 제공한다[′옥시링쿠스′는 이집트 중부의 도시로, 이곳에서 19세기부터 프톨레마이오스 왕국과 로마 시대의 파피루스 문서가 다량으로 발굴되었다]. 이는 고대 도시 중심지들에서 거의 볼 수 없는 것이다. 도시화는 이미 기원전 제1천년기 초반에 나일강으로부터 이집트 서부사막에서 생겨나던 오아시스들로 이동해 진행되었으며 이런 오아시스 정주지의 연결망이 사하라 중부까지 뻗어나갔다는 증거가 많이 생겨나고 있다. 이집트 서부사막의 오아시스타운oasis town들은 종종 이집트의 문화적 영향에 반反하는 건축, 종교, 매장 의식을 보여주었으나 이집트와 정치적으로 연계되어 있었다.[10] 아래에서 살펴볼 것이지만, 사하라 중부 쪽으로 더 멀리 떨어진 오아시스타운들은 이집트/나일강 형태들에 확실히 영향을 덜 받았다.

　수단의 상나일 지역에서 보이는 초기 도시개발은 케르마 왕국(기원전 2500~기원전 1500)과 쿠시/메로에 왕국(기원전 800~서기 350년 무렵)과 연관이 있다. 이 국가들은 한때 북쪽 파라오의 이집트를 단순하게 모방한 것으로 여겨졌지만 현재는 자신들만의 정교한 문명이었다는 것이 확실해졌다.[11]

홍해 교역과 악숨 왕국

기원전 제1천년기 후반기에 몬순〔계절풍〕의 비밀이 밝혀지면서 홍해와 인도 및 동아프리카 사이 교역로들이 개발되었고, 이들 교역로는 로마 시대에 더욱 발달했다. 최근 연구들은 당대 상업적 접촉들이 기존에 상상했던 것보다 더욱 거대한 규모였고 더욱 오랫동안 유지되었음을 말해준다. 이 교역의 한 면모는 미오스 호르모스Myos Hormos, 베레니케 Berenike, 아둘리스Ardulis와, 아프리카의 뿔Horn of Africa 맞은편 카네Kané 처럼 홍해 양쪽 연안에 소규모 상거래타운mercantile town들이 생성된 것 에서 발견된다.[12] 이 항구타운port town들은 일반적으로 작은 규모였음 에도, 사막 해안가에서 범세계적인cosmopolitan 거주민과 물질문화를 가 진 주목할 만한 인구 중심지였다. 예컨대 베레니케는 최대 인구가 약 1000명에 불과했을 것으로 추산되나 화물의 환적 및 규제 측면에서 중요 중심지였다. 로마 후기에 이들 항구 가운데 몇몇은 쇠퇴하고 있 었는데, 이것은 부분적으로 아둘리스 항구를 통제하는 에티오피아 독 립 왕국의 커지는 영향력과 관련이 있을 수 있다.

　악숨 왕국은 기원전 제1천년기에 기원을 두고 있다. 수도인 악숨 은 에티오피아 고지대까지 내륙으로 8~15일 동안 여행을 해야 도달 할 수 있는 곳이었다. 3세기에서 7세기 사이에 왕국은 최고의 전성기 에 이르렀으며, 이때 정치적 권위는 아라비아 남부, 홍해의 대부분 및 수단의 나일강까지 확장되었다. 4세기 이후 잇단 기독교도 왕들이 주 조한 동전이 널리 배포되었다. 아둘리스의 홍해 출구는 모든 시기 동 안 악숨 경제에 매우 중요했으며, 왕국을 인도 및 동아프리카 교역과 연결했거니와 남부 아라비아, 이집트, 지중해까지 연결했다. 상나일의 메로에 왕국과의 육로를 통한 접촉도 이루어졌다.[13] 악숨의 기념(비)적 중심부인 최초의 수도는 1세기 초반에 건설된 것으로 보인다. 비록 그곳이 궁극적으로 아주 광범위해졌더라도, 왕국의 원原도심urban core은 묘지와 스텔레 지구stelae field보다 덜 탐구되었다('스텔레'는 돋을새김으로 새긴 여러 용도의 석판石板 명문석을 말한다). 가장 큰 것의 무게가 500톤, 높이가 33미터에 이르는 이들 단일 장례용 스텔레와 수도 주변에 펼쳐져 있는 24개가 넘는 석조 '왕좌throne'들의 주춧돌은 제1천년기 중반 절정에 이른 이 도시의 정치적이고 신성한 특성을 강하게 환기한다. 고고학 증거들은 악숨이 석물 조각가, 석기 도구 제작자, 줄rope 제작자, 유리 제조자(또는 재再작업자)를 포함하는 각양의 공예 전문 인력을 보유하고 있었음을 드러내준다. 이러한 중심부를 지원하기 위해서, 특히 곡물과 장작을 공급하기 위해서는 고고학 연구가 최근 들어서야 평가하기 시작한 배후지로부터 강력한 공급 네트워크가 필요했을 것이다.[14]

지중해와 그 배후지

고전적인 지중해의 도시화는 다른 장에서 다루어지기에 여기에서는 아프리카의 특수성에 대해 짧게 언급할 것이다. 북아프리카 해안의 많은 장소는 다양한 시간대에 그리스, 페니키아, 로마의 식민화colonization/제국주의imperialism의 영향을 받았다. 북아프리카의 도시화에 페니키아/카르타고가 끼친 영향력은 최근 수십 년 동안 카르타고Carthago 및 케르쿠안Kerkouane 유적 같은 여러 소규모 교역장들emporia〔엠포리아, 단수형 엠포리움emporium〕에서 진행된 광범위한 발굴을 통해 더욱 확연해졌다.[15] 로마의 속주인 아프리카 프로콘술라리스Africa Proconsularis(대략 현재의 튀니지)는 로마 제국의 가장 도시화한 지역 중 하나로 300개가 넘는 타운이 있었다〔'프로콘술라리스'는 라틴어로 '집정관 대리의' '지방 총독의'라는 뜻이다〕. 이전 연구 대부분의 접근법은 카르타고 혹은 그리스-로마 모델과 이들 정주지의 일치 여부에 집중되었다. 지중해 규범과는 다른 카르타고 혹은 그리스-로마 모델의 다양성에 주목하는 경우는 적었고, 도시 형태의 아프리카적 적응으로 볼 수 있는지 역시 별다른 관심을 받지 못했다.

일부 초기 도시 중심지들은 외부 정치체의 식민지 혹은 교역장들이었다. 그리스 키레나이카Cyrenaica에서는 키레네Cyrene와 에우에스페리데스Euesperides가, 카르타고와 로마령 아프리카에서는 카르타고와 렙시스마그나Lepcis Magna가 그 예였다〔'렙시스마그나'는 '렙티스마그나Leptis Magna'로 표기하기도 한다〕. 그러나 로마의 아프리카 속주 내부로 도시 중심지가 대규모로 확장된 것은 누미디아Numidia와 마우레타니아Mauretania 왕국과 관련된 도시 실험을 기초로 하는 식민지의 기반을 훨씬 넘어섰다. 그리스와 로마는 이들 타운에 가장 눈에 띄는 건축적 특성을 제공했지만, 많은 곳에서 아프리카적 특성은 도시 배열(로마의 군사 콜로니아 타무가디Thamugadi의 격자형 바둑판 도로와는 대조적인 누미디아 투가Thugga의 구불구불한 도로), 종교 관행, 명명법에서 명백하게 나타났다. 그럼에도 일반적으로 지중해 아프리카의 도시화는 북쪽과 동쪽의 세계와 연관되어 있었고 사하라나 사하라 이남 아프리카의 도시화와는 구분되는 현상이었다.[16] 로마 후기에 북아프리카 도시의 성격이 심오하게 변화했음을 보여주는 실제적 증거들이 있다.[17] 그와 같은 변화는 지중해의 다른 곳에서도 유사한 것이지만, 지금까지 아프리카 특성이 있을 가능성은 크게 고려되지 않았다.

사하라 중부

리비아 남부의 가라만테스는 사하라 중부의 이슬람 이전 도시 문명의 가장 좋은 사례다. 리비아 남서부(페잔Fezzan)는 가장 밀집된 오아시스 클러스터cluster〔군집〕 가운데 하나가 자리했음에도 많은 아프리카의 역사적 지도에서 공백으로 표현된다.[18] 현대의 인식은 불모의 사막 오아시스들을 탐험한 초기 유럽인 여행자들과 19세기의 비인간적 사하라 횡단 노예무역에 대한 설명을 중심으로 틀이 지어졌다. 우리는 이와 같은 한정된 인식에 도전하려 한다. 특히 기원후 몇 세기 동안 가라만테스라고 칭해진 사람들이 리비아 사하라의 약 25만 제곱킬로미터에 이르는 강력한 왕국을 통치했다는 사실이 오늘날 확인되고 있다. 고전적 자료들이 암시하는 '유목 야만인nomadic barbarians'이라는 편견과는 전혀 다르게, 가라만테스족은 타운과 마을에서 살았고 상당히 정교한 관개농업을 했다.[19] 관개농업과 도시화한 정주지 네트워크라는 양대 대들보 위에 세워진 초기 국가로 가라만테스족을 분류하는 설득력 있는 사례가 제시될 수 있을 것이다. 이 지역의 정주지들은 오늘날 대체로 평행적인 세 개의 오아시스들(각각의 길이가 100~150킬로미터에 달하는) 와디 아시샤티Wadi ash-Shati, 와디 알아잘Wadi al-Ajal, 주윌라-무르주크-바르주즈Zuwila-Murzuq-Barjuj 함몰분지에 집중되었다. 중앙 오아시스지대oasis belt인 와디 알아잘에 대한 고고학적 탐사는 그 심장부 영토에서 기술적 성취를 이루었고 풍부한 물질문화의 극적 증거들을 생산해냈다. 가라만테스 타운의 원도시적 기원은 진케크라Zinkekra 같은 방어적 절벽 정주지(언덕요새hillfort)였다. 이곳의 단순한 타원형 형태의 중핵 정주지는 기원전 제1천년기 후반에 복합단지와 방이 많은 진흙 벽돌 주거지가 있는 대규모 인구 중심지로 변화했다. 가라만테스의 수도인 자르마Jarma(고대의 가라마Garama)는 명백하게 기원전 300년 무렵에 설립되었고 후기 부지를 대표한다. 이곳은 절벽과 떨어져 계곡의 중심부에 자리하고 있었으나 오아시스 경작지와 가까웠다. 자르마의 서쪽 타칼리트Taqallit라는 곳에 관한 연구는 기원전 마지막 세기들에 기념(비)적 묘지, 포가라foggara(페르시아의 카나트와 유사한)라고 불리는 관개 시스템, 수많은 중핵 정주지를 동시에 창출해낸 경관의 식민화colonization of landscape의 선구적 단계를 규명했다.*

자르마의 건축 목록에는 기념(비)적 발전의 분명한 징후가 있었다. 주요 공공건물들은 마름돌 기반과 원주圓柱 형태 감시 벽으로 건립되었다([도판 4.1] [도형 4.2] 참조). 이것이 사하라 북쪽과 남쪽의 대규모 교역 연결 및 다양한 제조 공정에서의 기술적 정교함과 관련 있다는

---

* '포가라'는 북아프리카 사막 지역에 분포하는 지하수로식 관개시설을 말한다. 이란에서는 카나트qanāt, 아프가니스탄에서는 카레즈Kārēz라고 한다.

증거들이 존재한다.[20] 가라만테스가 중앙집권화한 정치적·군사적 권력이었음은 기리만테스 영토의 중심부와 주변부 사이 물질문화의 격차disparity를 통해서, 또한 거대 규모의 요새와 도시 방어시설 건립을 통해서, 관개 체계 건설에 요구된 노동력의 단순한 고려를 통해서(수년 동안 약 7만 7000명의 노동력으로 추정) 확인된다. 현재 이용가능한 증거는 가라만테스 왕국에 일련의 도시국가의 하나가 아니라 전성기의 거대국가micro-state로서의 정체성을 부여하고 있지만, 왕국이 처음에 협력을 통해 성장했고 더 작은 극소국가가 재등장하면서 쇠퇴하게 되었다는 설명은 그럴듯해 보인다.

현재까지 가라만테스 정주지에 관한 연구 대부분은 오아시스 북부와 남부 지역의 가라만테스 및 이슬람 정주지에 대한 몇몇 탐사 작업과 함께 수도인 자르마 인근 와디 알아잘의 중심부에 집중되어 있다. 예비 단계의 연구들은 북부와 남부 오아시스지대에서 농업 및 마을 기반 사회와 유사한 대규모 발전이 일어났음을 말해준다. 무르주크Murzuq 지역은 고대 후기에 가라만테스 왕국이 쇠퇴함에 따라 이 지역의 권력 중심지가 와디 알아잘의 자르마에서 동남쪽 페잔으로 이동했다는 점에서 가라만테스와 이슬람 페잔 사이의 전환을 이해하는 데서 특히 중요하다. 중세와 근대 초기 페잔의 연이은 수도들은 모두 이 지역에 자리했다. 주윌라Zuwila, 트라가한Traghan, 무르주크, 사브하Sabha 등이다. 트리폴리Tripoli와 차드Chad호 지역(보르누Bornu, 카넴Kanem)의 사하라 이남 왕국들을 가장 직접적으로 연결하는 길은 페잔 동부를 통과했다. 최근 고고학 연구는 가장 큰 부지가 도시 규모에 가까운 계획된 배열을 예시하는, 요새마을의 고밀도로 식민화된 가라만테스 방식의

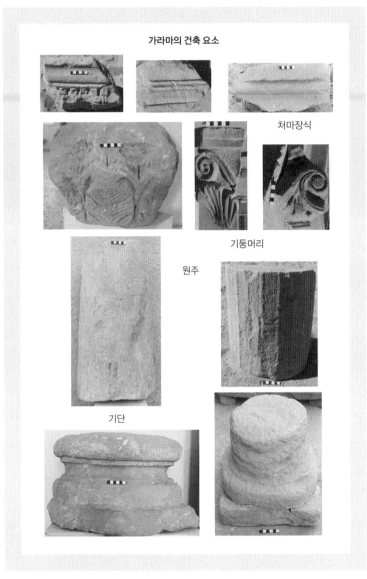

가라마의 건축 요소

처마장식

기둥머리

원주

기단

[도판 4.1] 사하라 중부 가라만테스 타운 가라마(옛 자르마, 리비아)에서 발견된 건축 요소 조각들 (Photomontage ⓒ D. Mattingly)

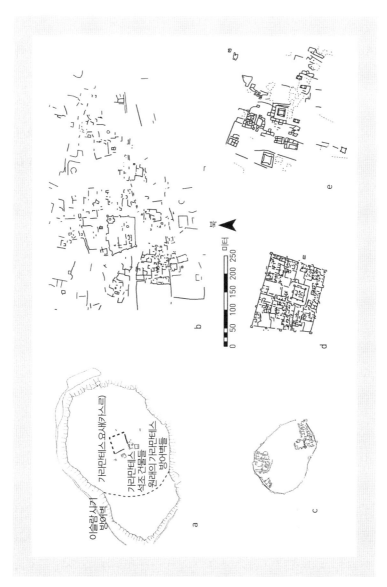

[도형 4.2] 가라만테스 타운과 요새마을의 비교 평면도 (a) 옛 자르마 (b) 카스르 아시샤라바Qasr ash-Sharraba (c) 카스르 빈 두그바Qasr bin Dughba (d) HH1 (e) HH 6-8 (montage ⓒ D. Mattingly and M. Sterry)

경관을 드러내준다([도형 4.2]). 무르주크 지역에서 오아시스 경관의 거대한 확장은 기원후 초기에 발생했고 비슷한 시도가 이후 와디 알아잘에서 행해졌다.[21]

초기 도시화라는 주제를 조명할 수 있는 잠재력이 큰 리비아 사막의 또 다른 유적지는 가다메스Ghadames(고대의 시다무스Cidamus)다. 조사 활동은 후기 로마 시대의 기념(비)적 무덤을 포함하는 광범위한 이슬람 이전의 묘지를 확인했고, 초기 오아시스타운의 위치 또한 밝혀냈다. 포가라 관개 시스템을 활용한 일부 다른 사하라 중부 오아시스들, 예컨대 알제리 남부의 오아시스 또한 이슬람 이전에 유래했을 가능성이 높다.[22]

중나이저 유역

1970년대와 1980년대에 로드릭 매킨토시Roderick Mcintosh와 수전 매킨토시Susan Mcintosh는 말리의 나이저강 내륙 삼각주에 자리 잡은 젠네-제노의 텔 복합단지[복합체]Tell complex에서 약 400~800년의 이슬람 이전 도시주의에 관한 서아프리카 최초의 고고학적 증거를 발견했다[텔'은 고대 건축의 잔존물이 누적되어 생기는 언덕을 말한다]. 이곳의 도시 상태에 대한 정의는 '신新지리학New Geography'에서 빌려온 개념들에 일부 의존하는바, '순위 규모 법칙Rank Size Rule'과 '중심지 이론Central Place Theory'을 포함한다.[*] 그러나 젠네-제노가 담당했던 상업과 상호작용의

---

[*] 도시 '순위 규모 규칙'은 어느 지역 혹은 국가에서 도시의 인구 순위와 규모가 반비례관계

지역적 허브 역할은, 그 핵심 언덕의 규모(33헥타르[0.33제곱킬로미터])와 많은 특화된 위성 공동체(추가적으로 약 36헥타르)의 존재에 관한 증거와 함께, 무엇이 초기 아프리카 도시를 구성하는지를 규정하는 데 도움을 주었다.[23] 이 규정은 현지화되고 집중된 인구의 경제적 다양성, 공예 및 이념 전문가들의 존재, 다양한 교역 네트워크의 증거, 생존 보장을 위해 배후지에 의존하게 되는 중심 정주지의 규모 등의 혼합으로 요약된다.

더욱 최근에 로드릭 매킨토시는 중中나이저Middle Niger 유역 도시주의의 속성이 수직위계로 발생한 것이 아니라 '자체생성된' 것이라고 강조했다.[24] 매킨토시가 제안한 바에 따르면, 중나이저 유역의 도시 중심지는 경제 공생과 수평위계 정치 조직을 통해 다양한 공동체를 유지하는 수단을 발견한 지역화한 생계 및 직업 전문 인력 네트워크로부터 유기적·점진적으로 생성되었다. 이는 서아프리카 후기 석기시대West African Late Stone Age의 경제 전문화와 공생의 기원에 대한 매킨토시의 초기 '맥박 이론Pulse Theory'에서 유래한 것이다. 젠네-제노의 개념적 '모母도시mother city' 디아Dia에 관한 최근의 연구는 기원전 800년부터 기원전 400년 사이 시기에 위성 부지가 있는 대규모 거주지(약 23헥타르), 진흙벽돌banco 건축, 철 야금에 대한 증거를 제시하는데, 이것은 중나이저 유역의 도시주의의 도래 시기를 뒤로 늦추는 것이다.[25]

그러나 중나이저 유역의 디아나 젠네-제노 같은 텔 유적들이 정

를 유지하면서 일련의 규칙성을 보이는 것을 말한다. 독일의 지리학자 발터 크리스탈러가 주창한 '중심지 이론'은 규모에 따라 도시가 배후지에 다양한 상품과 서비스를 제공하고 교환의 편의를 도모해주는 중심 장소로 기능한다는 이론이다.

[도판 4.2] 디아(말리)의 초기 도시 부지 발굴, 1998년

말로 서아프리카에서 도시화한 정주지 조직의 기원인지에 대해서는
여전히 의문이 남아 있다. 수평위계적 자체 생성이 중나이저 유역 초
기 도시주의의 유일한 실현 모델인지에 대해서도 마찬가지다. 후기 석
기시대나 '신석기' 시대 티치트Tichitt 정치체(약 기원전 1900~기원전 400)
는 모리타니 남동부 지구에서 중나이저 유역 외곽까지 거대한 경관을
차지했다.* 실제로 티치트의 독특한 도기들이 디아의 가장 이른 초기
지층에서 발견된다([도판 4.2]).[26] 이 유적지의 많은 부분은 자연석 벽
을 두른 혼합물drystone walled compound로 구성되었다. 여기에는 곡물창
고를 비롯해 임시적 내부 구조물들의 흔적이 남아 있다. 가장 큰 유적

---

* '티치트'는 아프리카가 서북부 모리타니(공식 국가명 모리타니아 이슬람공화국)의 타간트
Tagant고원 기슭에 위치하는 방치된 고대 마을이다.

인 다클레트 엘아트루스Dakhlet el Atrous는 80.5헥타르〔0.805제곱킬로미터〕라는 놀라운 면적에 540개의 혼합물로 구성되어 있다. '도시urban'나 '원原도시proto-urban'와 같은 단어들이 티치트의 대규모 정주지들에 적용되긴 어렵지만, 우리는 왜 이 사례가 중요한지 유용하게 질문을 던질 수 있을 것이다. 젠네-제노와 마찬가지로, 다클레트 엘아트루스는 지역의 정주지 위계질서 내의 거대 중심지였다. 그러나 대규모 티치트 정주지에는 그 후반기까지 생존과 직업 전문화(예컨대 야금)에 대한 증거가 부족하며, 홍옥紅玉, carnelian과 천하석天河石, amazonite 구슬 외에는 원거리 상업에 대한 확실한 증거도 거의 없다.[27] 또 다클레트 엘아트루스의 구성 요소에서 계절성seasonality과 동시대성contemporaneity도 여전히 만족할 만큼 밝혀지지 않았다.* 그럼에도, 중나이저 유역 최초의 도시로 일반적으로 합의된 곳의 원형으로 여겨지는 대규모 거주지는 지금보다 더 많은 주목을 받을 가치가 있다. 어쩌면 이는 완신세完新世, Holocene(기원전 제3천년기 이후) 사하라의 건조가 일반화되는 시점에서 위계적 유목 사회들이 선택한 유목 중단 과정의 일부분일 수도 있다.[28] 다시 말해, 중나이저 유역의 기원전 제1천년기 사람들이 대규모 정주지에 함께 살아가는 것이 장기지속longue durée의 관점에서 새롭지는 않았다는 것이다.

대규모 정주지의 자체적 생성이나 정치적 생성을 고려해볼 때, 서아프리카에 국가 수준의 긴 역사가 있다는 점을 잊어서는 안 된다. 8세

---

* '계절성'은 계절 변화에 따라 바뀌는 성질을, '동시대성'은 특정 시대의 사회가 공유하는 고유한 성격이나 성질을 반영하는 특성을 말한다.

기와 9세기에 사헬을 방문한 최초의 아랍인들은 가나Ghana와 카우카우Kawkaw 같은 기존 정치체의 존재를 확인했다.[29] 이 중 가장 이른 초기의 정치제 — 가나(혹은 와가두Wagadu) — 의 기원은 4세기로 거슬러 올라갈 수 있으며 티치트처럼 훨씬 더 이른 선례先例의 가능성도 있다. 기록된 역사는 가나·카우카우·말리 같은 국가들이 '수도capital'를 갖추고 있었음을 증언하지만, 이 개념이 수도가 국가 전체에 행정적 혹은 경제적 의미에서 영향을 끼치는 장소라는 고전적 의미로 이해되어서는 안 된다. 오히려, 그곳들[수도들]은 왕국의 궁정, 외교적 거점, 신성한 의례 공간, 군대의 핵심 요소인 병영[주둔지]garrison 등의 장소였을 것이다. 그곳들이 중요한 상거래 기능을 수행한 것으로 보이지는 않는다. 우리는 이를 1차 사료를 통해서, 그리고 세구 같은(앞에서 수직위계와 수평위계 문제를 다루며 논의한) 보다 최근의 계승 도시에 관한 면밀한 연구를 통해서 추론할 수 있다. 이런 수도들은 단일한 체제에서만 존재했을 수 있고, 왕조가 단절된 특정 시점에서 방치되었을 가능성이 매우 크다.[30] 수도 이전에 이어 일반적으로 부지의 규모는 현저하게 축소되었거나(그저 마을 인구 규모의 인구 감소와 함께) 완전하게 버려졌다. 따라서 존속 기간은 거대한 중나이저 유역의 '정치적' 정주지를 보다 안정적인 상거래 중심지와 구분하는 핵심 요인이다. 상거래 중심지들의 조직은 지역적 수평위계에 잘 적응되었을지 모르지만 이들을 둘러싼 더 큰 정치체의 정치적 구조는, 우리가 초기 아라비아의 자료와 몇몇 고고학적 추적을 믿는다면, 노예제를 포함하는 강력한 강제적 압력 요소들을 가졌을 가능성이 있다.[31]

서아프리카 삼림지대

서아프리카 삼림지대의 도시주의 시작이 비교적 최근(기원후 900~1300)일지라도, 그 시작의 개별성과 고유성은 이 장의 내용과 연관이 있다. 신성한 숲, 심오한 신체 예술, 1000헥타르〔10제곱킬로미터〕가 넘는 강둑과 도랑 성곽의 동심원 형태 둔덕을 갖춘 이페는 주목할 만한 사례다. 이 도시는 고대 성벽으로 둘러싸인 여러 나이지리아 도시 가운데 하나로, 오늘날 요루바Yoruba족으로 알려진 사람들과 연관되어 있다〔'요루바족'은 나이지리아 남부 기니만 근처에 사는 종족이다〕. 게다가 전통에 의하면, 이페는 나이지리아 최초의 도시이자 세계가 창조된 지점이다.[32]

　이페의 기원은 에누와Enuwa("우리는 눈을 마주친다"라는 뜻)라고 알려진 현재 도시 안에 있는 담장 두른 공간enclosure으로 거슬러 올라갈 수 있다. 지역의 발굴물에 대한 탄소연대 측정으로 볼 때 이 장소는 기원후 600년에서 1000년 사이에 몰락했으며, 이는 십중팔구 확연히 드러나는 현지 인구의 강둑과 성벽 뒤쪽으로의 애초의 결집과 관련이 있을 것이다.[33] 폴 오잔Paul Ozanne은 이페가 통치자를 지칭하는 오니Oni의 신성한 왕궁 주변을 대략 동심원 형태의 성벽으로 둘러싼 원 모양의 장소에서 성장했다고 설득력 있게 주장해왔는데, 그 후손들은 오늘날에도 여전히 도시를 통치하고 있다.[34] 이페의 거대한 담장 두른 공간은 부분적으로만 집으로 채워져 있었고 농가가 딸린 너른 개방 지역을 포함했을 것이어서 고대 인구를 추정하기가 어렵고, 인구밀도가 낮았을 가능성이 크다.

　존재 초기부터 이페는 농업 자원들로, 특히 얌yam, 식물성 기름,

야자주〔종려주〕palm wine의 현지화한 교역에 참여했을 것이다. 그러나 원거리 상업은 십중팔구 기원후 1000년경부터 진행되었을 것이다. 수출품에는 둥근귀코끼리forest elephant의 상아, 콜라 견과류kola nuts, 후추, 노예가 포함되었다. 수입품에서 가장 눈에 띄는 것은 대규모 교역품인 구리합금으로, 특히 사하라 횡단 교역의 기원인 황동 막대brass bar였다. 도시에서 만들어진 주조물 대부분이 이 황동 막대였다. 이페의 야금 전통은 기원전 제1천년기의 노크Nok 문화와, 이그보 우크우Igbo Ukwu 의 지역적 구리합금 작업 전통(기원후 900년 무렵)에서 유래한 나이지리아의 정교한 금속 작업의 오랜 유산에서 비롯되었다. 도시에 금속 세공인들이 집중된 현상이 해당 도시의 왕실 숭배 정당화에 핵심 요소였다는 사실은 의심할 여지가 없다. 이페의 자연주의적 전통인 테라코타 조각 초상은 기원후 900년에서 1100년 사이에 등장했고 궁극적으로 구리합금 주조의 유명 사례들로 발전했다. 이 시기가 끝날 무렵 도로가 질그릇 조각으로 포장된 성소 구역이 기록되었다. 이들 성소는 십중팔구 테라코타나 구리합금 초상 흉상 조각을 주로 사용하는 조상 숭배와 왕실 숭배 모두에 활용된 것으로 보인다.

이페의 방대한 제방 네트워크와 도랑의 범위를 통해 증명되는 대규모의 공공노동은 노예화 및 강압성을 연상시킨다. 역사적으로 우리는 노예제가 이 지역에 존재했음을 알고 있고, 초기 이페의 예술적 표현 속에는 재갈이 물린 포로나 제물로 바쳐지는 희생물을 표현한 테라코타 조각이 있다. 이페의 사회체계는 궁극적으로 매우 강제성을 띠었으나 이런 방식이 처음부터 시작된 것은 십중팔구 아니었던 것 같다.

이페 설립 배후의 추동력을 찾으려 하는 과정에서, 우리는 경제적 요소보다 이념적 요소에 더 호소하고 싶은 유혹을 느낀다. 이페 왕조의 신성성은 서아프리카 산림을 가로지르는 더 광범위한 경향의 일부를 형성하는 것처럼 보인다. 레이먼드 N. 애솜방Raymond N. Asombang이 기술한 것처럼 "이페나 베냉Benin 같은 도시들이 신성한 중심지가 아니라 군사 중심지 혹은 행정 중심지였다는 것은 역사와 고고학에서 아직 증명되지 않았다."[35] 카메룬 서부 바푸트Bafut의 역사를 사례로 들면서 애솜방은 이곳의 상황을 이페의 것과 매우 유사하게 다음과 같이 묘사한다. 궁전에 있는 왕은 동시에 종교의 최고제사장으로 군림하며, 그의 궁정은 영향력을 행사하기 위해 경쟁하는 가문들의 구역들로 둘러싸여 있고, 이 신성한 중심부를 넘어 많은 정주지가 퍼져나간다는 것이다. 더 나아가, 경제적 이득과 관련된 자연을 다스리는 개인의 초자연적 능력(일례로 에이든사우설Aidan Southall이 제시한 분절국가segmentary state에서 발견되는 비를 내리게 하는 능력)[36] 즉 주술적 힘들이 주요 중심적 정주지와 정치가 성장할 수 있는 핵심을 형성할 수 있었다고 주장되었다. 궁극적으로 이러한 중심지와 정치의 궤적은 상업을 포함하도록 진화할 수 있었고 신성한 통치자와 연합한 가문들의 권력이 커지면서 강압적 요소가 될 수도 있었다. 따라서 이페는 잠재적으로 도시주의의 명확한 대안적 경로를 제시하고 있다. 곧 성스러운 숭배의 중심으로부터 도시로의 이행이다.

결론

초기 아프리카 도시 전역에서 지역성regionality은 각 도시환경에 혼합된 상거래, 신성, 정치/군사 전략의 정도에서 특히 두드러진다. 아프리카 삼림지대의 경우 도시주의 충동은 신성한 숭배(숭배가 생성시킨 도시주의?)의 중력으로부터 도출된 것으로 보이는데 결국에는 삼림 자원을 이용한 원거리 상업이 키워낸 신성한 왕권에 의해 발전해간다. 사하라 이남의 다른 곳들에는 확연한 대비가 나타난다. 예컨대 성채 중심의 많은 사하라 중부 유적지의 특성은 일반적으로 서아프리카 사헬과 특히 중나이저 유역에 자리한 불굴의 '자체생성' 상거래 정주지들과 매우 다르게 보인다. 그러나 오늘날 차드Chad분지에서 요새화한 타운(질룸 Zilum)이 알려졌기 때문에,[37] 초기(기원전 제1천년기)에 이런 경향은 절대적이지 않다. 아랍인 지리학자들이 기원후 제1천년기 후반에 사헬의 국가들에 대해 처음으로 기록을 했을 때, 그곳에는 실질적 '수도' 나 국가가 생성시킨 도시 중심지가 있었음이 분명하다.

그러나 초기 아프리카 도시 현상의 특이성에도 불구하고, 여전히 많은 초기 도시사회가 서로 간 접촉과 상호작용을 했음을 말해주는 확실한 증거가 있다. 이슬람 이전의 상업, 사상의 교환, 기술이 꾸준히 증가한 것으로 보이는 아프리카 사헬과 사하라 중부의 경우에서 특히 이를 알 수 있다.[38] 아프리카 도시화의 발전을 위한 이와 같은 다른 지역 간 접촉들의 적용은 앞으로 연구되어야 할 필요가 있다.

1 G. Connah, *African Civilizations. An Archaeological Perspective* (Cambridge : Cambridge University Press, 2001), 13.

2 A. La Violette and J. Fleisher, "The Archaeology of Sub-Saharan Urbanism : Cities and Their Countrysides", in A. B. Stahl, ed., *African Archaeology* (Oxford : Blackwell, 2005), 327-352 ; R. J. McIntosh, *Ancient Middle Niger. Urbanism and the Self-Organising Landscape* (Cambridge : Cambridge University Press, 2005).

3 빌 프로인드가 집필한 이 책의 33장과 일부가 불가피하게 겹친다.

4 확대된 논쟁에 대해서는 M. Hansen, ed., *A Comparative Study of 30 City-State Cultures* (Copenhagen : Historisk-filosofiske Skrifter 21, 2000), 11-34.

5 R. J. McIntosh, *The Peoples of the Middle Niger* (Malden, Mass. : Blackwell, 1998).

6 K. C. MacDonald and S. Camara, "Segou, Slavery, and Sifinso", in J. C. Monroe and A. Ogundiran, eds., *The Politics of Landscape in Atlantic West Africa* (Cambridge : Cambridge University Press, 2012).

7 S. K. McIntosh, ed., *Beyond Chiefdoms : Pathways to Complexity in Africa* (Cambridge : Cambridge University Press, 1999).

8 신전/묘지에 대해서는 J. Baines and J. Málek, *Atlas of Ancient Egypt* (Oxford : Phaidon, 1980) ; 도시화한 국가 이집트에 대한 논쟁에 대해서는 Hansen, *Comparative Study of 30 City-State Cultures*, 14.

9 B. G. Trigger et al., *Ancient Egypt. A Social History* (Cambridge : Cambridge University Press, 1983) ; Hassan and O'Connor in T. Shaw et al., eds., *The Archaeology of Africa. Food, Metals and Towns* (London : Routledge, 1993), 551-86 ; 근동과의 비교에 대해서는 McMahon, Ch. 2.

10 이집트의 고전기 도시들에 대해서는 P. Parsons, *City of the Sharp-Nosed Fish : Greek Lives in Roman Egypt* (London : Weidenfeld and Nicholson, 2006), 9 ; cf. Osborne and Wallace-Hadrill, 이 책의 3장. 사막 길과 나일강 서쪽 오아시스에 대해서는 M. Liverani, "The Libyan Caravan Road in Herodotus IV.181-4", *Journal of the Economic and Social History of the Orient*, 43.4 (2000), 496-520 ; 다클레Dakhleh 오아시스에 대한 최근의 중요한 연구에 대해서는 A. Boozer, "New Excavations from a Domestic Context in Roman Amheida, Egypt", in M.

Bommas, ed., *Cultural Memory and Identity in Ancient Societies* (London and New York: Continuum, 2011), 109-126.

11 D. N. Edwards, *The Nubian Past* (London: Routledge, 2004); D. A. Welsby, *The Kingdom of Kush. The Napatan and Meroitic Empires* (London: British Museum Press, 1996).

12 최근 연구 성과가 잘 정리된 것으로 S. Sidebotham, *Berenike and the Ancient Maritime Spice Route* (Berkeley: University of California Press, 2011); D. Peacock and L. Blue, eds., *Myos Hormos-Quseir al-Qadim: Roman and Islamic Ports on the Red Sea*. Vol 1. *Survey and Excavations 1999-2003* (Oxford: Oxbow, 2006).

13 D. W. Phillipson, *Ancient Ethiopia. Aksum: Its Antecedents and Successors* (London: British Museum Press, 1998); D. Peacock and L. Blue, *The Ancient Red Sea Port of Ardulis, Eritrea* (Oxford: Oxbow, 2007).

14 J. W. Michels, "Regional Political Organisation in the Axum-Yeha Area during the Pre-Axumite and Axumite Eras", *Etudes ethiopiennes*, 1 (1994), 61-80.

15 다양한 기여에 대해서는 A. Ennabli, *Pour sauver Carthage. Exploration et conservation de la cité punique, romain et byzantine* (Paris: UNESCO, 1992); M. H. Fantar, *Kerkouane, une cité punique au Cap Bon* (Tunis: Maison tunisienne de l'édition, vols.I-III, 1983-1986).

16 R. Laurence, S. Esmonde Cleary, and G. Sears, *The City in the Roman West 250 BC to 250 AD* (Cambridge: Cambridge University Press, 2011); G. Sears, *The Cities of Roman Africa* (Stroud: The History Press, 2011).

17 A. Leone, *Changing Townscapes in North Africa from Late Antiquity to the Arab Conquest* (Bari: Edipuglia, 2007); 해안[연안] 항구도시의 장기적 도시 일대기를 추적하려는 시도에 대해서는 cf. D. Stone, D. J. Mattingly, N. Ben Lazreg, eds., *Leptiminus (Lamta): A Roman Port City in Tunisia, Report no.3, the Urban Survey* (Ann Arbor: JRA Supplement, 2011).

18 예를 들어 C. McEvedy, *The Penguin Atlas of African History* (London: Penguin, 1995, revised edn.).

19 가라만테스족은 아프리카 문명에 대한 대부분의 현대적 설명에서 간과되거나 과소평가되었다. 예를 들어 다음 세 권의 책은 가라만테스족에 대한 참고문헌을 거의 소개하지 않는다. Connah, *African Civilizations (2001), D. W. Phillipson,*

African Archaeology (Cambridge: Cambridge University Press, 2005, 3rd edn.),
Stahl, *African Archaeology*. 더욱 최근의 연구에 대해서는 D. J. Mattingly, ed.,
The Archaeology of Fazzan. vol. 1, *Synthesis* (London: Society for Libyan Studies,
2003); Vol. 2, *Site Gazetteer, Pottery and Other Finds* (2007); Vol. 3, *Excavations
of C. M. Daniels* (2010). Cf. M. Liverani, ed., *Aghram Nadarif. A Garamantian
Citadel in the Wadi Tannezzuft* (Firenze: All'Insegna del Giglio, 2006).

20 D. J. Mattingly, "The Garamantes of Fazzan: An Early Libyan State with
Trans-Saharan Connections", in A. Dowler and E. R. Galvin, eds., *Money, Trade
and Trade Routes in Pre-Islamic North Africa* (London: British Museum Press,
2011), 49-60.

21 M. Sterry and D. J. Mattingly, "DMP XIII: Reconnaissance Survey of
Archaeological Sites in the Murzuq Area", *Libyan Studies*, 42 (2011), 103-116.

22 A. I. Wilson, "The Spread of Foggara-based Irrigation in the Ancient Sahara", in D.
Mattingly, et al., eds., *The Libyan Desert. Natural Resources and Cultural Heritage*
(London: Society for Libyan Studies, 2006), 205-216.

23 S. K. McIntosh, ed., *Excavations at Jenne-Jeno, Hambarketolo, and Kaniana (Inner
Niger Delta, Mali), the 1981 Season* (Berkeley: University of California Publications
in Anthropology, vol. 20, 1995); S. K. McIntosh and R. J. McIntosh, "The Early
City in West Africa: Towards an Understanding", *African Archaeological Review*,
2 (1984), 73-98; id., "Cities without Citadels: Understanding Urban Origins
along the Middle Niger", in T. Shaw et al., *The Archaeology of Africa*, 622-641.

24 R. J. McIntosh, *Peoples of the Middle Niger*; id., *Ancient Middle Niger*.

25 R. Bedaux et al., "The Dia Archaeological Project: Rescuing Cultural Heritage
in the Inland Niger Delta (Mali)", *Antiquity*, 75 (2001), 837-848; id.,
"Conclusions: Une histoire de l'occupation humaine de Dia et de sa place
régionale par la méthode archéologique est-elle déjà possible?", in *Recherches
archéologiques à Dia dans le Delta intérieur du Niger (Mali): bilan des saisons de
fouilles 1998-2003* (Leiden: CNWS Publications, 2005), 445-455.

26 Tichitt: K. C. MacDonald et al., "Dhar Nema: From Early Agriculture, to
Metallurgy in Southeastern Mauritanii", *Azania: Archaeological Research in Africa*,
44 (2009), 3-48; 도기에 대해서는 K. C. MacDonald, "Betwixt Tichitt and the

IND: The Pottery of the Faïta Facies, Tichitt Tradition", *Azania: Archaeological Research in Africa*, 46 (2011), 49-69.

27 다클레트 엘 아트루스에 대해서는 A. Holl, "Late Neolithic Cultural Landscape in Southeastern Mauritania: An Essay in Spatiometrics", in A. Holl and T. E. Levy, eds., *Spatial Boundaries and Social Dynamics: Case Studies from Food-Producing Societies* (Ann Arbor: International Monographs in Prehistory, Ethnoarchaeological Series 2, 1993), 95-133; 목걸이에 대해서는 K. C. MacDonald, "A View from the South: Sub-Saharan Evidence for Contacts between North Africa, Mauritania and the Niger, 1000 BC-AD 700", in Dowler and Galvin, *Money, Trade and Trade Routes*, 71-81.

28 K. C. MacDonald, "Before the Empire of Ghana: Pastoralism and the Origins of Cultural Complexity in the Sahel", in G. Connah, ed., *Transformations in Africa: Essays on Africa's Later Past* (London: Leicester University Press, 1998), 71-103.

29 N. Levtzion and J. F. P. Hopkins, eds., *Corpus of Early Arabic Sources for West African History* (Princeton: Markus Wiener Publishers, 2nd edn, 2001); cf. P. J. Munson, "Archaeology and the Prehistoric Origins of the Ghana Empire", *Journal of African History*, 21 (1980), 457-466.

30 D. C. Conrad, "A Town Called Dakalajan: The Sunjata Tradition and the Question of Ancient Mali's Capital", *Journal of African History*, 35 (1994), 355-377. 예를 들어 약 160여 년 동안 세구 지역에서 평균 26년마다 수도 이전이 이루어져서, 기록상 여섯 곳의 수도가 등장한다. MacDonald and Camara, "Segou, Slavery, and Sifinso" (2011).

31 P. J. Lane and K. C. MacDonald, eds., *Slavery in Africa: Archaeology and Memory* (Oxford: Oxford University Press, 2011).

32 T. Shaw, *Nigeria: Its Archaeology and Early History* (London: Thames & Hudson, 1978); cf. Connah, *African Civilizations*.

33 H. J. Drewal and E. Schildkrout, *Kingdom of Ife: Sculptures from West Africa* (London: British Museum Press, 2010).

34 P. Ozanne, "A New Archaeological Survey of Ife", *Odu*, NS 1 (1969), 28-45.

35 R. Asombang, "Sacred Centres and Urbanization in West Central Africa", in S. K. McIntosh, ed., *Beyond Chiefdoms: Pathways to Complexity in Africa* (Cambridge:

Cambridge University Press, 1999), 80-87, 인용은 80.

36 A. Southall, "The Segmentary State and the Ritual Phase in Political Economy", in S. K. McIntosh, ed., *Beyond Chiefdoms*, 31-38.

37 중나이저에 대해서는 R. J. McIntosh, *Ancient Middle Niger*; McIntosh and McIntosh, "Cities without Citadels"; 차드호 분지에 대해서는 C. Magnavita et al., "Zilum: A Mid-first Millennium BC Fortified Settlement near Lake Chad", *Journal of African Archaeology*, 4 (2006), 153-169.

38 Dowler and Galvin, eds., *Money, Trade and Trade Routes*; P. Mitchell, *African Connections: Archaeological Perspectives on Africa and the Wider World* (Walnut Creek: AltaMira Press, 2005), 140-146.

참고문헌

Connah, G., *African Civilizations. An Archaeological Perspective* (Cambridge: Cambridge University Press, 2001, 2nd edn.).

Dowler, A., and Galvin, E. R., eds., *Money, Trade and Trade Routes in Pre-Islamic North Africa* (London: British Museum Press, 2011).

Edwards, D. N., *The Nubian Past* (London: Routledge, 2004).

MacDonald, K. C., "Before the Empire of Ghana: Pastoralism and the Origins of Cultural Complexity in the Sahel", in G. Connah, ed., *Transformations in Africa: Essays on Africa's Later Past* (London: Leicester University Press, 1998), 71-103.

McIntosh, R. J., *Ancient Middle Niger. Urbanism and the Self-Organising Landscape* (Cambridge: Cambridge University Press, 2005).

Mcintosh, S. K., ed., *Excavations at Jenné-Jeno, Hambarketolo, and Kaniana (Inner Niger Delta, Mali), the 1981 Season* (Berkeley: University of California Publications in Anthropology, vol. 20, 1995).

Mcintosh, S. K., ed., *Beyond Chiefdoms: Pathways to Complexity in Africa* (Cambridge: Cambridge University Press, 1999).

Mcintosh, S. K., and Mcintosh, R. J., "The Early City in West Africa: Towards an Understanding", *African Archaeological Review*, 2 (1984), 73-98.

Mattingly, D. J., ed., *The Archaeology of Fazzan*. vol. 1, *Synthesis* (London: Society for Libyan Studies, 2003).

Phillipson, D. W., *Ancient Ethiopia. Aksum: Its Antecedents and Successors* (London: British Museum Press, 1998).

Phillipson, D. W., *African Archaeology* (Cambridge: Cambridge University Press, 2005, 3rd edn.).

Sears, G., *The Cities of Roman Africa* (Stroud: The History Press, 2011).

Shaw, T., Sinclair, P., Andah, B., and Okpoko, A., eds., *The Archaeology of Africa. Food, Metals and Towns* (London: Routledge, 1993).

Sidebotham, S., *Berenike and the Ancient Maritime Spice Route* (Berkeley: University of California Press, 2011).

Stahl, A. B., ed., *African Archaeology* (Oxford: Blackwell, 2005).

Trigger, B. G., Kemp, B. J., O'Connor, D., and Lloyd, A. B., *Ancient Egypt. A Social History* (Cambridge: Cambridge University Press, 1983).

제5장

남아시아
South Asia

캐머런 A. 페트리

Cameron A. Petrie

남아시아의 도시사는 4500년 전으로 거슬러 올라가며, 여기에는 초기 도시주의urbanism의 두 가지 주요 국면이 포함된다. 첫째는 인더스Indus 문명으로 알려진 것으로 기원전 약 2600년부터 1900년 사이에 발생했다. 둘째는 초기 역사 시기Early Historic Period로 알려진 것으로 기원전 500년부터 기원후 500년 사이의 기간이다. 남아시아의 고대 도시들은 종종 주요한 종합적 논쟁에서 제외되었는데, 이 장에서는 인더스와 초기 역사 시기 도시들을 초기 도시주의 과정을 고려하면서 복원해보려 한다.

인더스 문명은 오늘날의 파키스탄·인도·아프가니스탄까지 넓게 걸쳐 있었으며 그 영역이 100만 제곱킬로미터에 이르렀던 것으로 추정된다([지역지도 I.4] 참조).[1] 일반적으로 '도시화'한 것으로 설명될지라도, 원래 규모를 기준(≥ 80헥타르[0.8제곱킬로미터])으로 오직 5개의 인더스 정주지만이 도시로 간주가 된다. 모헨조다로, 하라파, 라키가리, 돌라비라, 간웨리왈라가 그것들이다([도형 5.1]). 이 도시들은 서로 상당히 떨어져 있었고, 돌라비라를 제외하고는 남아시아 북서부의 충적평원에서 먼 곳에 자리했다. 인더스 도시들을 발굴한 결과, 견고한 요새 성벽, 기단, 집, 하수구, 진흙으로 또는 구운 벽돌로 만들어진 우물들이 발견되었는데, 여기에 궁전이나 종교적 건축물은 부족해 보였다([도판 5.1] 참조).[2] 인더스 문명은 주요 도시들에 의해 장악된 것으로 보이는바, 알려진 정주지settlement 대부분은 소규모거나, 중간 규모나 대규모의 타운town들과 마을village들이었고 확장된 지역 안에 있는 거대한 중심지의 배후지hinterland에 위치했다. '도시city보다 소규모의'(≤ 40헥타르) 인더스 정주지로 묘사될 수 있는 곳들 역시 의심의 여지가 없이 도시였고 인더스 세계에서 결정적 역할을 했을 가능성이 있다. 그러나 이것에 대한 이론화는 미비하다. 농촌의 맥락도 유사하게 중요하지만 아직은 인더스 문명에서 잘 이해되지 않는 구성 요소로 남아 있다.[3] 남아시아 도시주의 가장 이른 초기의 국면에 대한 이해 역시 불가사의하고 해석되지 않은 인더스 문자의 상태에 대한 해결되지 않은 논쟁, 인더스의 사회-정치적 구조와 조직에 대한 합의 결여, 그리고 기원전 제2천년기 초반 인더스 도시의 쇠퇴와 궁극적인 포기로 특징지어지는 주요 변화에 대한 이해 부족 등으로 방해를 받고 있다.

인더스 도시들이 쇠퇴한 후 남아시아에는 중간 규모(약 30헥타르)의 인더스 정주지들과 근본적으로 유사한 정주지들이 제법 존재했음에도 대규모의 큰 도시들은 없었던 시대가 거의 1000년 동안 유지되었다. 상당한 규모의 도시들은 기원전 제1천년기 중후반까지 나타나지 않았으며, 대규모 도시화urbanization의 이런 초기 역사 국면은 기원후 제1천년기 중반까지 지속되었다. 이들 두 국면의 도시들엔 공통점이 여럿 있었는바, 초기 역사 시기 도시들이 더 많았고 더 다양한 지역과 환경에서 발전했다. 초기 역사 시기 도시주의에 대한 주요 관심은 십육대국〔마하자나파다스〕Mahājanapadas 또는 대大왕국들의 중심지였던 갠지스평원인데([지역지도 I.4] 참조), 이 두 초기 국면 사이에 도시 중심지urban centre들의 집중 현상은 동쪽으로 크게 이동했다. 아대륙 서부 국경지대에서도 중요한 발전들이 있었다. 초기 역사 시기 도시들은 전형적으로 규모, 상당량의 요새 성벽의 존재, 시민 편의시설, 특화된 공예, 원거리 교역, 궁전, 종교적 구조물의 증거로 특징화된다. 이 시기에는 또한 적어도 부분적으로 국경도시frontier city로 기능했던 중심지 혹은 육상과 해상 교역에 직접 관여하는 화물집산지entrepôt를 포함해 다양한 유형의 도시가 등장했다([도형 5.2] 참조). 초기 역사 시기 도시들은 초기 국가들의 발전, 제국적인 성장·확장·강화·몰락의 시기를 포함하는 사회-정치적 맥락에서도 중요했다. 그러나 일반적으로 초기 역사 시기 도시 외부의 삶에 대한 이해는 제한되어 있다.

초기 남아시아의 도시화와 관련한 이 두 주요 국면에 대한 조사로서, 이 장에서는 남아시아의 도시들이 과거와 현재에 어떤 방식으로 개념화되었는지 살펴보며, 인더스와 초기 역사 시기 도시들의 기원과 구조적 형성을 둘러싼 논쟁을 다룬다. 이들 도시의 환경적, 경관적, 문화적 맥락 또한 검토한다.

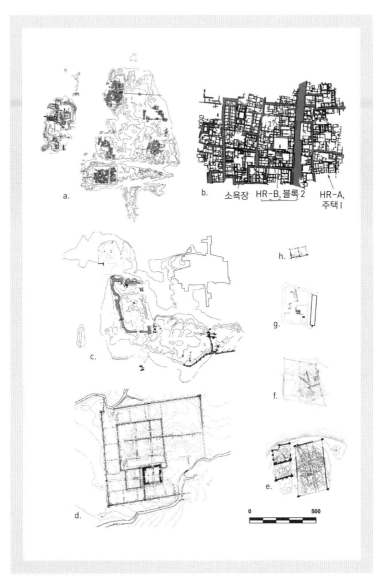

[도형 5.1] 서로 다른 크기의 정주지에서 반半직교 블록과 별개의 벽들을 보여주는 인더스의 도시와 소규모 중심지 평면도 (a) 모헨조다로 (b) 왼쪽 회색의 정사각형 모양으로 둘러싸인 HR 확장 구역 (c) 하라파 (d) 돌라비라 (e) 칼리방간 (f) 바나왈리 (g) 로탈 (h) 수르코타다

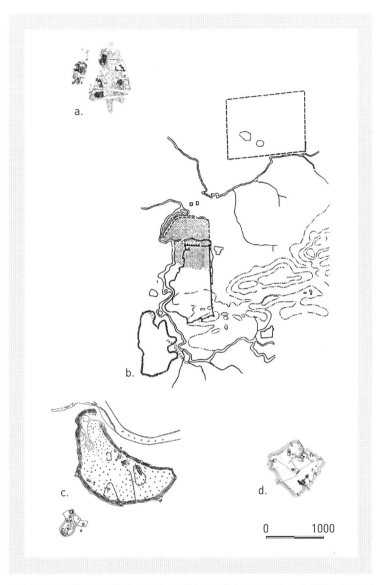

[도형 5.2] 인더스계곡의 모헨조다로 지도와 다양한 규모의 축성 구역을 보여주는 초기 역사 시기 도시 및 소규모 중심지 비교 평면도 (a) 모헨조다로 (b) 탁실라 언덕의 비르Bhir(왼쪽), 시르캅(가운데), 시르수흐Sirsukh(오른쪽) (c) 스라바스티 (d) 비타

남아시아 도시주의에 접근하기

피오트르 엘트소프Piotr Eltsov는 남아시아 도시들에 대한 주요 학술 문헌들이 개념적이라기보다 묘사적이라 언급했고 도시가 무엇인가라는 핵심적 질문을 일관성 있게 다루지 못했다고 지적했다.[4] 그는 또 남아시아 맥락에서는 도시에 대한 단일하고 보편적으로 이해가능한 정의가 있을 수 없다고 주장했다. 그리고 고대 남아시아 도시는 복잡한 사회-정치적 문화현상이었으며 다양한 방식의 개념화를 통해 연구되어야 한다고 제안한다. 비어 고든 차일드의 열 가지 기준은 남아시아 도시들을 이해하는 데 유용한 도구로 계속해 옹호되었으나,[5] 엘트소프는 그러한 경험적 정의는 고대 인구에 대한 도시들의 중요성을 이해하는 기제가 없다는 점에서 본질적으로 남아시아의 경우에는 부적합하다고 주장했다.[6] 엘트소프는 도시를 역사 행위자들 마음속의 도시 사상과 분리할 수 없는 하나의 역사적 현상으로 보면서, 고대 인도 문헌에서 관련 정보를 가져와 인더스와 초기 역사 시기 도시들을 정의하는 데 두 가지 중요한 요소가 있다고 제안했다. 바로 요새화fortification와 권위authority에 대한 증거다.

해결해야 할 개념화의 문제에 더해, 수평적 발굴보다 수직적 발굴에 집중한 고고학 기록의 속성 자체에 내재하는 확연한 제약이 있다. 인더스와 초기 역사 시기 국면들 모두 공식적 행정 문서 및 역사 문서가 부족하다. 이는 지금까지 관련 연구가 연도가 불확실한 수 세기에 걸쳐 편집된 문헌 자료들에 의존했다는 의미다. 더욱이, 남아시아 전역의 고고학 조사에서 다양한 시대의 수백 개 정주지가 발견되었으나,

새 연구들은 기록되지 않은 정주지가 수천 개까지는 아니더라도 수백 개가 있어서 도시개발urban development과 쇠퇴의 국면들을 이해하기 어렵고, 과거의 도시/농촌 정주지 역학에 관한 어떤 논의도 입증하기 어렵다고 설명한다.[7]

인더스의 도시 '실험': 남아시아 최초 도시들의 성장, 번영, 쇠퇴

인더스 문명과 그 도시들에 대해 논의하는 서적들은 넘쳐난다. 여기에서는 핵심 요소들을 언급할 것이고, 인더스 도시에 대한 최근 시각을 보여주고자 하는 바람에서 기존의 확고부동한 관점들에 도전하는 새 관점들 역시 강조할 것이다.

인더스 문명 도시들의 기원은 오랫동안 논쟁의 주제였다. 현재 일반적으로 받아들여지는 학설은 인더스 문명이 이미 기원전 제6천년기〔기원전 6000~기원전 5001〕 초반에 시작된 토착 과정의 정점이라는 것이다. 기원전 제3천년기에 등장한 인더스 도시들을 선형적linear 발전의 결과로 가정할 수는 없다. 규범적 양상에 정확하게 부합하지는 않더라도, 전前도시pre-urban 시기에 인더스 문명을 구성한 다채로운 삶의 방식이 지역 전역에서 존재했다는 점을 중요하게 여겨야 하기 때문이다. 일례로, 인더스 문명의 생계경제subsistence economy는 주로 소·양·염소 등에 기반을 둔 목축과 겨울 강우로부터 도움을 받은 밀·보리 중심의 농경이었다고 오랫동안 믿어졌다. 그러나 생계경제는 세부적 부분에서 매우 가변적이었고 지역의 환경 조건에 적응해왔을 가능성이 컸다. 이 방식을 포함한 여러 방식으로 지역적 변이의 양상은 인더스의 도시 시기를 거쳐 도시 이후post-urban 국면까지 계속되었다.

5개 인더스 점주지만이 도시들에 가까운 규모로 발전했고 모두 기원전 2600~기원전 2500년 사이의 비교적 짧은 동안 상당한 규모로 성장한 것으로 보인다. 이는 대규모 도시주의로의 전환이 매우 신속하게 이루어졌으나 소수의 중심지로 제한되었음을 의미하며, 이런 도시의 형성을 이끈 정확한 사회-경제적 역학에 관련된 토론이 진행되고 있다. 도시 국면은 구별이 가능한 물질문화의 집합체로 특징된다. 여기엔 흑색 칠을 한 붉은색 이장泥漿, slip 도기, 입방체 무게 추, 도자기 조각상, 다양한 원료(점토, 조가비, 구리, 주석 유약 도기, 석기炻器, stoneware 등)로 만든 고리 장식, 준準귀석貴石, semi-precious stone 또는 귀석으로 만든 구슬 등이 포함된다. 도시들 자체를 넘어서, 이와 같은 물질들이 인더스 문명을 설명해준다.

오랫동안 인더스 문명은 다른 문명들과 구별된다고 주장되었다. 일례로 인더스 문명은 종종 정체불명의 것으로 설명되는바, 매장, 조각 전통, 혹은 상류층 개인을 위한 고급 구조물의 명백한 증거가 밝혀지지 않았다는 점에서다. 이는 지배계급이 인더스 도시들을 지배했는지, 그리고 확연한 기념(비)적 공공건축물이 주요 종교 건물이나 궁전 형태로 존재했는지 등 인더스 엘리트의 본질과 관련해 해결되지 않은 의문들과 중첩된다. 전쟁에 대한 명백한 증거가 없는 것도 종종 언급된다.[8] 이러한 차이점은 인더스 문명이 국가의 형태를 이루었는지, 그랬다면 어떤 유형의 국가였는지에 대한 논쟁을 지속적으로 불러왔다.

이 모든 요소에 대한 우리의 이해는 아마도 부정할 수 없는 사실에 의해 믹혀 있다. 그것은 바로 우리가 일상생활 및 관행들과 관련해 알 수 있는 독해가능한 기록들이 부족하다는 것이다. 도시 맥락에 대한 지식은 주요 도시 중심지 가운데 모헨조다로와 하라파 두 곳만이 광범위한 발굴과 그 성과의 출판이 수행되었다는 사실로 더욱 복잡해졌다.

모헨조다로Mohenjo-daro는 인더스강 서쪽 신드Sindh(파키스탄) 지방의 인더스평원에 위치한다. 이곳은 20세기의 몇몇 주요한 고고학 연구 단계의 초점이었고, 인더스 정주지 중에서 가장 광범위하게 조사되었다.[9] 여러 면에서 모헨조다로는 인더스 도시들의 가장 두드러진 특성 대부분이 처음으로 확인된 곳이기에 인더스 도시의 가장 훌륭한 예시다. 2개 주요 흙 둔덕〔또는 흙무덤〕은 약 100헥타르 정도이나 전체 점유 면적은 약 250헥타르〔2.5제곱킬로미터〕였을 수 있는데, 모헨조다로는 아대륙에서 당시에 가장 큰 규모의 도시였고 동시대 메소포타미아의 더 큰 규모의 도시와 동등한 규모였다(2장 참조). 모헨조다로는 높은 벽돌 기단 위에 구운 벽돌 구조물들을 올린 형태가 기본이었고, 아래 타운lower town〔모헨조다로는 성채와 그 아래 타운으로 이루어졌다〕에는 구별되는 거주 구역들이 있었으며 마찬가지로 벽돌 기단으로 쌓여 있었다. 모헨조다로는 홍수 방비를 위한 기단 위에 세워진 '개발되지 않은' 토대의 도시로 제시되지만,[10] 오늘날의 높은 지하수면 때문에 발굴 중에 도달하지 못한 전前도시 국면의 흔적이 존재할 수도 있다.[11]

여기에서 대욕장 둔덕Mound of the Great Bath으로 지칭될 높은 둔덕은 가장 특이하고 흥미로운 인더스 문명 건축물들의 장소다. 여기엔 '대욕장大浴場, Great Bath' '곡물창고Granary'/'대형 홀Great Hall'/'창고Warehouse'

'사제 숙사College of Priests' '기둥 홀Pillared Hall'로 알려진 구조물들과 전통적으로 초기 역사 시기부터 내려왔을 것으로 추정되는 불교 사리탑으로 묘사되는 구조물들이 있었고, 적어도 한 개 이상의 문이 있는 진흙 벽돌의 유새 성벽이 부분적으로 두덕을 둘러싸고 있었다. 이들 건물 중 많은 것이 상류층 구조물이었을지도 모르나, 몇몇은 보석세공, 조가비, 가죽 작업을 포함하는 공예 활동의 증거들을 포함하고 있다.[12]

모헨조다로의 아래 타운은 주로 다양한 크기의 주택과 작업장 영역으로 구성된 것처럼 보이는 몇 개의 구별되는 구역들로 나뉘었다. 또 아래 타운에는 상징적 건축물들도 있었다. 적어도 1개의 건물이 초기 발굴자에 의해 궁전palace으로 분류되었고, 독특한 이중 계단이 있는 건물은 의례공간일 가능성이 언급되며(HR-A, 주택 I, [도형 5.1] 참조),[13] 몇몇 다른 건물은 신전temple일 수 있다는 가능성이 제기되었다. 그러나 이들 구조물이 주택이 아닌 다른 용도였다는 일치된 합의는 없다.

모헨조다로의 초기 발굴에서 드러난 두 구조물을 재해석하려는 시도들은 몇몇 오래된 생각들이 재평가될 가능성을 시사한다. 불교식 사리탑과 수도원으로 불리는 것들은 최초로 드러난 인더스 구조물의 하나였고 쿠샨Kushan 시대(기원후 1천년기 초반)의 것으로 알려져 왔는데 비축備蓄 동전들이 발견되었기 때문이다([도판 5.1] 참조). 그러나 이 구조물의 위치와 배치는 인더스 시기의 주변 구조물들과 밀접하게 일치하고, 건축 배치, 건설 기법, 연관 발견물을 재평가해보면 이것이 도시에서 가장 높고 잘 보이는 장소에 서 있었던 대규모 인더스 시기 구조물의 잔존물일 수도 있다.[14] 이 건물의 확실한 기능은 아직 알려지지 않았으나 조반니 베라르디Giovanni Verardi와 페데리코 바르바

Federico Barba는 이것이 더는 사용할 수 없는 봉헌 제물이었을지 모를 물건들의 저장소를 포함하는 신성한 구조물일 수 있다고 제안한다. 내욕장 둔덕의 북쪽 끝은 그렇기에 주요 의례를 위한 두 개의 구조물(대욕장과 비非사리탑)을 포함하는 엘리트 건물 군집으로 채워졌을 것이다. 이곳들은 상류층 거주지(사제 숙소)와는 떨어져 있었을 것이고 일종의 대형 홀이 옆에 있었을 것이다([도판 5.2] 참조).

HR-B 구역의 블록 2는([도형 5.1] 참조) 7개의 분리된 집들로 구성되어 있다고 처음부터 추정되었으며, 마시모 비달레Massimo Vidale는 이 블록 전체를 사실상 노란 석회암 '홍예석虹霓石, ring-stone'[아치를 구성하는 쐐기 모양의 돌]으로 만들어진 거대한 기둥들로 된 기념(비)적 입구가 있는 궁전이라고 제안한다.[15] 비달레는 대욕장을 소규모로 복제한 소小

[도판 5.1] 뒤편의 이른바 불교 사리탑과 HR-A 구역의 VIII 주택House VIII을 보여주는 모헨조다로의 구운 벽돌 건축. 이 구조물은 유적지의 가장 높은 지점에 위치하며, 대욕장 둔덕을 지배한다.

욕장Little Bath이 이 궁전 뒤쪽에 있었다고 주장했다([도형 5.1] 참조). 이 것이 사실이라면 이런 재평가들은 인더스 시민, 사회-경제·정치 조직에 대한 우리의 해석에 극적으로 영향을 끼칠 것이며, 인더스의 기념비저 종교아 궁전 건축에 대한 증거가 1930년대 이후로 학자들 앞에 놓여 있었음을 시사한다.

하라파Harappa는 발견된 최초의 인더스 문명 유적지였고 거의 한 세기에 걸친 고고학 조사의 장소였다. 정주지는 펀자브Punjab(파키스탄) 중부의 라비Ravi강 옛 하상河床에 자리했으며, 그 최대 영역에서, 하라파는 최소 4개의 분리 구역으로 된 대규모 도시(약 150헥타르)로 그 각각의 구역은 벽들로 구분되어 있었고 집들과 작업장들을 포함했으며 좁은 문들로 출입이 제한되어 있었다.[16] 드러난 유일한 기념(비)적 건

[도판 5.2] 인더스계곡 하라파 F 둔덕의 곡물창고 혹은 대형 홀

물은 곡물창고로 지칭되는 F 둔덕Mound F에 있는 대형 홀이다. 이는 모 헨조다로의 대형 홀과([도판 5.2]) 종종 비교되었다. 발굴자들은 하라 파의 도시 국면이 장기간에 걸친 거주지 성장의 최고점을 보여준다고 주장하는데, 확대된 자원 획득 네트워크, 상징과 무게 단위의 통일화 움직임, 공예 생산 활동 강화 및 고도화를 그 증거로 삼는다.[17]

돌라비라Dholavira는 란 오브 쿠치Rann of Kutch(구자라트)의 카디르 Kadir섬에 위치하며 1990년대에 발굴이 광범위하게 진행되었다.[18] 돌 라비라는 섬에 자리해 인더스 도시들에서 가장 특이한 곳이고 대략 삼 각형 형태를 하고 있으며, 구조물들은 대부분 다듬거나 다듬어지지 않 은 돌들로 만들어져 있다. 도시는 일련의 성벽 지구로, 중간 타운Middle Town, 의례 터Ceremonial Ground, 외벽Bailey, 성채Citadel 모두가 아래 타운 에 자리했고, 기념(비)적 문들이 있어 각 지역의 접근을 제한했다. 조너 선 마크 케노어Jonathan Mark Kenoyer는 이런 배치가 내부 정주지의 위계 hierarchy와 공격에 대비하는 방어의 필요를 나타내며,[19] 돌라비라의 광 대하고 복잡한 요새화 체계는 남아시아에서 흔히 보이는 형태라고 주 장했다.[20] 중간 타운과 아래 타운은 도로와 길이 있는 블록으로 배열된 주택과 작업장 구역으로 구성된 것처럼 보이지만, 관개에 기반을 둔 농경용으로 보이는 넓은 공터가 수없이 있다. 그곳에는 또한 물 저장 의 중요성을 강조하는 암반을 깎아낸 넓은 저수지들이 있다.

남은 두 인더스 도시는 조사가 훨씬 덜 된 상태다. 라키가리Rakhigarhi (약 80헥타르)는 인도 하리아나Haryana의 평원에 자리하며 1960년대에 발견되어 1990년대에 발굴되었다.[21] 정주지는 여러 구분되는 고지대 를 구성하고 있었으며, 모헨조다로나 하라파와 달리 가장 큰 둔덕이 가장 높았다. 칸막이벽enclosure wall은 여러 언덕에서 관찰되었으나 기단, 진흙과 구운 벽돌집, 작업장 구역, 동물 희생犧牲, sacrifice에 쓰이는 불 제단 및 구덩이로 식별된 구조물의 흔적을 넘어서는 시민을 위한 배치는 거의 알려지지 않았다. 간웨리왈라Ganweriwala(약 80헥타르)는 촐리스탄Cholistan사막(파키스탄) 변두리 도시 시기의 개발되지 않은 토대로 보인다.[22] 이 장소는 아직 공식적으로 발굴된 적은 없으나 오래전부터 도시로 묘사되었고 지표면에 공예 활동의 증거들이 있다. 간웨리왈라가 모헨조다로, 하라파, 라키가리, 돌라비라와 같은 수준에 포함되어야 하는지에 일부 의문이 제기된다.[23] 그 가능성은 정주지들이 중심 장소라기보다는 도시-국면 인더스 정주지 군집의 남쪽 경계에 있다는 사실과 위성사진들에서 해당 둔덕 지대가 보고된 규모보다 훨씬 작게 보인다는 사실에 뒷받침을 받는다.

도시는 인더스에 관한 학술 활동에서 우위를 차지한다. 다른 많은 더 작은 규모의 도시 중심지들의 존재가 종종 언급되지만, 그것들은 더 큰 규모의 중심지들과 부정확하게 구분되고 일반적으로 해당 정주지와의 관계에서만 논의된다. 그런데 이들 더 작은 규모의 도시 중심지는 잠재적으로 인더스 세계에서 중요한 역할을 했을 가능성이 있다. 여기에서 각각을 구체적으로 논의하는 것은 적합하지 않으나, 이러한 합의 중 하나에 대해 간략히 검토하고 다른 몇 가지와 관련해 의견을 제시할 것이다.

칼리방간Kalibangan(약 11.5헥타르) 유적지는 라자스탄Rajasthan(인도) 북부의 말라버린 강 협곡 남부 끝자락에 자리하고, 이곳에서 가장 가까운 도시 규모의 정주지는 몇백 킬로미터 떨어져 있었다. 도시 국면에서, 이곳은 2개의 벽으로 둘러싸인 언덕들로 이루어져 있었다. 서쪽 둔덕은 분리된 2개의 구별되는 구역으로 구성된 것으로 보이는데, 한 곳은 상류층 거주 지역이었고 다른 한 곳은 벽돌 기단이 있다는 점에서 발굴자들이 의례 기능의 장소였다고 주장한다. 아래쪽 동부의 둔덕은 주로 거주 구역이었던 것으로 보인다.[24] 칼리방간은 잘 알려진 인더스 문화의 물질을 많이 제공하지만, 전前도시 인구가 사용한 도자기 유형은 적어도 후기 점유 시기의 일부 동안에도 계속 사용되어 현지 인구의 연속성continuity과 현지의 것이 아닌 물질의 점진적 본뜸emulation을 시사한다. 도시 시기 소규모 정주지의 성장과 기존의 현지 물질문화 및 인더스 물질의 혼합 사용과 관련된 유사한 증거가 칼리방간 동쪽에서 발견되며 라키가리에서 60킬로미터 이내에 있는 바나왈리Banawali(16헥타르)와 파르마나Farmana(9헥타르) 두 곳 모두에서도 나타난다.[25] 하리아나의 더 작은 규모의 마을 부지에서는 현지 문화의 물질들이 더욱 지배적이었으며 인더스-스타일 물질은 아주 한정되어 있었고 주로 구슬이나 고리 같은 작은 생산물에서만 보였다.[26]

구자라트Gujarat에서 발견된 상당수 소규모 정주지는 모두 비농촌적 속성의 견고한 진흙 벽돌 혹은 돌로 된 요새 성벽, 성벽 내부공간의 분리에 대한 확실한 증거를 가지고 있는데, 로탈Lothal(5헥타르), 시카르푸르Shikarpur(3.4헥타르), 쿤타시Kuntasi(3헥타르), 골라-도로Gola-Dhoro(2헥타르), 수르코타다Surkotada(1.5헥타르), 칸메르Kanmer(1헥타르) 등이다([도형 5.1 참조]). 형태와 내용물로 볼 때, 이들 정주지 중 일부는 현지에서 구할 수 있는 원자재의 추출 및 처리와 관련 있는 요새화한 거류지였을 가능성이 크다.

모헨조다로에서 드러난 대규모 흔적들은 인더스 도시 배치를 이해하기 위한 모델을 설정했다. 넓은 주±도로, 좁은 주변도로, 골목길로 구분된 일관성 있는 블록들 내부의 주택들이 그것이다. 특별한 지식이 없는 이들에게도 모헨조다로의 점유 국면 중 중요한 한 국면이 드러난 것으로 보이는데, 공개된 도면들은 다양한 건설 국면의 다층적 의미를 제시한다.[27] 마이클 E. 스미스Michael E. Smith는 아래 타운의 여러 부분에서 구조물들이 반±직교 블록들에 배치된 것을 언급했다. 이는 도시가 격자 양상이었다 할지라도, 실제 배치는 중앙집중된 계획의 결과가 아닐 수도 있음을 시사한다.[28] 이러한 반±직교 배치는 기존의 직사각형 주택을 증축하거나 중앙기관이 아닌 상설 구조물에 인접한 주택을 신축하는 개별 건설업자들 활동의 산물이다. 시간이 흘러도 주요 도로와 길은 침범되지 않은 것으로 보이지만, 구조물들이 리모델링되었고 차선이 차단되었다는 분명한 증거가 있다. 하라파에서도 비슷한 양상이 보인다. 모헨조다로에 대한 자세한 건축 연구를 통해 가장 이른 초기 국면의 구조물들은 거대한 벽이 있었으나 건물이 재건축되고 리모델링되면서 오래된 벽이 토대로 재사용되었으며 이에 따라 건물들이 점차 더 얇아졌음을 알 수 있다.[29]

많은 모헨조다로의 주택에는 개별 우물이 있었고 우물은 도시 전역에 700여 개가 있었던 것으로 추정된다.[30] 이러한 예들은 다른 정주지들에서도 마찬가지로 나타났다. 거주용 구조물에서 물을 쉽게 이용할 수 있었다는 사실은 모헨조다로의 많은 주택 내에 변소와 목욕 시설이 있었음을 의미한다. 주택들은 차선과 주도로를 따라서나 그 아래에서 그리고 궁극적으로는 각각의 기단에서 떨어진 배수관과 연결된 정교한 체계에 의해 배수가 되었다.

　초기 해석들은 인더스 도시들이 엘리트 중심의 성채들과 비非엘리트들의 아래 타운들로 양분되는 특징이 있으며, 위계적 사회구조의 존재를 암시한다고 제안했다. 그러나 하라파에서 복수複數의 벽이 있는 구역이 확인되고, 모헨조다로 '아래 타운'이 실제로 여러 구별되는 지역들로 구성되었다는 사실은 상황이 더 복잡했음을 말해준다. 엘트소프는 접근이 제한되고 기념(비)성이 숨겨진 3차원의 분리된 세계의 창조는 종교나 직업에 관계없이 사회문화적 집단을 구분하는 데 한몫한 이념적 선택이었다고 파악했다.[31] 비달레는 모헨조다로 HR 구역에 궁전과 관련 소욕장이 있었다는 것은, 아래 타운의 각 부문을 사회적·경제적·정치적으로 ―대욕장의 둔덕에 있는 것을 모방하고 그것과 경쟁하는― 궁전과 의례용 구조물들을 지을 수 있는 집단 또는 엘리트 집단이 전유한, 그곳에서 실재한 사회구조에 대한 증거라고 주장한다.[32] 케노어는 하라파의 공식적 공간의 구분과 작업장의 분배가 각 구역의 엘리트, 상인, 토지소유주, 혹은 종교 지도자 사이에 경쟁이 있었음을 나타낸다고 제안했다.[33] 종합해보면, 이 견해들은 그 어떤 엘리트 집단도 인더스 도시들을 위계적 방식으로 지배하지 않았음을 시사한다. 오히려 인더스 도시들은 다중심적이며, 사회-경제적 지위에서 광범위하게 동등하고, 서로 경쟁하며, 수평위계heterarchy의 개념에 부합하는 복잡한 방식으로 상호작용하는 여러 엘리트 집단에 의해 지배되었다. 이러한 양상은 개별 정주지 내부에 분리가 확실했던 더 작은 규모의 중심지와 타운들에서 잘 적용되었을 것이다.

　인더스 도시들과 정주지들은 100만 제곱킬로미터 영역에 분포하고 있는데, 이 영역에서 넓은 지역은 충분히 조사되지 않고 있으며 셀 수 없이 많은 정주지가 기록되지 않은 채로 남아 있다. 또한 도시 국면에 따른 정주지 수에 대한 신뢰할 만한 수치도 없으며 알려진 모든 유적지가 동시대에 점유되었는지 여부도 확실치 않은 까닭에, 인더스 정주지의 밀도 및 분포와 관련해 신뢰할 수 있는 논의는 여전히 불가능하다.[34] 개별 인더스 도시의 환경적·경관적 맥락이 독특하고, 각각의 도시가 강우·식생·천연자원에 대한 근접성에 따라 혜택을 보거나 고통을 입었음은 분명하다. 아마도 가장 주목할 만하나 거의 언급되지 않는 다양성은 각각의 도시가 매우 다른 수자원 체계에 의존했다는 것이다. 라키가리는 오늘날 여름 몬순과 겨울 강우 체계가 모두 작동하는 지역에 있다. 하라파, 간웨리왈라, 모헨조다로는 더 서쪽으로 인더스 충적평원의 다양한 강우 지역들에 자리했다. 돌라비라는 오늘날 제한적 강우를 보이는 지역에 있으며, 계절적으로 흐르는 2개의 강과 가깝고, 거대한 여러 개의 석조 저수지가 있어 예측할 수 없는 수자원 공급을 보충하는 데 도움이 되었을 것이다.

인더스 문명은 동질적 농업 체계에 의해 유지되었을 것으로 추측된다. 이 가정은 경작작물(밀, 보리)과 동물(인도 혹소zebu, 염소, 양, 물소)이라는 유사한 기반의 광범위한 활용에 기반을 둔 것이다. 그러나 현지 환경 조건, 식생, 강우, 물 공급의 변이성은 쌀과 같은 여름작물, 그리고/또는 여름작물과 겨울작물의 조합에 의존하는 전략 등 서로 다른 지역에서 각기 성공적 농경을 위한 독특한 적응이 필요했을 것이다. 관행의 변이성 수준은 특정 지역에서 개별 동식물종의 활용 비율에 대한 증거들이 좀 더 널리 알려질 때 확실해질 것이며, 몇몇 프로젝트는 현재 인더스와 그 주변 인구들의 생계 관행의 변동성 정도를 규명하는 것을 목표로 하고 있다.[35] 주민들은 영속적이건 일시적이건 수로기 있는 경우는 이를 이용했고, 수로가 없는 경우는 운하·연못·강우에 의존했을 것으로 추정된다. 특히 관개가 없이도 작물을 재배하기에 충분한 겨울비가 내리는 지역에서는 강우에 의존했을 것이다. 관개는 인더스의 농경 관행에 기여한 요소에서 종종 제외되지만, 딜립 K. 차크라바르티Dilip K. Chakrabarti는 관개를 중요한 요소로 오랫동안 주장했다.[36] 이와 유사하게 인더스 시대에 연못들의 역할도 고려할 요소다.

차크라바르티는 모헨조다로가 로탈보다 18배나 규모가 크지만 두 유적 모두에서 구운 벽돌집, 정렬된 도로, 배수시설, 공예품 생산의 흔적 등이 있다는 점을 주목할 때, 인더스 정주지에서 명확했던 [도시]계획 및 공예 관행과 규모 사이에 직접적 상관관계는 없다고 강조했다.[37] 그의 말을 인용하면 "마을, 타운, 도시 사이의 구분은 하라파 정주지들 사이에서는 어느 정도 불분명하다."[38]

거대 규모의 인더스 도시 중심지들은 서로 상당히 떨어져 있었음이 분명하며, 그 거리는 280킬로미터에서 835킬로미터까지의 범위다.[39] 이들 거리는 인더스 문명의 공간적 역학 관계와 정치적 조직이 동시대 메소포타미아의 그것과는 달랐음을 두드러지게 하는데, 메소포타미아의 경우에는 주요 도시들이 종종 25킬로미터 이내에 있었다(2장 참조). 규모는 여러 가지로 중요한 요소이며 인더스 문명 전체의 규모와 그 정치적 구조의 본질을 생각해볼 때, 소수의 도시 중심지들이 실질적으로 이용가능한 모든 농경지, 정주지, 그리고 이곳들을 차지했던 인구를 통제했는지 고려하는 것이 중요하다. 농촌 타운과 마을이 많은 경관에서는 인더스 도시들이 표준이라기보다는 예외다. 이런 분포는 소규모의 지역적 중심지들과 타운들이 상호 교류 과정과 통제 구조에서 중요한 역할을 했음을 암시한다.

하라파와 여러 정주지에 공급된 석물 원자재의 획득 네트워크에 대한 자세한 분석에 의하면, 서남아시아 전역에서 현지, 지역, 원거리 차원에서 운영되는 네트워크의 존재가 절정에 도달했던 도시 인더스 시기에 도시들이 서서히 확대되었고 영향력을 넓혀갔다.[40] 구자라트에서 정주지들, 특히 골라-도로와 같은 소규모의 정주지들이 등장하게 된 동인의 하나는, 어쩌면 돌라비라에서도 나타날 수 있지만, 이 지역의 다양한 석재와 풍부한 조개 자원을 바로 이용하려는 욕망이었을 것이다. 돌라비라는 실제로 자급자족이 어려웠을 수 있으며 상인집단이 모든 활동을 주도했을 수 있었을 것이다.[41] 따라서 교역 및 원자재 획득과 관련된 광범위한 네트워크로의 통합은 그 목적 자체뿐 아니라 생존에도 매우 중요했을 것이다.

또 현지, 지역, 원거리, 국제 규모에서 거래되는 완제품에서 통합적 교역과 교환 네트워크가 존재했다는 확실한 증거가 있다. 현지 교역의 증거는 주로 공예품의 유통을 통해서 제시되며, 공예품은 종종 경제적 번영의 외부적 징후가 거의 없는 아주 소규모인 마을 유적지에서 발견된다. 인더스 정주지 수트카겐-도르Sutkagen-dor와 수트카코Sutkakoh는 이란 동부로 향하는 육로에 면한 마크란Makran(파키스탄)의 해안지대에 있고, 쇼르투가이Shortugai는 북부 아프가니스탄의 청금석靑金石, lapis lazuli 공급지 가까이에 있다. 이 정주지들의 정확한 존재 이유는 불분명한데, 아마 교역 촉진에 중요한 역할을 한 국경 정주지[42]이거나 그 자체로 인더스 문명 범위 너머에 이식된 식민지일 수 있으며, 대규모의 전문적 교역 일족이 후원하는 원거리 자원 추출 사업에 관여하는 곳이었을 수도 있다.[43]

인더스의 사치 공예품은 우르(약 기원전 2600~기원전 2400년)의 유명한 초기 왕조 왕실 묘지를 포함해 페르시아만과 메소포타미아 전역에 퍼져 있는 정주지에서 발견되었다(2장 참조). 이는 인더스 도시들의 최초 번영기 당시의 교역을 증명한다. 그러나 현지 물품이 아닌 외래의 물품들이 남아시아에 이동했다는 증거는 거의 없는데, 이는 고급 인더스 물품을 얻기 위해 거래된 상품이 부패하기 쉬웠거나 아마도 현지에서 가공될 원재료 혹은 미완성 형태의 물품(예컨대 구리)으로 제공되었다는 점을 시사한다. 외부적 교역은 의심할 바 없이 경제적으로 중요했으나, 수입품의 결여는 인더스 엘리트들이 자신들의 지위와 위세〔위신〕prestige를 과시하기 위한 외국의 이국적 물품이 거의 필요하지 않았음을 시사한다.

인더스 사회의 속성, 종교, 사회질서 혹은 조직 원리에 대해서는 합의된 바가 없다. 인더스 문명의 독특성에 대한 인식은 주로 저명한 개인에 대한 자료의 부족과 확실한 종교적 기념 건물들이나 궁전들이 없다는 점에 기초를 둔다. 그러나 모헨조다로에 두드러지게 신성한 구조물들과 궁전들이 있었을 가능성은 새로운 해석을 가능하게 한다. 아마도 새로운 제안에서 가장 매력적인 점은 이들 구조물이 도시에서 어느 한 지점에 고립적으로 위치하지 않고 여러 곳에 분포했다는 것이다. 이것은 경제적이고 정치적인 통제가 최소한 도시 안에서는 중앙집중되어 있지 않았음을 나타낸다.

인더스 문명의 정치적 통합 정도는 불분명하다. 통합에 관한 주장은 대부분 인더스 물질문화의 구별되는 집합체들이 여러 장소에 존재한다는 믿음에서 비롯한다. 그러나 물질적 동질성의 정도가 과장되었을 가능성이 있고, 유사한 물질의 광범위한 증명이 실제로 상당한 수준의 지역적 다양성을 덮고 있는 장막일 가능성도 있다. 새 유적지가 발견되면 통상적으로 보고서에 '인더스' 물질이 나타났다고 기록되지만, 광범위한 다른 문화의 물질 역시 재발견되어 독특하게 장식된 도자기 그릇과 조각상과 같이 지역적으로 구별되는 물질도 그곳에서 사용되었다는 것이 증명된다.

이런 관찰들은 인더스 문명이 하나의 국가였는지 아닌지를 둘러싼 논쟁에서 중요하다. 도시에 대한 부족장 통제에 기반을 둔 비국가적인 정치적 구조에서부터 최대 15만 제곱킬로미터의 거대한 배후지를 통제하는 인더스 도시들을 가정하는 도시국가city-state 구조에 이르기까지 다양한 대조적 모델들이 제시되었다. 그런데 개별 도시와 중심지 간 상호작용은 어느 시나리오에서도 완전히는 설명되지 않는다. 반대를 위한 명확한 증거가 존재하지 않기에, 인더스 도시 각각은 독립된 정치체였던 것으로 보인다. 더 작은 규모의 도시 중심지들이 더 큰 규모의 도시에 종속되었을 수도 있지만, 그들 또한 잠재적으로 자신의 고유한 권한을 지닌 정치체였을 것이다. 개별 도시의 인구는 사회-경제적으로 분리된 구역에 거주한 수평위계적으로 조직된 경쟁적 엘리트에 의해 지배된 것 같다. 이 집단들과 도시 인구의 다른 구성원들은 다채롭고 구별되는 물질문화를 보여주는바, 여기에는 외래의 것이거나 현지에서 구할 수 있는 원재료로 만들어지고 유사한 특화된 공예

기술을 사용해 다양한 장소에서 생산되며 유사한 도상圖像, iconography 을 표현하는 물품이 포함된다. 완제품 또한 광범위하게 거래되고 교환 되었다. 비슷한 물질들이 도시들과 더 작은 규모의 도시 중심지들에서 생산·교환·사용된 것은 도시 인구가 서로를 모방했을 수 있다는 점을 암시한다. 이러한 요소들은 모두 콜린 렌프루Colin Renfrew가 제시한 동료-정치체 상호작용peer-polity interaction 모델에 부응하는데, 이 모델에서 자율적 사회-정치적 단위 간 상호작용은 외부의 다른 영역과의 연결보다 중요하다. 그리고 변화의 과정은 경쟁(전쟁 포함), 경쟁적 본뜸, 상징적 동반, 혁신의 전달, 상품 교환의 증가 형태 속에서 표출된 동료-정치체 상호작용의 결과로 발생한다.[44] 인더스 도시에 대한 일반적 인식과 깔끔하게 일치하지 않는 이 정의의 유일한 요소는 전쟁의 역할 이다. 그러나 에드워드 코르크Edward Cork는 전쟁의 증거가 고대 사회 에서는 특히나 드물다고 지적한다.[45] 인더스 문명과 동시대 다른 사회 들의 주요 차이점은 따라서 폭력의 표상이라고 볼 수 있는바, 이는 이념 및 중심지들 간 거리 둘 다와 연관이 있을 수 있다.

기원전 제2천년기 초반에 모든 거대한 인더스 도시 중심지들이 극적으로 그 규모가 작아지거나 버려진 것으로 보이고, 정주지가 집중된 위치에도 변화가 나타났다. 이 변화가 인더스 도시체계urban system 의 붕괴 혹은 변화를 나타내는지에 대해서는 합의된 바가 없으며, 변화의 구체적 이유가 명확하지 않기 때문에 합의가 어렵다. 변화의 가능한 원인으로는 강우량 감소, 건조화 또는 건조도 증가, 벽돌 생산으로 인한 자원 고갈, 인구 증가, 하천 흐름 변화 같은 자연적 요인을 들수 있다. 침략 증가, 사회 진화, 그리고 자연 변화에 대한 대응 같은 인적 요인도 들 수 있다.[46] 인도 북서부의 사막과 평원을 가로지르는 수많은 고대 하상河床, river bed의 중요성에 대해서는 상당한 논의가 진행되었고, 이것들은 한때 장대한 인더스강과 같은 방향으로 흘러간 빙하에서 공급된 강이 흔적들이라고 믿어졌다. 그러나 후기 하라파Late Harappa와 그 후속 시기들에 집중된 연구의 부족, 구체적 연대 측정 증거의 상당한 부족, 직접 관련 있는 기후적·환경적 증거의 전적인 부족 등 이 과정을 전체로서 평가할 수 있는 증거에는 상당한 간극이 존재한다. 아마도 가장 중요한 것은 인간과 환경의 상호작용 및 인간의 환경에 대한 대응 관련 증거가 부족하다는 점일 것이다. 소규모 마을/농촌 정주지로의 거주지 이동에 관한 분명한 조짐이 있었고, 도시 이후 시기에 인도 북서부 전역에 분포하는 소규모 장소도 그 수가 증가한 것으로 보이지만, 이들 중 많은 장소가 이 시기에 형성되었고 그 이후에는 점유되지 않았다는 점에서, 모든 장소가 동시에 점유되지 않았을 가능성이 있다.

마을에서 십육대국을 거쳐 제국까지: 초기의 역사적 도시화

남아시아 도시개발의 두 번째 큰 주기는 초기 역사 시기라고 일컬어진다. 이 시기에 처음으로 아대륙 대부분의 지역에서 도시가 출현했다. 이 두 번째 도시 국면의 중심지는 갠지스평원으로, 이곳에서 십육대국의 많은 수도가 발전했다. 라즈기르Rajgir와 파탈리푸트라Pataliputra

(마가다Magadha 왕국), 카우샴비Kausambi(밧사Vatsa 왕국), 마투라Mathura (수라세나Surasena 왕국), 하스티나푸라Hastinapura(쿠루Kuru 왕국), 스라바스티Sravasti(코살라Kosala 왕국) 등이다([지역지도 I.4] 참조). 주요 도시들은 또한 탁실라Taxila, 푸시칼라바티Pushkalavati/차르사다Charsadda와 푸루샤푸라Purushapura/페샤와르Peshawar(간다라Gandhara), 비디샤Vidisha(세디Cedi), 우자인Ujjain(아반티Avanti), 브로치Broach(라타Lata), 파이탄Paithan(아스마카Asmaka), 스리랑카의 아누라다푸라Anuradhapura에서 발전했다. 아대륙 각지에서 도시들이 등장한 것 외에 도시 생활의 두 국면 사이 주요 차이점은 많은 초기 역사 시기 도시들의 유무이며, 이는 전체 인구와 도시 인구의 증가를 의미하고 사회–정치 조직의 변화를 함축한다. 초기 역사 시기 국면은 거의 독점적으로 도시 유적 발굴을 통해 조사되었으며, 이는 많은 지역적 역학이 적절하게 조사되지 않았음을 의미하고 또한 이들 도시가 어떻게 생존하고 운영되는지에 대한 이해를 제한한다.

여러 가지 측면에서, 인더스 도시주의의 쇠퇴와 함께 발생한 일에 대한 해석은 초기 역사 시기 도시들의 기원을 이해하는 데서 중요하다. 두 국면 사이의 변화를 주장하는 견해와 연속성을 주장하는 견해에는 해석적 긴장이 있다. 몇몇 학자는 연속성의 중요한 요소들이 있다는 주장을 내놓았다. 예를 들어 짐 G. 샤퍼Jim G. Shaffer는 식량생산경제food-producing economy(농경과 목축 단위), 소에 대한 숭배, 거대한 도시 정주지, 건축 자재로 이용한 진흙 벽돌 및 구운 벽돌과 석재, 대형 공공 구조물, 수자원과 관련한 특성, 고도로 특화된 수공업, 널리 분포된 동질적 물질문화, 광범위한 내부 거래 네트워크, 무게와 도량 단위의 통일적 체계, 기록물 사용 등의 유사한 형태를 지적했다.[47] 차이점으로는 쌀 의존도 증가, 확연한 군사 건축, 증가한 무기의 양, 화폐의 등장, 정치적·경제적 엘리트와 전쟁에 대한 역사적 증거, 4개 계층별 정주지 유형의 출현 등이 있다. 두 국면 사이에 일종의 전통 혹은 유산이 이어졌다고 보는 의견은 학자들이 초기 역사적 문헌(특히《아르타샤스트라Arthashastra》)을 활용해 인더스 문명의 정치 조직에 대한 해석 모델을 발전시키도록 유도했다.[48]

이 두 도시 국면 사이에는 좀 더 근본적 차이들이 있다. 아마도 가장 분명한 것은 초기 역사 시기 가장 이른 초기의 도시들로 알려진 곳들이 서로 다른 환경 속에서 나타났고 인더스 도시들이 없었던 지역을 포함해 아대륙의 거의 모든 지역에 분포한다는 것이다. 이것은 두 역학 사이에 확연한 공간적 차이가 있었음을 강조한다. 또 다양한 초기 역사 도시의 성장을 이끄는 일관된 과정은 없었으며, 도시주의가 어떤 비율로 발생했는지는 몇몇 경우에 그것이 빨랐다고 말하는 것 외에는 현재 말할 수 있는 게 없다. 인더스 도시 중심지들의 쇠퇴와 도시들의 재등장 사이에 있는 시간이 어느 정도였는지는 확실치 않은데, 주로 간격의 양 끝의 연대가 부정확하기 때문이다. 두 국면 사이의 격차는 도시에 대한 가시적 기준점이 없었을 여러 세대를 통해 어떻게 전통이 계승되었는지 질문해보아야 한다는 점을 의미한다. 아마도 주요 도시들이 존재하지 않았던 시기에는 소규모 중심지들이 권력과 교역의 거점으로 자리를 차지했었을 것이다.

인더스 도시들의 쇠퇴 이후 아대륙 전역의 여러 지역에서 뚜렷한 문화 집합체들이 나타났다.[49] 이곳에서 부족장들에 의해 조직되었을 수 있는 중소 규모의 농경-목축 정주지 거주민들이 사용했던 것으로 추정되는 물질들이 나왔는데, 시원적 도시화, 타운계획town planning, 대규모 교역 혹은 글쓰기의 흔적은 보이지 않았다. 갠지스평원에서는 지역적으로 독특한 물질의 집합체들이 북방흑색연마도기Northen Black Polished Ware, NBPW의 수용을 통해 계승되었다는 증거들이 있다. 이 도기는 일부 지역에서 기원전 약 600년부터 보이는바 기원전 300년 무렵에는 흔한 모습이 되었고, 일반적으로 많은 정주지가 주요 도시들(예컨대 하스티나푸라와 아히치차트라Ahichchatra)로 성장하는 것에 연관이 되었다.[50] 조지 에르도시George Erdosy는 카우샴비에서 북방흑색연마도기 사용으로의 전환(약 기원전 550~기원전 400)이 정주지의 빠른 성장(50헥타르), 주요 성벽의 건설, 주변 지역 내에 제2의 중심지(12헥타르)와 제3의 중심지(약 6헥타르)의 등장과 일치하고, 이 모든 것은 인구의 빠른 증가를 암시한다고 주장했다.[51] 기원전 3세기에 카우틸랴Kautilya가 쓴 《아르타샤스트라》에 크게 의존하는 에르도시는 이런 이동이 지역적 차원에서는 농경-목축에 종사하는 마을, 제조업·시장·치안·징세에 관여하는 소규모 중심지, 사치품 제조에 관여하는 타운, 전체적으로는 도시에 의해 통제되는 정치적·경제적 중앙집권화로의 변화를 의미한다고 추측했다.[52] 갠지스평원의 도시들은 여름작물과 겨울작물 모두를 수확하기에 좋았고 전략적 자원들 가까이에 잘 자리를 잡았다. 도시 주변이 알라하바드Allahabad 권역에서 가장 메마른 토양으로 둘러싸인 카우샴비는 철광석 자원과 가까운 곳이었고, 라즈기르 역시 조건이 비슷한 곳에 자리를 잡았다. 성곽의 유무와 〔도시〕계획의 증거 역시 확실하다. 초기 역사 시기 도시들을 둘러싼 견고한 성벽들은 일반적으로 중심지 간 경쟁과 갈등이 있었음을 말해주는 증거로 받아들여진다. 그러나 성벽들은 또한 사회-경제적 위계의 존재를 암시하며 의심의 여지 없이 엘리트들이 권력을 구현하기 위해 사용하는 전략의 한 부분으로도 제시된다.

갠지스평원의 발전 외에, 다른 지역들에서도 매우 중요한 발전들과 다른 역학이 작용하고 있었다는 증거가 있다. 대규모 정주지들이 아대륙의 극서부 경계(페샤와르계곡의 차르사다와 반누Bannu분지의 아크라Akra) 국경 지역에서 발전했으며, 지역적으로 구별되는 물질문화는 이 과정에서 커다란 변화의 징후를 거의 드러내지 않았다. 이 대규모의 정주지들은 아대륙을 더 큰 중앙아시아 및 서아시아를 연결하는 주요 도로(카이베르Khyber고개, 쿠람Kurram고개, 토치Tochi고개)에 근접한 곳에 자리를 잡았다. 이들 중심지의 성장은 갠지스평원 가장 이른 초기의 도시들보다 약간 더 이른 초기에 일어난 것으로 보이는데, 이는 이 과정이 독립적이었다는 점을 시사한다. 이모작은 피라크Pirak와 아크라에서도 이루어졌으며, 이 두 곳은 건조 혹은 반半건조 지대들로서 여름비가 부족하거나 거의 내리지 않는 지역에 있었다.

여러 지역이 도시주의의 다양한 궤적을 보여준다. 기원전 제1천년기 후반에 도시들은 우자인과 비디샤처럼 갠지스평원 남쪽에 나타났다. 이들 발전의 초기 국면들은 기존의 정주지 체계에서 진화한 것처럼 보이지만, 북방흑색연마도기의 출현이 암시하는 것처럼 이후 갠지스의 영향을 받고 잠재적으로 갠지스에서 온 사람들에 의해 대체된 것 같다. 기원전 제1천년기 초·중반에 항구도시port city들이 발전한 증거들도 있는바, 나르마다Narmada강 초입부에 있던 브로치 정주지, 콘칸Konkan 해안의 소파라Sopara, 갠지스 삼각주 지역의 찬드라케투가르

Chandraketugarh 등을 들 수 있다. 스리랑카의 아누라다푸라는 수도원 제도 등 특정한 신정神政 과정의 결과로서 생겨났다는 주장이 있는데, 이것은 논쟁의 여지가 있다.[53]

초기 역사 시기 도시성장urban growth과 도시계획urban planning의 증거는 상당히 제한적이다. 광범위한 수평 발굴horizontal excavation이 20세기 초반에 비타Bhita와 탁실라 같은 유적지에서만 진행되었기 때문이다. 가장 이른 초기 역사 시기 도시들의 배치는 주로 강이나 언덕과 같은 자연경관natural landscape의 특성에 크게 부합하는 형태로 나타났다(예컨대 라즈기르, 마투라, 카우샴비). 십중팔구 남아시아 초기 역사 시기 도시들의 가장 특징적인 요소는 많은 발굴의 초점이 된 요새 성벽fortification wall일 것이다(예컨대 카우샴비, 우자인, 시수팔가르Sisupalgarh). 요새 성벽은 대개 대규모로 지어졌고, 종종 250헥타르[2.5제곱킬로미터]에 이르는 거대한 지역을 둘러싸고 있었으며, 구운 진흙 벽돌, 진흙, 목재 등 여러 재료로 만들어졌다. 또 요새 성벽들은 성벽, 옹벽, 탑과 문 같은 방어적 특성을 통합했다. 카우샴비, 라즈기르, 우자인, 라즈가트Rajghat 주변의 가장 이른 초기의 요새화는 기원전 550년 무렵이었고, 대부분의 도시에서 일어난 주요 성장 국면은 기원전 300년 무렵에 절정을 맞았다. 특히 가우타마 붓다Gautama Buddha[석가모니]의 탄생이 그 사이에 있었다. 도시들에서는 북방흑색연마도기의 출현이 공통적이었으며 종종 압인壓印 표시가 있는 은화들도 함께 나타났다. 갠지스평원의 초기 역사 시기 도시들은 흔히 테라코타의 원형 우물, 진흙 벽돌 건축과 내화 벽돌 건축, 저수지를 보유했다.

갠지스평원에 요새화한 도시들이 부상하면서 대체로 동시대인 남아시아의 가장 서쪽 가장자리 지역은 〔고대 페르시아의〕아케메네스 Achaemenes〔Achaemenid〕제국(기원전 520년경)에 편입되었다. 이란고원으로부터의 정치적 영향력이 확대되면서 아케메네스 제국은 기존의 문화적으로 구분되던 지역을 병합했다.[54] 제한적인 발굴로 차르사다와 아크라 등이 아케메네스 제국에 편입된 이후 그 도시들에 페르시아 행정 건물이나 궁전이 설립된 증거는 밝혀지지 않았으나, 아케메네스 제국의 음료수 그릇의 본뜸에 대한 약간의 증거는 지역 엘리트들이 권위의 몇몇 상징과 특정한 식문화를 받아들였음을 나타내는 것일 수 있다. 마케도니아의 알렉산드로스 대왕은 아케메네스 제국을 기원전 4세기 후반에 침입했는데, 도시 생활에 영향을 준 제국 확장의 주요 시기는 기원전 4세기 후반부터 기원전 3세기까지의 마우리아Maurya 제국이 형성되고 확장하던 동안이다〔아케메네스 제국은 알렉산드로스 대왕에게 패해 기원전 330년에 멸망했다〕. 이 시기에 마가다에 기반을 둔 중앙집권화한 정치적 권위는 아대륙 대부분에 통제권을 행사했고 이로써 광범위한 경제적 상호작용이 이루어졌다. 마우리아 시기에는 또한 불교의 확산 및 올바른 행동을 명시한 칙령이 새겨진 비문inscription의 조각이 있었다. 이러한 요소들은 의도적으로 정치적 전략으로 사용되었을지도 모른다. 마우리아 제국에는 라즈기르와 파탈리푸트라(오늘날 파트나Patna)라는 두 주요 도시가 있었고, 이 시기에 《아르타샤스트라》에서 옹호된 생각들에 분명하게 부합하는 독특한 정방형正方形 형태와 문들의 대칭적 배치를 보여주는 시수팔가르와 같은 몇몇 의도적으로 계획된 도시가 건립되었다.

마우리아가 몰락하자 뒤이어 다른 몇몇 초기 국가가 빈 영역으로

확장했는바. 남아시아 북부를 차지한 숭가Sunga와 중앙을 차지한 사
타바하나Satavahana, 중앙아시아에서 동쪽으로 확장해 남아시아 북서부
를 차지한 그리스–박트리아Graeco-Bactria(인도–그리스 왕국) 등이었다.
인도–그리스인의 통치가 남아시아로 확장함에 따라, 전체적 조망 속
에 세워졌음을 예시하는 직교直交, orthogona 계획의 특징을 지닌 몇몇 신
도시가 건설되었다(샤이칸 데리Shaikhan Dheri, 탁실라의 시르캅Sirkap, 베그람
Begram). 도시들에 대한 숭가 제국의 영향을 말해주는 증거는 훨씬 덜
명백하지만, 왕실이 종교시설 특히 바르후트Bharhut와 산치Sanchi 같은
종교 유적지의 장식을 후원한 증거가 있다. 기원전 마지막 세기와 기
원후 1세기에는 인도–스키타이인, 인도–파르티아인, 쿠샨족 등 또 다
른 침입자 집단들이 등장했다.

현지적인 중간 규모의 교역 활동이 있었던 명백한 증거는 초기 역
사 시기 남아시아 전역에서 존재한다. 차크라바르티는 생산품과 천연
원료 모두의 이동이 있었다고 언급한 바 있으며, 특정 지역의 생산품
들에 대한 언급은 초기 문학의 한 특성이기도 했다(일례로 《아르타샤
스트라》는 아대륙의 지역들을 그곳의 주요 산물을 통해 평가했다).[55] 이 증거는
'범인도pan-India' 개념의 경제가 기원전 3세기에 존재했음을 암시하는
데, 인더스 시대에 존재했던 접촉과 분배 네트워크들은 의심할 여지가
없이 연결되어 있었다. 북방흑색연마도기 그릇, 압인 표시 은화, 석재
와 완제품 조각상, 곡물·면화·직물·소금·향신료·목재 등 부패하기
쉬운 다양한 물품이 교역되었다.[56]

쿠샨족이 서西사트라프Western Satrap 및 사타바하나 제국과 공존하
던 시기에 광범위한 상업적·문화적 상호작용이 남아시아와 쿠샨 제국

전역에서 이루어졌다. 이 시기에 외국의 물품이 아대륙에 나타난 수많은 독특한 예가 있는데, 페르시아만, 아라비아, 이집트, 아프리카 연해를 통해 로마 세계와의 원거리 교역, 중국과의 육상 교류, 동남아시아와의 접촉을 나타낸다. 따라서 이 두 번째 도시화 국면에서 극적으로 다양한 양상의 경제와 교역이 작동했다. 항구들 사이의 특별한 관계는 《에리트라해 안내기The Periplus of the Erythraean Sea》와 같은 역사적 문헌에서 언급되며, 이 또한 아대륙 내륙과의 교역 활동을 암시하고 있다.

기원후 4세기에 인도 북부의 왕국들과 왕조들은 굽타Gupta 왕조에 의해 대체되었으며, 이 왕조의 통치는 산스크리트어로 된 다양한 주요 저작들의 경전화와 고품격 예술의 생산으로 종종 황금시대Golden Age 그리고/또는 브라만 르네상스Brahmanical Renaissance로 여겨졌다. 그러나 람 샤란 샤르마Ram Sharan Sharma는 굽타 시기가 농촌 인구의 증가, 화폐의 사용과 유통의 축소, 제조 품목 수의 감소를 보이는 도시 쇠퇴의 시작을 나타낸다는 주장을 제기한다. 그는 이 현상이 기원후 3세기부터 로마의 교역이 둔화했기 때문에 발생한 것으로 파악한다.[57] 그러나 많은 초기 역사 시기 도시가 조사되는 방식에 근본적 문제들이 있는 만큼 이 시기에 도시 중심지들의 광범위한 포기를 가정하는 것은 현명하지 못하다. 초기 역사 시기 말에 도시가 광범위하게 쇠퇴했다는 명백한 증거가 있다는 것보다 중세와 근대까지 일부 지역에서 일정한 도시 연속성urban continuity이 있다는 것이 더 그럴듯하다.

결론

이 장에서는 인더스 도시들과 초기 역사 시기 도시들의 공간적, 물리적, 환경적, 경제적, 정치적 맥락에 접근함으로써 남아시아 초기 도시주의의 두 국면을 맥락화하려고 노력했다. 상호 연관되어 있더라도, 초기 도시화의 두 국면은 대규모 도시들이 존재하지 않은 오랜 기간에 의해 분리된 서로 구별되는 과정으로 보인다. 인더스 문명의 다중심적 도시들이 수평위계적으로 계층화한 엘리트 집단에 지배되었다는 증거들이 늘고 있으며, 이는 초기 역사 시기에 발전한 국가 및 제국의 통치 수준과 구별된다. 또한, 두 국면 사이 대외 교역의 조직, 운영, 중요도에서도 차이가 있다. 과거 발굴들을 재검토하고 새로운 모델들(예컨대 동료-정치체 상호작용)을 제안함으로써, 인더스의 사회-정치적 질서, 특히 다양한 규모의 도시 중심지와 그 배후지를 구성하는 정주지 간의 관계 이해에 중요한 진전을 이룰 수 있을 것이다. 유사한 접근이 초기 역사 시기에 관해서도 시도되어야만 하고, 그것은 발굴에 대한 새로운 접근들로 지원되어야만 한다. 인더스 도시들의 소멸 원인과 결과, 초기 역사 시기 말의 도시 몰락 여부는 향후 연구의 핵심적 주제들이다.

주

1   G. L. Possehl, "Sociocultural Complexity without the State: The Indus
    Civilisation", in G. M. Feinman and J. Marcus, eds., *The Archaic State* (Santa Fe:
    SAR, 1998), 261-291.

2   D. K. Chakrabarti, *The Archaeology of Ancient Indian Cities* (Delhi: Oxford
    University Press, 1995); Possehl, "Sociocultural Complexity without the State:
    The Indus Civilisation", 261-291; J. M. Kenoyer, "Indus Urbanism: New
    Perspectives in Its Origin and Character", in J. Marcus and J. A. Sabloff, eds., *The
    Ancient City: New Perspectives in the Old and New World* (Santa Fe: SAR, 2008),
    85-109.

3   R. N. Singh et al., "Changing Patterns of Settlement in the Rise and Fall of
    Harappan Urbanism: Preliminary Report on the Rakhigarhi Hinterland Survey
    2009", *Man and Environment*, 35.1 (2010), 37-53.

4   P. A. Eltsov, *From Harappa to Hastinapura: A Study of the Earliest South Asian City
    and Civilization* (Leiden: Brill, 2008).

5   예를 들어 M. J. Smith, "The Archaeology of South Asian Cities", *Journal of
    Anthropological Research*, 14 (2006), 97-142.

6   Eltsov, *From Harappa to Hastinapura*.

7   예를 들어 Singh et al., "Changing Patterns of Settlement", 37-53.

8   예를 들어 Kenoyer, "Indus Urbanism", 85-109; R. P. Wright, *The Ancient Indus:
    Urbanism, Economy and Society* (Cambridge: Cambridge University Press, 2010).

9   M. Jansen, *Mohenjo-Daro: City of Wells and Drains: Water Splendour 4500 Years
    Ago* (Bonn: Bergisch Gladbach Frontinus-Gesellschaft, 1993).

10 Ibid.

11 Kenoyer, "Indus Urbanism", 85-109.

12 Possehl, "Sociocultural Complexity without the State", 261-291.

13 Jansen, *Mohenjo-Daro*.

14 G. Verardi and F. Barba, "The So-called Stupa at Mohenjo Daro and Its
    Relationship with the Ancient Citadel", *Praghdara*, 19 (2010), 147-170.

15 M. Vidale, "Aspects of Palace Life at Mohenjo-Dard", *South Asian Studies*, 26.1

(2010), 59-76.

16 Kenoyer, "Indus Urbanism", 85-109는 유적지에서 나온 가장 최근의 증거를 구체적으로 소개하고 가장 최근의 문헌자료를 포함하고 있다.

17 Ibid. 85-109.

18 R. S. Bisht, "Dholavira and Banawali: Two Different Paradigms for the Harappan urbis forma", *Puratattva*, 29 (1998-1999), 14-32.

19 Kenoyer, "Indus Urbanism", 85-109.

20 Bisht, "Dholavira and Banawali", 14-32; Eltsov, *From Harappa to Hastinapura*.

21 A. Nath, "Rakhigarhi: A Harappan Metropolis in the Saraswati-Drishadvati Divide", *Puratattva*, 28 (1997-1998), 39-45.

22 M. R. Mughal, *Ancient Cholistan: Archaeology and Architecture* (Rawalpindi: Ferozsons Limited, 1997).

23 Kenoyer, "Indus Urbanism", 85-109.

24 B. B. Lal, "Some Reflections on the Structural Remains at Kalibangan", in A. H. Dani, ed., *Indus Civilisation: New Perspectives* (Islamabad: Quaid-i-Azam University, 1981).

25 Bisht, "Dholavira and Banawali", 14-32; V. Shinde, T. Osada, and M. Kumar, *Excavations at Farmana, District Rohtak, Haryana, India, 2006-2008* (Kyoto: Research Institute for Humanity and Nature, 2011).

26 Singh et al., "Changing Patterns of Settlement", 37-53.

27 Jansen, *Mohenjo-Daro*; E. Cork, *Rethinking the Indus: A Comparative Re-evaluation of the Indus Civilisation as an Alternative Paradigm in the Organisation and Structure of Early Complex Societies* (Oxford: BAR International Series 2213 Archaeopress, 2011).

28 M. E. Smith, "Form and Meaning in the Earliest Cities: A New Approach to Ancient Urban Planning", *Journal of Planning History*, 6 (2007), 3-47 (16).

29 H. Wilkins, "From Massive to Flimsy: The Declining Structural Fabric of Mohenjo-Daro", in U. Franke-Vogt and J. Weisshaar, eds., *South Asian Archaeology 2003* (Aachen: FAAK 1, 2005), 137-147.

30 Jansen, *Mohenjo-Daro*.

31 Eltsov, *From Harappa to Hastinapura*.

32 Vidale, "Aspects of Palace Life at Mohenjo-Daro", 59-76.

33 Kenoyer, "Indus Urbanism", 85-109.

34 Singh et al., "Changing patterns of settlement", 37-53.

35 예를 들어 R. N. Singh et al., "Settlements in Context: Reconnaissance in Western Uttar Pradesh and Haryana, April and May 2008" *Man and Environment*, 33 ? (2008), 71-87.

36 D. K. Chakrabarti, *The Oxford Companion to Indian Archaeology* (Delhi: Oxford University Press, 2006).

37 Chakrabarti, *The Archaeology of Ancient Indian Cities*.

38 Ibid.

39 J. M. Kenoyer, *Ancient Cities of the Indus Valley Civilization* (Karachi: Oxford University Press, 1998), 50, Table 3.1.

40 R. Law, "Inter-regional Interaction and Urbanism in the Ancient Indus Valley: A Geological Provenience Study of Harappa's Rock and Mineral Assemblage", *Linguistics, Archaeology and the Human Past, Occasional Paper*, 11 (2011), 1-800.

41 T. J. Thompson, "Ancient Stateless Civilisation: Bronze Age India and the State in History", *The Independent Review*, X.3 (Winter 2005), 365-384.

42 Wright, *The Ancient Indus*.

43 Thompson, "Ancient Stateless Civilisation", 371.

44 C. Renfrew, "Introduction: Peer Polity Interaction and Socio-Political Change", in C. Renfrew and J. F. Cherry, eds., *Peer Polity Interaction and Socio-Political Change* (Cambridge: Cambridge University Press, 1986), 1-18 (6-7).

45 Cork, *Rethinking the Indus*.

46 F. R. Allchin, ed., *The Archaeology of Early Historic South Asia: The Emergence of Cities and States* (Cambridge: Cambridge University Press, 1995), 특히 3장을 보라.

47 J. Shaffer, "Reurbanisation: The Eastern Punjab and Beyond", in H. Spodek and D. M. Srinivasan, *Urban Form and Meaning in South Asia: The Shaping of Cities from Prehistoric to Precolonial Times* (Washington, D.C.: National Gallery of Art, 1993), 57-67.

48 예를 들어 J. M. Kenoyer, "Early City-States in South Asia: Comparing the Harappan Phase and the Early Historic Period", in D. L. Nichols and T.

H. Charlton, eds., *The Archaeology of City-States: Cross Cultural Approaches* (Washington, D.C.: Smithsonian Institution, 1997), 51-70; Eltsov, *From Harappa to Hastinapura*.

49 Chakrabarti, *The Archaeology of Ancient Indian Cities*; id., *The Oxford Companion to Indian Archaeology*.

50 M. Lal, *Settlement History of the Ganga-Yamuna Doab* (Delhi: 1984); S. K. Jha, *Beginnings of Urbanisation in Early Historic India* (Patna: Novelty & Co., 1998).

51 G. Erdosy, "City States of North India and Pakistan at the Time of the Buddha", in F. R. Allchin, ed., *The Archaeology of Early Historic South Asia: The Emergence of Cities and States* (Cambridge: Cambridge University Press, 1995), 99-122.

52 Erdosy, "City States of North India and Pakistan at the Time of the Buddha", 99-122.

53 R. A. E. Coningham et al., "The State of Theocracy: Defining an Early Medieval Hinterland in Sri Lanka", *Antiquity*, 81 (2007), 699-719. 이는 다음 논문에서 비판받았다. S. Goonatilake, "Social Construction and Deconstruction of a 'Theocracy'", *Antiquity*, 85 (2011), 1060-1065.

54 P. Magee et al., "The Achaemenid Empire in South Asia and Recent Excavations at Akra in Northwest Pakistan", *American Journal of Archaeology*, 109 (2005), 711-741; C. A. Petrie, P. Magee, and M. N. Khan, "Emulation at the Edge of Empire: The Adoption of Non-Local Vessel Forms in the NWFP, Pakistan during the Mid-late 1st Mill BC", *Gandharan Studies*, 2 (2008), 1-16.

55 Chakrabarti, *The Oxford Companion to Indian Archaeology*.

56 Chakrabarti, *The Archaeology of Ancient Indian Cities*.

57 R. S. Sharma, *Urban Decay in India* (Delhi: Mushiram Manoharlal, 1987).

참고문헌

Allchin, F. R., ed., *The Archaeology of Early Historic South Asia: The Emergence of Cities and States* (Cambridge: Cambridge, 1995).

Chakrabarti, D. K., *The Archaeology of Ancient Indian Cities* (Delhi: Oxford University

Press, 1995).

Chakrabarti, D. K., *The Oxford Companion to Indian Archaeology* (Delhi: Oxford University Press, 2006).

Eltsov, P. A., *From Harappa to Hastinapura: A Study of the Earliest South Asian City and Civilization* (Leiden: Brill, 2008).

Jansen, M., *Mahenjo-Daro: City of Wells and Drains: Water Splendour 4500 Years Ago* (Bonn: Bergisch Gladbach Frontinus-Gesellschaft, 1993).

Kenoyer, J. M., "Early City-States in South Asia: Comparing the Harappan Phase and the Early Historic Period", in D. L. Nichols and T. H. Charlton, eds., *The Archaeology of City-States: Cross Cultural Approaches* (Washington, D.C.: Smithsonian Institution, 1997), 51-70.

Kenoyer, J. M., "Indus Urbanism: New Perspectives in Its Origin and Character", in J. Marcus and J. A. Sabloff, eds., *The Ancient City: New Perspectives in the Old and New World* (Santa Fe: SAR, 2008), 85-109.

Possehl, G. L., "Sociocultural Complexity without the State: The Indus Civilisation", in G. M. Feinman and J. Marcus, eds., *The Archaic State* (Santa Fe: SAR, 1998), 261-291.

Singh, R. N. et al., "Changing Patterns of Settlement in the Rise and Fall of Harappan Urbanism: Preliminary Report on the Rakhigarhi Hinterland Survey 2009", *Man and Environment*, 35: 1 (2010), 37-53.

Wright, R. P., *The Ancient Indus: Urbanism, Economy and Society* (Cambridge: Cambridge University Press, 2010).

제6장

중국
China

낸시 S. 스타인하트

Nancy S. Steinhardt

사회-정치적 영역에서처럼 학문 영역에서 글로벌 담론과 결합하려는
시도들에서, 중국은 독특한 도전을 제공한다. 부분적으로 역사적·지
리적 원인 때문이다([지역지도 I.5] 참조). 국경선이 바뀌었음에도 중국
은 거의 4000년에 이르는 연속적 왕조들의 역사를 가졌으며, 중심적
성省들은 범위가 동쪽에서 서쪽으로는 3000킬로미터 이상 펼쳐져 있
고 북쪽에서 남쪽으로는 그 절반에서 3분의 2 사이만큼 펼쳐져 있다.
이 책에서 언급되는 고대 도시들이 있는 어떠한 국가나 지역도 21세기
에 중국의 경우처럼 지속적인 과거의 연속으로 간주되지 않는다. 언어
장벽 역시 중국이 글로벌 노력으로부터 고립된 부분적 원인이다. 중국
은 정치체계와 인간관계만 아니라 도시주의urbanism를 다루고 있는 수

천 년 기록의 역사와 아울러 근현대 학문의 폭넓은 참고자료들을 가지고 있다. 중국의 문헌 자료 없이 중국의 고대 도시들을 고려하는 것은 중요 문제를 축소하거나 우회하는 것과 마찬가지다. 중국의 어느 시기도 그 자체로 글로벌 차원의 평가에 도움을 주지만 여기서는 고대를 살펴볼 것이다. 중국의 거의 모든 고대 도시주의는 고고학을 통해 거의 전적으로 문서화되어 문자 사용 이전의 세계적 문명들과 동일한 종류의 평가를 받기 때문이다. 고고학 기록은 중국의 가장 이른 초기의 도시city들에 대해 다음 정보들을 확인해준다. 중요한 중국의 도시 정주지urban settlement들은 수천 년 지속되었고 일부는 오늘날까지 이어진다. 이들 도시 대부분은 흔히 강가나 강 인근에서 발전했고, 통치자들과 의례공간, 주택, 작업장, 묘지들을 보유했다. 청동 기술의 도래와 발전 이후 이 장소들은 확연하게 변모했다. 발굴은 또한 교역과 상업이 넓은 지역을 관통해 이뤄졌음을 알려준다.

중국 도시주의가 시작된 시점은 도시를 어떻게 정의하느냐로 결정된다. 역사적이고 언어적으로, 중국 도시에 대한 가장 명확한 정의는 성벽[성곽]wall이다. 오늘날 중국의 고고학자 대다수가 도시주의를 성벽이 있는 정주지와 동일시한다는 점에서 성벽은 중국 도시주의의 중요한 특징이며, 중국 학자들은 도시주의의 기원을 성벽의 유무에서 찾는다. 성城이라는 한자는 문맥에 따라 성벽 혹은 도시로 해석된다. 담장城墙[성벽, 성곽] 두른 공간enclosure이 존재하지 않을 때, 담장 두른 공간의 의도는 확연해진다. 성벽들은 동아시아 혹은 남아시아의 다른 어떤 곳보다 중국에서 더 이른 시기에 세워졌고, 이는 기원전 제2천년기로부터 유래하는 중국의 문자 체계보다 수천 년 이전이었다. 그러나 중국의 가장 오래된 성곽도시walled city들은 예리코Jericho의 기원전 제 10천년기〔기원전 10000~기원전 9001〕의 성벽보다 앞서지는 않는다.

고대ancient라는 용어는 중국에서 표준적 의미를 지닌다. 중국 건축과 도시주의의 맥락에서 고대古代라는 단어는 '고대 시기ancient period'라고 번역되며, 1840년대에 서양과 아편전쟁阿片戰爭, Opium Wars을 치를 때까지 이어진다. 도시연구자들에게 1840년대 이후는 근대近代, modern라고 불리며 이후 중국은 더는 서양의 자국 개입에 저항할 수 없게 된다. 대부분의 서양 학자들이 논의한 대로, 이 책에서 중국은 직관적이고 더 짧은 시기들로 구분된다. 중국의 가장 오래된 도시들에 관한 이 장은 도시주의의 가장 이른 초기의 증거로 시작되며 수隋(589~618)의 중국 재통일까지 이어진다. 6000년 동안의 초기 중국 도시들에 대한 논의는 기술적 혹은 정치적 발전에 따라 5개 범주로 구분된다. 청동기 이전, 청동기, 전국시대, 최초의 제국들, 분열 시기가 그것이다.

문헌 기록 이전의 중국의 도시

수렵, 채집, 또는 농경을 함께한 확대가족extended family 혹은 더 큰 단위의 집단 정주지들은 중국에서 도시들이 형성되거나 건설되기 수천 년 전에 형성되었다. 거주민들이 석기를 사용하고 죽은 이들을 묘지에 매장하고 도기를 생산한, 성벽으로 둘러싸인 정주지들의 흔적은 기원전 제6천년기로 거슬러 올라간다. 후난湖南성 리澧현의 한 마을에 있는 아래가 6미터이고 위가 1.5미터로 좁아지는 성벽이 그 사례로, 대략 직사각형 모양으로 300헥타르(3제곱킬로미터)에 이르는 영역을 둘러싸고 있다. 이 성벽은 도랑에 의해 감싸여 있는데, 아마도 전근대 중국 도시들의 표준이 될 해자埃子/埃字를 예견하고 있는 것 같다. 북쪽으로 수천 킬로미터 떨어진 네이멍구內蒙古자치구 〔츠펑赤峰시〕 아오한치敖漢旗에는 도랑이 성벽이 남겨지지 않은 비슷한 크기의 또 다른 정주지를 둘러싸고 있다. 기원전 6200~기원전 5400년, 아오한치 정주지의 주택들은 줄지어 배치되었다. 더욱 복합적인 정주지들의 잔해가 존재하는데, 허난河南성 우양舞陽현의 기원전 7000~기원전 5800년 시기 550헥타르 유적지에서는 성벽은 없었지만 9개의 도기 가마, 제물로 바쳐진 10마리의 개 무덤, 32개의 항아리 무덤, 45개의 건물 기단, 349개의 무덤, 370개의 잿 구덩이, 피리 등 수천 개의 물품이 나왔다. 중국의 최서단最西端 간쑤甘肅성 〔친안秦安현〕 다디완大地灣에서는 기원전 제5천년기의 반半지하 공동주택이 발견되었다.[1] 마찬가지로 기원전 제5천년기에 산시陝西성 시안西安시 동쪽의 반포半坡에 세계적으로 유명한 양사오仰韶 문화의 정주지가 생겨났다. 1000년 뒤, 500헥타르 규모의 유적지에는 적어도 3가지 크기의 집, 3개의 묘지, 도기 작업장, 가축 우리가 포함되었다.[2] 해자로 둘러싸인 거의 원형의 성벽은 기원전 3300~기원전 2800년에 허난성 정저우鄭州의 양사오 정주지를 둘러쌌다. 성벽은 나무 널판으로 틀을 만들고 틀에 다진 흙을 채웠다. 해자와 마찬가지로, 다진 흙인 항토夯土는 기원후 제2천년기에 사용되었으며 그 기원은 거의 7000년을 거슬러 올라간다. 원형圓形의 정주지들이 이 시기에 선호되었다고 단정 지을 수는 없고, 마찬가지로 이것이 수천 년 후까지 중국에서 유지될 의례적 건축을 예견한 것이라 가정할 수도 없지만, 후난성 리현의 청터우城頭산은 유사하게 원형 성벽과 해자로 둘러싸여 있었다.[3] 이곳은 800헥타르[8제곱킬로미터]에 걸쳐 있고 동시대 아시아의 알려진 어떤 정주지보다 규모가 크다. 기원전 3000년 무렵 체계적으로 배열된 주거 건축, 묘지, 때때로 작업장을 갖추고 배수로로 둘러싸인 흙 다짐terre pisé 성벽을 두른 정주지들이 중국 전역에 세워졌다. 이 정주지들은 아마도 마을village이거나 혹은 아마도 원原도시proto-city일 것이다.

기원전 제3천년기에 중국의 도시혁명urban revolution을 가정할 수 있다. 첫 번째 주요 변화는 규모였다. 도시들은 어느 방향으로건 90킬로미터에 퍼져 있는 인구를 감당할 수 있었다. 산시山西성 남부 샹펀襄汾현의 타오쓰陶寺가 하나의 사례다. 거의 300헥타르에 여러 개의 성벽으로 둘러싸인 타오쓰는 도시 중심지urban centre를 가진 국가를 중심으로 조직된 사회의 전조 혹은 매우 이른 사례이며, 이런 양상은 중국에서 수천 년 넘게 지속된다. 문헌이나 적합한 정보가 무덤들에서 발견되지 않은 만큼 타오쓰가 도시국가city-state인지는 확실치 않다. 이 개념은 이후의 시기에 적합할 것이다. 기원전 제3천년기 도시혁명의 두 번째 요소는 '큰 집[주택]great house'을 의미하는 다팡쯔大房子다. 이 중국어 용어는 정주지 내 다른 집들보다 현저하게 큰 구조물을 지칭하는바, 다팡쯔의 존재는 궁전이나 의례공간으로 이해되었다. 따라서 왕족 그리고/또는 사제 계급이 있었다고 추정할 수 있다.

중국에서 기원전 제3천년기 도시주의에 대한 가장 인상적인 증거 중 일부는 룽산龍山으로 알려진 신석기 문화와 관련 있다. 이 시기 룽산 정주지들은 50개 이상의 성벽으로 둘러싸여 있었고 황허강과 양쯔강을 따라 자리했다. 3개의 성벽과 몇몇 문이 허난성[정저우시] 구청

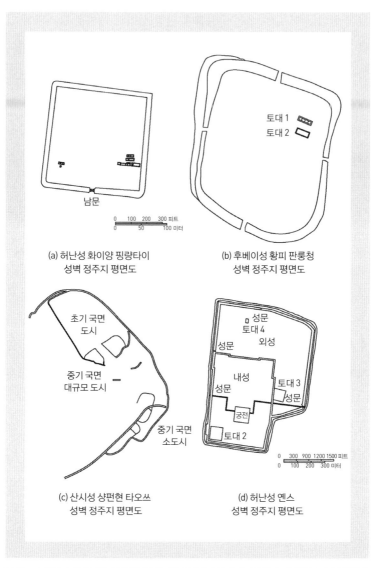

(a) 허난성 화이양 핑량타이
성벽 정주지 평면도

(b) 후베이성 황피 판룽청
성벽 정주지 평면도

(c) 산시성 샹펀현 타오쓰
성벽 정주지 평면도

(d) 허난성 옌스
성벽 정주지 평면도

[도형 6.1] 중국의 성곽 정주지 (a) 허난성 화이양 핑량타이 (b) 후베이성 황피 판룽청 (c) 산시山西성 샹펀 타오쓰 (d) 허난성 옌스

자이古城寨에서 발견되었다.[4] 성벽과 건물 토대foundation들은 흙다짐 기술이 적용되었다. 1920년대에 발견된 이래로 룽산의 가장 유명한 도시는 산둥山東성 [지난濟南시] 장추章丘의 청쯔야城子崖에 있다.[5] 기원전 2600년 무렵의 성벽은 특이하게도 불규칙한 직사각형으로 가로세로 대략 445×540미터다. 동시대 허난성 [저우커우시周口市] 화이양淮陽 핑량타이平粮台는 정방형正方形 도시의 가장 이른 초기의 증거로서, 2500년 뒤 통치자의 도시로서 특화된 이상적 형태였다. 185제곱미터밖에 안 되지만 핑량타이의 두 가지 특성은 이후의 많은 중국 제국 수도capital의 한 부분이 될 것이었다. 도시 남부 성벽의 중심에 있는 두드러진 입구와 도시를 두 부분으로 나누는 입구로부터 길게 뻗은 길이 그것이다. 핑량타이에서 주목할 것은 도기 배수관들이다. 이 배수관들의 사용은 고대 인도 도시 모헨조다로의 배수 체계 구현과 동시대에 이루어졌다([도형 6.1] 참조).

기원전 3000년 무렵에 중국에서 번성한 유적지들은 도시 의례 건축의 강한 증거를 제공한다. 홍산紅山 문화(기원전 4700~기원전 2900년 무렵)의 한 사례로 7미터 이상 솟은 거대한 언덕이 랴오닝遼寧성 뉴허량牛河梁에 남아 있는데, 여성 조각상의 파편들이 발견되어 여신묘女神廟로 알려졌다. 마찬가지로 여기서 석재 기단platform들과 묘지 봉분들 아래에서 옥기玉器을 비롯한 여러 값비싼 물품이 발견되었다.[6] 중국의 남부 지방 상하이上海 주변, 위산玉山과 량주良渚 문화(기원전 3300~기원전 2000년 무렵)의 다른 유적지들에서는 도시 생활에 필수적인 의례 제단과 옥기가 발굴되었다.[7] 고고학자 류리劉莉는 이 시기의 잔해가 조상 숭배의 증거일 수 있고 20세기 중국까지 지속될 또 다른 관습이라고 제안했다.[8] 조상, 신, 혹은 왕 가운데 누가 의례의 주역이었는지의 여부와 상관없이, 흙다짐 성벽들과 몽골부터 저장浙江성, 황허강에 이르기까지 나타나는 제단들은 약 2500년 뒤에 중국을 통합하게 하는 지역들을 가로지르는 공통적 관습을 확인해준다.

기원전 제2천년기의 시작은 종종 하夏 왕조(기원전 2070~기원전 1600년 무렵) 시기와 일치한다. 더 폭넓게 수용되어 이어지는 왕조는 상商(기원전 1600~기원전 1046년 무렵)이다. 청동 물품들의 제작은 상 왕조 이전부터 있었고 상형문자 체계가 이 시기에 개발되었다. 중국 하·상 왕조의 가장 큰 규모의 도시들은 황하강을 따라 자리를 잡았다.

청동기시대 중국의 도시들

상 대代 도시들은 과거에 비교하면 거대했고 몇몇은 분명 왕들에 의해 건설되었다. K. C. 창K. C. Chang, 장광즈 張光直은 초기 청동기의 중국 도시들이 거의 전적으로 통치 엘리트가 자신을 위해 건설한 행정 중심지라고 주장했다.[9] 고고학적 자료들이 계속해서 그의 주장을 뒷받침하고 있다. 주周 왕조(기원전 1046~기원전 221년 무렵) 시기와 대체로 일치하는 청동기시대와 철기시대인 기원전 제1천년기의 중국 문헌들은 수도 이전이 상 왕실의 표준적 관행이었다는 정보를 제공해준다. 또 문헌들은 도시의 방향성이 건설에서 최우선으로 고려되었고, 이는 별자리·일광日光, 그리고 하수관 같은 건설 도구들에 의해 결정되었다고 알려준다.[10]

허난성 뤄양洛陽시와 가까운 얼리터우二里頭는 400헥타르(4제곱킬로미터]에 달한다. 지금까지 성벽은 발견되지 않았다. 여기에는 기원전 1900년~기원전 1500년 무렵까지의 4개 문화 지층이 존재한다. 지금까지 발견된 것은 7개의 거대한 궁전 복합단지(복합체)palace complex, 작爵(참새 부리 모양 술잔), 정鼎(세 발 솥), 합盒(세 발 주전자)이라고 알려진 청동제 그릇, 녹송석綠松石, turquoise과 옻칠 물품, 뼈가 놓여 있는 청동 함, 도기들이며, 이 물품들은 얼리터우 도시 생활의 복잡성을 증명해준다. 녹송석은 현지 산물로 여겨진다는 점에서 다른 지역들과의 교역의 증거는 아니다. 얼리터우는 상 왕조 왕들이 거쳐간 7개 수도 가운데 첫 번째였을 것으로 추정된다.[11] 오늘날 허난성의 성도 소재지인 정저우와 가까운 얼리강二里岡에 있는 상 왕조 도시가 수도들 가운데 하나라는 것에는 거의 의심의 여지가 없다. 상 왕조 초기 절반의 시기 동안 가장 중요했던 도시 중심지인 얼리강의 외벽은 길이가 7킬로미터에 조금 못 미치고 기반은 너비가 30미터다. 또 다른 5미터 길이의 성벽이 주主 성벽의 남쪽과 서쪽에서 발견되었는데, 이는 도시가 확연히 거대했거나 많은 구역을 가지고 있었음을 시사한다. 성벽은 청동기시대 이전 기술인 나무 널빤지 틀에 의해 배열된 흙다짐을 이용해 건설되었다. 가장 거대한 궁전의 토대는 그 규모가 지금까지 알려진 것만 2000제곱미터다.[12] 게다가 허난성에서는 얼리강보다 한 세기 혹은 그보다 더 이후에 만들어진 2개의 성곽도시도 발견되었다.[13] 얼리터우 북쪽의 옌스偃師시는 뤄양과 가까운 기원전 1600년경의 도시다. 스샹거우屍鄕溝로도 불리는 배수 도랑을 따라 외벽(외성)이 100헥타르의 면적을 둘러싸고 있으며, 내벽(내성)이 남쪽과 서쪽 경계의 일부를 공유하고 있다("옌스 상청 유지偃師商城遺址"를 말한다). 궁전의 토대는 대략

내성內城 중심에 있었고, 이것을 통해 이 기원전 제2천년기 중반 시기 유적지의 공간 분할을 3개의 동심원으로 파악할 수 있다. 가장 바깥쪽 성벽은 내부도시inner city 담장보다 두 배 넘게 두꺼웠고 20미터 너비의 해자로 둘러싸여 있었다. 7개의 문이 외부도시outer city로 연결되어 있었으며 대로大路, boulevard가 이곳을 가로질렀다. 동물 희생犧牲 의례 구역, 도기 작업장, 하수 체계가 도시 특성의 하나였다.[14]

수도가 아닌 도시들도 상 대 중국의 많은 지역에서 번성했다. 가장 잘 발굴된 두 곳은 후베이湖北성 우한武漢시 황피黃陂 판룽청盤龍城과 산시山西성 위안취垣曲현 구청古城이다. 판룽청에는 궁전 복합단지로 보이는 가로세로 약 290×260미터가량 뻗어 있는 1개의 문과 2개의 주요 건물이 정방형 도시 성벽의 북동쪽에 자리해 있다.[15] 얼리강의 수도와 동시대인 판룽청은 기원전 1400년 무렵에 황허강과 양쯔계곡에서 유사한 수준의 도시주의가 존재했다는 증거다. 구청의 4개 성벽 일부는 336미터에서 400미터 사이다. 성벽의 기반은 얼리강 성벽의 절반도 안 되는 두께지만 성벽의 남쪽과 서쪽 부분은 규모가 그 2배에 달한다. 궁전은 대략 중심부에 있었다.[16] 두 도시 모두 궁전 구역에는 축으로 정렬된 구조물들이 있었다. 수도를 벗어난 이들 상나라 도시의 사례들은 상나라 수도들의 군사 전초기지였을 수 있다.

상 왕조 중국의 가장 중요한 도시는 상의 마지막 수도였던 은허殷墟로 오늘날 허난성 안양安陽현의 북서쪽에 있다. 이곳은 환허洹河강 양안으로 36헥타르 정도 뻗어 있다. 발굴은 1920년대 후반 이후 거의 매년 실시되었다. 3000개 이상의 무덤, 2200개 이상의 제물 매장지, 약 200개의 주거지 토대와 함께 수천 개의 청동제 물품, 뼈, 상아, 옥, 보석, 도기, 뿔, 몇 점의 그림 일부가 나왔다. 상 대의 직사각형 성벽도 발견되었다. 이 유적지는 시베이강西北岡 구역으로 가장 잘 알려져 있다. 이 구역은 왕실 공동묘지가 있는 곳으로 적어도 11개의 거대 무덤과 많은 것이 제물로 희생된 이를 위한 수없이 많은 작은 무덤이 있으며 대략 기원전 1250~기원전 1046년에 형성되었다. 많은 거주용 건축물은 다른 지역인 〔안양현〕샤오툰小屯 마을 북쪽과 성벽으로 둘러싸인 지역 남쪽에 있었다. 샤오툰은 또한 중요한 부호婦好의 묘가 위치하는 곳으로 그녀는 무정武丁 왕의 왕비였다.[17]

상 왕조 도시들은 글로벌 평가가 가능하다. 인더스계곡과 메소포타미아 도시들과의 비교는 상 대 도시들이 도시국가인지에 초점을 맞추고 있다. 로빈 예이츠Robin Yates는 중국에 자체적 도시국가 모델이 있었다고 주장하며, 류리는 가장 큰 규모의 상 대 도시들이 중앙화한 의례가 집행되었던 수도라고 주장한다.[18]

은허에서 우리는 모든 주요 도시의 명칭이 무엇이었고, 그곳이 번성했을 때가 언제였으며, 누가 그곳을 통치했는지를 알 수 있다. 은허의 몰락은 상 왕조의 종말과 같이 나타났다. 그 뒤를 이은 주나라는 서주西周(기원전 1046~기원전 770)에서 생겨났는데 풍호豊鎬〔풍경豊京과 호경鎬京〕라는 최초의 수도들이 있었으며 모두 장안長安(현재 시안) 근처에 있었다. 동주東周(기원전 770~기원전 221)는 수도가 뤄양이었다. 이 도시들 혹은 서주의 수도 주원周原(산시陝西성)에서는 성벽이 발견되지 않았다. 기원전 제1천년기 전반기로 거슬러 올라가는 《시경詩經》에서는 풍에 성벽이 있었다고 서술하고 있지만 말이다.[19] 주 왕조 도시들에 대한 지식의 확장은 당대 도시들의 자체적인 기록물들에 의해 가능했다. 여기에는 청동 그릇에 대한 기록, 중국의 고전기(공자[기원전 551~479 무렵]의 시대)에 대한 철학적 논설, 후대의 공식적 역사, 지역 기록, 학자들의 논평이 포함되어 있다.

〈고공기〉에 따른 통치자의 도시

주 왕조 도시에 관한 한 구절이 두드러진다. 주 대에 처음 쓰였으나 십중팔구 서한 대부터 남아 있는 것으로 보이는 《주례周禮》 〈고공기考工記〉 편에 나오는 통치자의 도시 왕성王城에 대한 기록이다〔〈고공기〉의 저자와 작성 연대와 관련해서는 학계에 이견이 있다. "왕성"은 문자 그대로의 "통치자의 도시ruler's city"와 아울러 "주나라의 도성" 자체를 일컫기도 한다〕. 왕성은 정방형으로, 태양의 그림자를 따라 중간 지점을 측정해 성벽 위치를 결정했다. 정방형 성벽의 각 면은 〔길이가〕 9리里로서, 숫자 9는 이후 중국의 왕조와 연관되었다〔고대 중국 왕조는 땅이 구주九州로 나뉘어 있다고 여겼다〕. 주요 관통 도로들은 한쪽 성벽에서 반대편 성벽으로 도시 전체를 가로지른다. 그러나 중앙 도로는 통치자의 궁전으로 막혀 있었고 이 궁전은 자체적으로 성벽이 둘러싸고 있었다. 궁전은 남쪽을 향하고 그 뒤에는 시장이, 동쪽에는 통치자의 조상들을 기리는 사원이, 서쪽에는 토지와 오곡을 위한 제단들이 있었다.[20]* 중국의 도시주의 학자들

---

* 해당 부분은 성터, 궁실, 종묘, 사직을 포괄하는 도시계획의 원리가 담긴 내용으로 그 원문은 "匠人營國 方九里 旁三門, 國中 九經九緯, 經涂九軌, 左祖右社 面朝後市, 市朝一夫(장인영국 방구리 방삼문, 국중 구경구위, 경도구궤, 좌조우사 면조후시, 시조일부)"다.

은 "과거를 의식하고 과거를 기반으로 건설을 하며 기존의 것과 색다른 것을 따르지 않는 원형적 이미지의 문명"을 인용했고 2000년 동안 중국 제국 도시주의에서 이 구절의 지대한 중요성을 옹호했다.[21]

기원전 551년에 공자가 태어난 산둥성 취푸曲阜와 (상 왕조 시기 고성故城이었던) 산시山西성 안읍安邑〔지금의 샤夏현〕은 모두 이 계획을 따랐다. 오직 이 두 도시만이 동주의 후반기에 세워졌는바, 전국시대戰國時代, Warring State Period(기원전 475~기원전 221)라고 불리는 시기다. 이 전례 없는 도시 건설의 시대에는 한 국가의 모든 통치자가 수도를 가졌고, 자신만의 군대를 보유했으며, 통치권의 확장을 열망했다. 이때는 100개 이상의 도시가 공존하던 기원전 제1천년기였다. 전국시대는 그리스식 도시국가 개념이 가장 잘 적용될 수 있는 시기지만, 에게해 고대 도시들의 양상에서 보이는 도시 간 경쟁은 존재하지 않았다. 공자와 같은 철학자는 그의 지식을 평화롭게 통치자뿐만 아니라 제자들 사이에서 국가에서 국가로 공유했으나, 모든 국가의 정치적 목표는 정복이었다. 경쟁이 존재하는 한, 가장 강력한 군사를 보유하고 단일 지배권력을 갖는 것이 필요했다. 이 250여 년을 전국시대라고 부르는 것보다 더 적절한 명칭은 없어 보인다. 기원전 3세기 중반에 접어들자 오직 7개 국가만

해석은 대략 이렇다. "장인〔도시계획자〕이 국도의 성을 영건함에(匠人營國), 방형의 한 면이 각 9리이고〔사방 9리의 땅을 성으로 두르고〕 그 각 면에 3문씩〔곧 12개의 문〕을 두고(方九里 旁三門), 성 안에는 〔가로 축으로〕 9개의 남북 도로經를 내고 〔세로 축으로〕 9개의 동서 도로緯를 〔서로 격자형으로〕 내며(國中 九經九緯), 세로축인 남북도로는 9량의 수레가 다닐 수 있어야 한다(經涂九軌). 왕궁 좌측(동쪽)에는 종묘를 배치하고 왕궁 우측(서쪽)에는 사직단을 배치하고(左祖右社), 왕궁 앞(남쪽)에는 조정(외조外朝, 행정관서)을 두고, 왕궁 뒤(북면)에는 시장을 두며(面朝後市), 시장과 광장의 면적은 각 1부로 한다(市朝一夫).〔1부夫는 전답 100무畝이고 100무는 가로세로 각각 100보步의 정방형 토지를 말한다.〕

이 살아남았다.

전국시대 모든 도시에는 외벽과 구별되는, 담장 두른enclosed 궁전이 있었다. 시 중심지city centre에 통치자의 궁전이 있는 왕성 모델의 대안으로서 두시주의의 두 가지 양상이 지배적이었다. 산시山西성 강絳〔동주 시대 뤄양 북쪽에 있던 도시〕이 대표하는 모델은 도시 북쪽 중심에 궁전이 있었다. 다음 두 번째 모델이 가장 일반적이었는데, 동심원 형태가 아닌 여러 성벽을 세우는 것이었다. 성벽으로 둘러싸인 구역은 북쪽과 남쪽, 동쪽과 서쪽, 혹은 각각의 모퉁이에 있었고, 때로는 성벽이 2개 이상 있었다. 허베이河北성에 있는 연燕나라 수도 하도下都와 주나라 수도 한단邯鄲, 산둥성에 있는 제齊나라 수도 린쯔臨淄, 산시山西성의 허우마侯馬는 주나라 이후의 여러 성곽도시였다. 중심화한 궁전에 대한 문헌적 강조에도, 중심에 궁전을 둔 도시, 북쪽 중심부에 궁전을 둔 도시, 더 큰 도시의 주변에 있지만 이와 구분되는 도시들은 중국의 수도들에서 1000년 넘게 지속될 것이다.

〈고공기〉의 왕성 서술 부분은 시장市場의 존재에 대한 중요한 증거다. 발굴을 통해서는 아직 시장이 왕궁 '뒤쪽에' 있었는지 여부는 확인되지 않았다. 같은 시기의 몇몇 다른 기록은 주 대 후기 도시들에서 상업의 필수적 역할을 강화해준다. 산둥성 린이臨沂시의 한 무덤에서는 1972년에 죽간竹簡이 발굴되었고 여기에는 시장 규칙을 의미하는 〈시법市法〉이라고 알려진 기록들이 포함되었다〔"인췌산 한묘 죽간銀雀山漢墓竹簡"《수법수령 등 십이편守法守令等十二篇》의 하나인 〈시법〉 편을 말한다〕.[22] 〈시법〉에 따르면, 시장들은 관에서 통제했고, 특정 물품들이 정해진 장소에서 팔렸으며, 장터에서의 위법한 행위는 처벌받았다. 《좌전左傳》은 시장 담당 관료들이 전국시대 이전 동주 시대부터 있었다는 정보를 제공한다. 기원전 3세기의 관료 순자荀子가 남긴 기록은 동주 초기부터 시장 관료들에게 시장의 유지 관리, 청소, 교통의 흐름, 치안, 가격 통제에 광범위한 책임이 있었고 이후 동주 후기에 그들의 역할이 확대되어 물품 검사, 분쟁 조정, 대출, 판매세·재산세·수입세 부과에까지 이르렀다고 전한다. 또 각 국가〔왕조〕의 시장마다 고유한 이름이 있었다는 것도 기록을 통해 알 수 있다.

고고학적 증거는 전국시대 도시들에서, 도시들 사이에서 상업의 다른 측면이 있었다는 점을 알려준다. 국가가 통제하는 청동 무기와 배 주조 작업장과 이를 담당하는 공무원을 지명하는 인장은 거의 항상 궁전 근처에서 발견되었다. 이는 해당 산업들이 국가 통치자에 의해 엄격하게 통제되었음을 알려준다. 농기구나 도기 같은 다른 물품 생산 작업장들은 궁전들에서 더 멀리 떨어진 곳에서 자주 발굴된다. 이는 생산이나 판매 혹은 분배에서 민간의 통제가 더 있었음을 암시한다. 위에서 언급한 연나라 수도에서〔옌샤두 유적燕下都遺蹟〕3만 개 이상의 동전이 나왔는데, 이는 도시의 부를 확실하게 보여주며 화폐가 중요한 물품이었음을 암시한다. 기원전 4세기 초반에 이 도시에서 발생한 학살은 도시 인구가 급격하게 증가해 그들이 왕실의 도시 물품 생산에 도전했고 통치자가 국가 통제권을 다시 얻기 위해 대량 살인을 자행했다는 해석을 낳았다.[23] 다른 고고학적 증거들은 전쟁이 도시 내부에서 그리고 도시들 사이에서만 아니라 국가들 사이에서도 있었고 중국 북방 유목민들과도 있었음을 알려준다. 스키타이Scythai에서 생산된 것이 거의 확실한 금金 기물들이 전국시대 무덤들에서 발견되었다. 여기에 더해, 뒤엉킨 동물, 교차 양상, 상감기법 등 스키타이 동물 양식으로 알려진 스키타이 민예품의 모든 특징이 전국시대 중국 청동 그릇들에서 지배적으로 나타났다.

전국시대에서 살아남은 7개 국가는 중국의 첫 황제, 진나라(기원전 221~기원전 206)의 시황제(기원전 259~기원전 210)에 의해 통일되었다. 시황제의 제국과 도시의 역할에 대한 전망은 이후 400년 동안 서한西漢(기원전 206~기원후 9)과 동한東漢(25~220), 그 중간의 신新(9~23) 왕조 통치자들에 의해 나타났다.

중국의 첫 제국 도시들

진시황秦始皇은 수도를 셴양咸陽에 건설했으며, 셴양은 주나라 초기 수도들인 풍호의 북동쪽에 있었다. 궁전들의 흔적과 셀 수 없이 많은 다른 토대가 진시황을 사후세계에서 호위할 몇천 개의 실제 크기 병마용兵馬俑이 들어 있던 유명한 갱坑들과 함께 발견되었다. 셴양의 범위는 아직 밝혀지지 않았다.

한漢 왕조 중국의 두 거대한 수도는 그 이전 주 왕조와 같이 장안〔서한〕과 뤄양〔후한〕에 위치했다〔전한의 수도 장안이 후한의 수도 뤄양 서쪽에 있어서 전한을 서한, 후한을 동한으로 지칭하곤 한다〕. 각각은 문서에 풍부하게 기록되어 있다. 전한(서한) 수도의 두 가지 특징은 눈여겨볼 만하다. 첫째, 장안의 외벽은 동쪽 경계만 직선형이었고 다른 수도들의 것보다 형태적으로 불규칙했다. 발굴된 범위가 기록에 나온 범위와 거의 일치하는데 둘레가 25.7킬로미터에 달하는 도시의 도면이 11세기 이래로 정확한 정보를 제공했다. 학자들은 큰곰자리 별자리와 작은곰자리 별자리를 표상한다는 것 등 〔장안의〕 특이한 형태를 다양한 방식으로 설명하려 시도했다.* 더 그럴듯한 것은 두께가 12∼16미터에 달하는 성벽壁의 북벽 방향이 웨이허渭河강의 위치에 의해 결정되었다는 것이다〔장안의 북쪽으로 웨이허강이 흘렀다〕. 두 번째 독특한 특징은 궁전 공간의 양量적 측면이다. 5개 궁전〔장락궁, 미앙궁, 명광궁明光宮, 북궁北宮, 계궁桂宮〕이 성벽 안 공간의 대부분을 차지했고 추가적 궁전〔별궁 건장궁建章宮〕은 서쪽 경계 뒤쪽에 있었다. 8개 주요 도로가 도시 문들에서 뻗어 나왔음에도, 그 어느 길도 이들 궁전 때문에 도시 끝까지 뻗지 못했다. 진나라 궁전의 터 위에 세워진 장락궁長樂宮은 6제곱킬로미터였다. 그 맞은편 서쪽에는 5제곱킬로미터의 미앙궁未央宮이 있었다〔두 궁전은 마주하고 있었고, 장락궁을 '동궁'으로 미앙궁을 '서궁'으로 불렀다〕. 도시 성벽 내부의 궁전들은 수도의 3분의 2가량을 차지하고 있었다. 이는 이전의 그 어떤 궁전 건축물의 공간보다 넓었다. 기원전 제2천년기 중반에 상나라 도시 옌스에서는 궁전의 비율이 도시의 나머지와 1∶4.3이었고 이후 1∶6으로 줄어들었다. 전국시대 취푸에서 이 비율은 1∶5.5였고 동시대의 안읍에서는 1∶5.1였으며 이후 한나라 뤄양에서는 1∶10이었다. 제단 같은 여타의 제국 건축을 포함해서 보면, 한나라의 첫 수도〔장안〕가 제국의 특성에 가장 적합한 도시였음이 더욱 분명

---

*   장안성 남벽이 남두육성南斗六星의 굴절된 형상을, 북벽이 북두칠성北斗七星의 굴절된 형상을 띠고 있었다는 것을 말한다. 여기서 장안성의 별칭인 두성斗城이 비롯했다.

해진다. 장락궁과 미앙궁 사이에는 제국의 무기고가 있었다. 남쪽 교외에는 통치자의 조상들을 기리는 사원이 있었고 제국의 공양을 위한 다른 전殿들도 있었다. 여기에 더해 9명 황제와 황후의 대릉大陵들과 그 뒤에 자리를 잡은 제례를 위한 도시들이 장안의 북쪽으로 각각 퍼져나갔고, 두 쌍의 왕족 묘들과 제례 도시들이 남동쪽에 있었다.

궁전, 대릉大陵, mausoleum, 의례용 건축은 수도와 그 중심부에 대한 제국 비전의 구성 요소였다. 장안 외성 성벽의 중앙 문에서 시작되는 직선의 길은 장락궁과 미앙궁 사이에서 북쪽을 향해 뻗어 있었고, 한나라 건국 황제〔유방劉邦〕와 그의 황후를 위한 대릉들 사이로 계속되고 천계天臺 사원이 있었다고 여겨지는 거대한 사발 모양의 낮은 분지 쪽으로 74킬로미터나 이어졌다. 이 길은 계속해 지금의 네이멍구內蒙古자치구에 있던 삭방군朔方郡의 한나라 군사 사령부까지 이어졌다. 도시의 남문에서 남쪽으로도 똑같은 길이 자오곡子午谷으로 이어졌고 최종적으로는 양쯔강 한중漢中의 한나라 영지까지 이어졌다. 네이멍구자치구에서 양쯔강으로 북–남 연속체continuum를 가로지르는 수직선은 시황제가 자신의 제국 동쪽 끝을 표시하기 위해 경계석을 세웠던 산둥 해안의 황해까지 이어진 교차 축선이었다.[24] 한나라 장안은 황제의 궁전들과 무덤들로부터 바깥쪽으로 설계되었을 뿐만 아니라 한의 영향력이 미치는 가장 먼 곳의 기본적 4개 방위에 의해 규정된 세계의 중심이기도 했다. 기원전 2세기에 제국의 도시는 중국 황제가 세계에서 최고의 위치에 존재한다는 것을 확인하게 만드는 수단이었다.

시장은 주周 대 이후로 이상적 중국 도시의 하나의 조건이었음에도, 한나라가 시장의 존재를 확인해주는 첫 번째 시기다. 서한의 장안은 2개의 시장을 가지고 있었는데, 서부 시장은 25만 제곱미터였고 동부 시장은 그 2배였다. 두 시장은 25만 명이 거주하던 160개 구역에서 4개 구역을 차지했다.[25] 거주 구역은 성벽으로 둘러싸여 있었고 다시 20개 작은 구획으로 세분되어 감독관에 의해 관리되었으며, 이웃한 구획의 활동들을 감시·보고하는 게 가능하도록 계획되었다. 반면에 장안 시장들은 4개 부분으로만 구분되었다. 시장은, 중앙에 자리한 성탑의 관리들에 의해 관리되었고 한나라 정부가 권력을 상기시키기 위해 공개 태형이나 처형을 집행한 장소였음에도, 여전히 도시민들이 견고한 감시의 눈을 피해 모일 수 있는 드문 장소였다.[26] 벽돌 가마들, 청동 주물 작업장들과 1개의 주조장이 서쪽 시장 지역에 있었다.

한나라 장안의 시장들과 거리 생활에 대한 친밀하고 드문 엿보기를 하려면 한 대와 그 이후 수 세기에 걸쳐 문학의 한 장르로서 [서양에서는] 산문rhymeprose, 산문시prose poem, 광시곡rhapsody 등 여러 가지로 번역이 되곤 하는 부賦를 보면 된다. "그곳엔 끝이 없는 즐거움과 유쾌함이 존재했다." 이는 [후한 역사가·문학가] 반고班固가 쓴 〈서도부西都賦〉의 한 문구다. "여성 점원들은 숙녀들보다 더욱 화려한 옷을 입고 있었다." 이 작품의 뒷부분은 아래와 같다. [전한의 서도 장안을 노래한 〈서도부〉 편은 후한의 동도 뤄양을 노래한 〈동도부東都賦〉 편과 함께 〈양도부兩都賦〉로 알려져 있다.]

행상인, 점원, 그리고 평범한 사람들
남자와 여자 노점상들은 싸게 팔고,
좋은 물건들을 모조품과 섞어 팔고,

시골뜨기들의 시선을 끄네.

기만적인 벌이가 그렇게나 충분할 때

왜 노동을 하려고 애쓰는 거지?

이 상인들의 아들들과 딸들은

[가장 유명한 외척 가문 사람인]

수Xu와 시Shi보다 더 화려하게 입었네.

작가들이 길거리의 여흥에 대해 말을 하네

그들이 볼거리를 위한 마차를 조립했고,

장대에 긴 깃발을 고정했다네.

청년들이 그들의 재능을 보여주네.

위로 아래로 갔다가 날아오르고 공중제비를 도네 (…)

장대 맨 위에서 보이는 신묘한 놀이

그들의 셀 수 없는 몸짓이 끝이 나질 않네.[27]

한나라 장안은 실질적으로나 상징적으로나 통치자의 도시였으나 동시에 중국의 시골에서 할 수 없었던 활동과 기회의 도시였다.

후한의 수도 뤄양은 인구가 장안보다 2배 많았지만 규모는 장안의 절반도 되지 않았다. 어떤 기록도 이 도시가 혼잡했다고 언급하지 않는다. 오히려 황제는 처음부터 제국의 수도가 소박한 도시가 되기를 의도했고, 제국의 장례를 포함한 자신의 검소한 통치를 전한과 진에 비교했다. 이 점은 한의 뤄양에 대한 부賦에서 강조되어 있다. 수도가 건설될 때 후한(동한)의 제1대 황제〔광무제光武帝 유수劉秀〕는 장안의 건축이 표준을 초과한다고 규정하며 "그것을 계속 줄이고 줄였다."

"그것을 본 사람들이 좁고 천박하다고 생각할 때도 황제는 그것이 여전히 지나치게 화려해서 불편하다고 조롱했다."[28] 〈동도부東都賦〉가 시장 활동이나 거리 생활을 묘사하지 않는 것은 십중팔구 우연이 아닐 것이다. 거의 일직선의 성벽들이 있던 뤄양은 12개의 문, 10개의 주요 도로, 2개의 궁전이 있었으며, 궁전들이 한꺼번에 사용되지는 않았다. 뤄양의 남쪽 교외에는 장안과 마찬가지로 의례와 공양을 위한 구조물들이 있었다. 두 궁전은 뤄양이 중국의 제국적 [도시]계획에서 과도기였음을 말해준다. 장안이 궁전들의 도시였던 반면, 뤄양 이후 모든 중국 수도들은 오직 1개의 궁전 구역을 가지게 되었다. 동한의 수도에서 시작한 이래 궁전 영역들은 항상 도시의 남북 중심축을 따라 배치되었다.

탄탄한 국가 경제와 활발한 상업은 한漢 대에 수도들 바깥에 중요한 도시들을 번성하게 했다. 동주 시기의 도시들에 기원을 둔 린쯔와 한단이 그 예다. 장쑤江蘇성 난징, 안후이安徽성 허페이合肥, 쓰촨四川성 청두成都 같은 좀 더 이른 시기에 건설된 도시들은 한 대 이래 중국의 중요한 도시들로 남았다. 한나라의 군 주둔지는 신장新疆에서 몽골 및 북한 지역까지 제국 전반에 존재했으며, 일부는 성벽과 방어 체계를 가지고 있었고 유럽 중세의 성채타운castle town과 비슷했다. 병영[주둔지]garrison과 함께 전파된 중국의 예술과 문화 모델은 중국이 분열의 시기로 향해 가던 4세기 넘게 중국에 영감을 받은 도시주의의 기초를 제공했다.

위진남북조 시대 중국의 도시들: 3~6세기

상나라를 시작으로 중국의 초기 도시들에 관한 정보 대부분이 통치자가 거주했던 도시들과 관련되었다는 점은 명확하다. 기원후 6세기까지 상황은 변하지 않았다. 한나라 이후 4세기 동안 30개 이상의 왕조, 왕국, 국가가 수도를 가졌다. 중앙아시아부터 일본까지 중국식 도시들이 유동적으로 경계를 접하고 있는 시기였다. 580년대의 중국 재통일은 이 책에서 두 번째로 중국을 다루는 장의 주제다(16장 참조). 중국 도시 모델들은 외부의 침략에서 살아남았고 7~9세기 수-당의 오랜〔국가적〕통일성에 사용되었다.

한 왕조의 멸망 이전에 내전이 뤄양에서 발생했다. 조조曹操(155~220)의 반란은 허베이성 남부의 업鄴에 위魏나라 권력의 기초를 확립했다. 중국 남동쪽에는 손孫씨 가문이 오늘날 난징인 건업建鄴에 오吳나라를 세웠다. 221년 5월 유비劉備(161~223)는 자신을 촉한蜀漢의 황제라 칭했고 쓰촨의 청두에서 통치했다. 이것이 〔중국의〕삼국 시대(약 220~280)다. 이에 따라 세 가지 도시 형태가 있었는데 각각은 기원전 제1천년기의 〔도시〕계획을 떠올리게 한다. 업은 궁전 지역을 도시의 북부 중심지에 두었고 건업에서 궁전의 전殿들은 도시 한복판 근처에 자리했으며, 청두에는 성벽으로 분할된 많은 지역이 있었다. 한나라의 의례 건축 양식은 세 곳〔업, 건업, 청두〕모두에서 유지되었다. 야심 찬 제국의 건설자들은 다른 도시들을 강화하거나 설립했다. 조조는 뤄양과 허난의 쉬창許昌을 차지했다. 뤄양과 업의 북서쪽이 요새화되었는데 이것이 금용성金鏞城과 삼태三台로 알려져 있다. 청두는 3세기 중국의 가장 부유한 도시 가운데 하나였으나 다리가 7개 있었다는 것을 제외하면 알려진 게 거의 없다.[29] 허베이성의 우창武昌은 오나라의 보조 수도였다. 오나라의 수도인 건업은 대나무와 목재를 사용한 독특한 울타리를 쳐두었다. 조조의 도시 정책으로 오늘날 칭하이靑海성 시닝西寧이 214년에 세워졌다. 이 시기에 신장 남부 전역에서 오아시스 타운oasis town들이 퍼져갔다. 여기엔 루란樓蘭, 니야尼雅, 미란米蘭, 안디얼安迪爾이 있다. 각각에 불교 유적이 남아 있다.

10여 개 도시가 약 280년에서 386년까지 중국에서 가장 중요한 제국적이고 의례적인 건축물을 수용했다. 뤄양, 건강建康, 업이 이 시기에 중요했다. 뤄양은 265년에 진나라의 수도가 되었고 313년에 불탔다. 건업은 진나라의 통치하에 313년에 건강이 되었다.* 유연劉淵(310년 사망)은 307년에 업을 차지했고 그의 왕국을 〔오호십육국의 하나인〕한漢〔이후의 조 곧 전조前趙〕이라 이름 지었다. 통치자들의 변화와 몇몇 경우 민족의 변화에도 도시들은 그다지 변하지 않았다. 일례로, 건업의 대나무 울타리〔죽리竹籬〕는 이어지는 건강에서도 유지되었다.

건강은 경제적으로 번성했고 아름다운 도시였으며, 산들로 경계가 지어졌고 물길로 둘러싸여 있었다. 주작로朱雀路는 이국적 식물들과 꽃나무들로 정렬되었다. 여기엔 관영 학당과 조상 제단이 있었고 궁전은 3500개의 방이 있었다. 414년 동진(317~429)의 몰락이 가까이 다가왔을 때, 황족들은 '동부 저택'東府으로[30] 알려진 거주 구역으로 이동

---

* 건업이 진나라 곧 서진西晉의 마지막 황제 민제愍帝 곧 사마업司馬鄴의 '업'과 같은 음의 글자라 피휘를 위해 건강으로 도시 이름이 바뀌었다. 건강은 명 대에 남경南京으로 개명되어 지금(난징)에 이른다.

했다. 건강에서 북동쪽으로 60킬로미터 떨어져 있고 동쪽과 서쪽이 성벽으로 둘러싸인 이곳은 오늘날 양저우揚州이며 그 역사는 기원전 5세기 초반까지 거슬러 올라간다.[31]

〔양쯔강 남쪽에서〕동진이 건강에서 권력을 유지하고 있을 때, 북쪽에서는 십육국(304~439)이 흥망했다. 십육국〔오호십육국五胡十六國〕을 건립·확장한 이들은 본래 중국 혈통이 아니었으나 대부분이 자신들의 제국적 야망을 강화하는 데서 중국의 방식을 수용·적용했다. 성곽도시, 중국식 건물, 중국식 의례용 구조물은 그들의 비전에서 중요한 요소였다. 이 시기의 도시들은 최소한 내벽〔내성〕과 외벽〔외성〕두 개의 성벽을 세웠다. 외벽은 종종 요새화되었고 가끔 성벽 바깥에서 전투가 일어났다. 성탑들은 망루 역할을 위해 성벽 위에 자리했고 화살을 발사하는 데서 이점을 제공했다. 통치자들의 도시들은 선조들의 사원들과 황실의 제단을 가지고 있었다. 모든 도시는 내부 혹은 주변에 물이 있었거나 그쪽을 향해 있었다. 언급할 만한 십육국의 도시들은 산시山西성 남부의 평양平陽, 허베이성 남부의 양국襄國, 산시陝西성 통만統萬, 업으로, 331~384년에 걸쳐 강력했던 석륵石勒〔오호십육국의 하나인 후조後趙의 제1대 황제〕과 석호石虎〔후조(319~351)의 제3대 황제〕의 통치를 받았고, 이후 전연前燕〔337~370〕왕국의 통제에 놓였다. 이 기간에 업은 100걸음마다 흙벽을 세우며 성벽을 강화했다.[32] 성벽은 벽돌로 되어 있었다. 도시 내에서는 궁전들, 관청들, 공원들의 배치를 따르는 5개 수평적 건물 축들이 존재했다. 장안도 4세기에 다시 중요해졌다. 동쪽과 서쪽의 궁전들과 넓은 대로가 있었다는 것 외에는 이 도시에 대해서는 알려진 게 거의 없다.[33]

십육국의 도시들 가운데 가장 흥미로운 도시는 '누워 있는 용의 도시〔와룡성〕臥龍城'라는 별칭이 있는 오늘날의 간쑤성 우웨이武威시의 고장姑臧이다. 11세기에 편찬된 연대기《자치통감資治通鑑》의 매우 흥미로운 구절 하나에는 이 도시에 각기 궁전이 있는 5개 '군집cluster, 攢聚'이 있었다고 기록되어 있다.[34] 이 구절은, 진 왕조의 정사正史인《진서晉書》에서 확인할 수 있으며, 오색五色으로 칠해진 전殿과 그 동서남북 사방으로 전이 있다는 뜻이다. 네 곳의 전들은 계절에 따라 사용되었다〔동쪽=봄, 남쪽=여름, 서쪽=가을, 북쪽=겨울〕.[35] 건축과 시공간의 관계, 그리고 시간의 흐름에 대한 은유로서 건축을 통한 황제의 연속성은 중국적 관념이었다. 4면四面 배치에서의 중심성 원칙은 왕성에서 흔적을 찾을 수 있으며 한나라 장안 〔도시〕계획에서 강화되었다.

중국 북동쪽에서 북한까지 고구려 왕국의 150개가 넘는 성곽도시들이 확인되었다.[36] 가장 중요한 고구려의 도시 유적은 지금의 랴오닝遼寧성 환런桓仁현, 지린吉林성 지안集安시, 북한의 평양에 남아 있다. 고구려 도시주의의 확연한 특성은 요새화한 산성山城이다. 환런의 오녀산성五女山城은 남동에서 북서 길이가 1500미터에 너비가 300~500미터다. 지안의 국내성國內城은 약 338년에서 427년까지 있었다. 평원에 자리하고 있었고 북남 및 동서의 주요 거리가 도시를 6개 구역으로 나누었다. 궁전도시palace-city의 위치는 아직 정확히 알려지지 않았다. 2.5킬로미터 떨어진 곳의 환도성丸都城은 342년 선비鮮卑족 모용慕容에게 점령당하면서 버려졌다. 랴오닝성, 지안시, 동북 지역의 지형 자체가 자연 산성과 인간이 만든 성벽의 통합을 이끌었고, 십중팔구 이는 산성도시mountain-city가 중국의 다른 곳에서 알려지지 않은 이유일 것이다. 산성도시는 6세기 일본에서 나타난다.

한나라 이후 4세기 동안 이어진 모든 왕조, 왕국, 국가에서 가장 강력한 인상을 주는 도시는 북위의 수도 뤄양으로 겨우 41년간(493~534) 번성했다. 1367개 사원과 수도원이 있는 이 불교도시Buddhist city는 양현지楊衒之(555년경 사망)가 기록한 《낙양가람기洛陽伽藍記》에 나와 있다.[37] 뤄양은 원주민이 아닌 사람들에 의해 만들어진 왕조의 발전에 훌륭한 사례를 제시한다. 탁발拓跋씨의 경우에는 북위의 효문제孝文帝(재위 471~499)가 주요하고 포괄적인 사회·문화 개혁을 공포했으며 동시에 그의 백성들과 왕국이 좀 더 중국식으로 변할 수 있게 겨냥한 건축 프로그램도 진행했다. 이에 따라 종교적 건축이 중국 제국 도시 개념의 한 부분으로 제도화되었다.

뤄양은 258년에 내몽고에 세워진 탁발-북위의 수도 성락盛樂과 현재 산시山西성에 398년에 세워진 평성平城(다퉁大同)을 뒤이었다. 평성은 성락에서 남쪽으로 100킬로미터밖에 떨어져 있지 않았으나 이 수도 이전은 초원 제국의 종말을 상징했다. 평성은 남-동의 건강과 같이 성벽, 궁전, 의례용 제단, 공원, 정원, 주요 도로, 무기고, 곡물창고, 관청, 귀족 거주지로 구성된 도시였다. 탁발-북위의 창립자는 업의 사례를 보았고 이 도시의 영향을 받았으며, 더 이른 초기의 뤄양과 장안에서도 영향을 받았다. 423년에서 470년 사이에 수만 명이 건설 프로그램을 지원하기 위해 평성으로 이주했다.[38] 불교와 정부의 중심지로서 평성에는 거의 100개의 불교 조직과 여기에 속한 2000명의 승려와 비구니가 있었다.[39] 460년대에 5개의 불교 석굴이 〔산시성 다퉁의〕 윈강雲崗에 만들어졌고 영녕사永寧寺가 조영되었다. 평성은 526년에 전쟁으로 파괴되었다.

북위 효문제가 뤄양으로 이동한 5세기 말은 매우 낙관적인 시대였다. 북위 창건자와 과거의 야심만만했던 중국 황제들과 마찬가지로, 효문제는 의례용 건물들을 짓기 시작했다. 조상의 사원, 국립 교육기관, 원형 언덕 제단, 정방형 연못도 만들어졌다. 모든 것은 495~496년에 완성되었다. 《위서魏書》의 흥미로운 구절을 통해 볼 때, 목재는 궁전 건설용과 선박 제작용이 구별되었고, 다진 흙 같은 보충 자재들은 왕족 거주지들에 사용되었다. 성벽들이 빽빽하게 건설되었다는 구절도 읽을 수 있는데, 이는 아마도 이전 몇천 년 동안 이용된 잘 다진 흙층으로 만들어졌음을 의미할 것이다.[40]

본래 효문제의 도시는 동한 시기 뤄양의 성벽들을 사용했다. 그의 궁전도시는 즉시 과거의 왕궁들 너머로 확장되었다. 북쪽의 망邙산과 남쪽의 뤄허洛강이 도시의 자연적 경계선을 만들어 도시는 동부와 서부로만 확장할 수 있었다. 확장된 북위 도시는 대략 60만 명 이상으로 추정되는 거주민들을 위한 220개 구역을 포함했다.[41] 귀정歸正구역에는 관영 생선시장 및 거북시장과 거주민들이 해산물을 판매하기 위해 세운 시장이 하나 있었다.[42] 북위가 534년에 멸망하자 계속해 이곳을 통치하기를 원했던 이들은 북위의 인구를 나누었는바 동위東魏 (534~550)와 서위西魏(535~557)가 그것이다. 고환高歡(496~547)은 동위 사람들을 3세기와 4세기의 이전 수도로 폐허 상태이던 업으로 이끌었다. 이곳을 임시 거주지로 삼은 그는 건물들과 자재들의 많은 양을 뤄양에서 물길로 옮기게 했다.[43] 《위서》에 따르면, 고환의 계획은 도시 북부에 옛 도시들의 요소들을 유지하는 것으로 남쪽의 신도시가 뤄양과 더 닮았다. 건강과 뤄양에서 그랬었던 것처럼, 궁전들과 조상 사원들은 새 성벽이 완성되기 전에 지어졌다. 535년부터 7만 6000명의 노동자가 그 프로젝트에 동원되었다.[44] 10만 명이 539년의 음력 9~10월에 제국의 거주지들을 건설했다.[45] 건설이 시작되고 5년 뒤인 540년 음력 정월에 고환과 그의 궁정은 남쪽 도시로 옮겨갔다.[46] 10년 뒤 동위는 북제北齊(550~577)에 멸망했고, 고씨高氏 가문 사람이 공식적으로 왕위에 올라 업을 수도로 삼았다["고씨 가문 사람"은, 고환의 둘째 아들인, 북제 문선제文宣帝인 고양高洋을 말한다. 아버지 고환을 북제의 실질적 창업자로 보기도 한다]. 577년 북제는 북주北周(550~581)에 멸망했다.

북위의 뤄양이 6세기 업에 강력한 영향을 끼쳤다는 사실은 1930년대에 있었던 발굴들에서 이미 일부 드러났으나 1990년대 후반에 들어서야 알려졌다.[47] 예를 관통하는 주요 북-남 축은 주명문朱明門부터 궁전도시 남부 중앙 입구까지를 이었고 북쪽 외성 문부터 도로가 북쪽을 향해 직선으로 뻗어 있었다. 궁전의 안팎에는 28개 관청이 있었는데 이는 북위의 뤄양 및 건강과 거의 비슷했다. 이곳에도 역시 무기고가 있었다. 업 사람들은 400개 구역에서 거주했다. 부유한 저택들은 성벽의 안쪽에 있었다. 고환의 첫째 아들 고징高澄은 저택을 보유했고 황족의 첩들과 고위 관료들도 그러했다. 이 중 몇 명에 관해 확인된 정보들에 따르면, 부유층의 거주지들은 여러 건물의 안뜰courtyard들로 구성되었으며, 앞의 것들은 연회공간이었고 뒤의 것들 중 한 곳에 소유자가 거주하는 건물도 있었다.[48] 건물들과 공간이 있는 후원後園, back garden

들은 개인적 욕구를 위해 존재했으며, 이는 종종 업에 있는 가장 부유한 거주민 저택의 한 일부였다. 이 기록이 사실이라면, 북제의 업에는 4000개의 종교기관과 8만 명의 남성과 여성 수도사가 있었다.[49] 이 놀라운 수치가 과장이고 게다가 그들이 종교기관 소속이 아니더라도, 십중팔구 해당 기록은 관복을 입은 남녀가 뤄양으로부터의 수도 이전과 함께 이동했음을 의미할 수 있다.

한편 장안에서는 북주(557~581)의 수도 건설이 진행되었다. 572년에 북주의 무제武帝는 자기 호위대들을 처형하고 자신의 치세가 공식적으로 확립되기 이전에 건설된 많은 아름다운 건물을 파괴했다.[50] 황실 건설의 발전에 역행하는 정책을 포고하면서 무제는 옛 건축물로의 복귀를 촉구하고 토목건설을 장려했다. 동시에 그는 북제가 업에 건설하는 것과 같은 궁전 건설을 명령했는데 북제가 화려함으로 유명한 것을 생각하면 흥미로운 방향성이다.[51] 북주 무제의 후계자인 선제宣帝는 578년부터 579년까지 겨우 1년 정도를 통치했는데 선대 왕과 같은 유형의 토목건설을 권장했다.[52] 이어서 선제의 여섯 살 난 아들이 제위에 오르면서 제국은 꼬마 황제의 외조부인 양견楊堅이 통제했다. 권력을 획득한 양견은 581년 대흥大興이라 지칭된 장안에 새로 수隋 왕조를 세웠다("양견"은 곧 수 문제隋文帝다). 새 수도는 서위와 북주의 폐허들에서 남-동에 자리했다.

발굴은 북주가 한 왕조 시기 장안을 얼마나 많이 활용했는지 혹은 북주가 통치하기 시작할 때 한 왕조의 장안이 얼마나 남아 있었는지에 관한 결정적 정보를 제공하지 않는다. 한 왕조 시기 3개 문이 계속 사용된 것으로 믿어진다.[53] 서위와 북주 도시들은 한 왕조의 장안보다는 규모가 작았던 것이 확실하다. 왕세자는 동궁과 정궁正宮에 거주했으며 이곳은 서쪽에 있는 5개의 문으로 닫혀 있었다.[54] 당 왕조의 창립자[당 고조唐高祖 이연李淵]가 617년에 장안으로 들어왔을 때, 그는 장락궁에 머물고 있었고[55] 이곳은 아마도 진나라와 한나라 때부터 있었을 것이다.

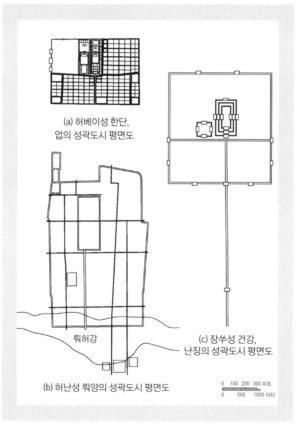

(a) 허베이성 한단,
업의 성곽도시 평면도

뤄허강

(b) 허난성 뤄양의 성곽도시 평면도

(c) 장쑤성 건강,
난징의 성곽도시 평면도

| 0 | 100 | 200 | 300 피트 |
| 0 | 500 | | 1000 미터 |

[도형 6.2] 중국의 성곽도시 평면도 (a) 허베이성 한단의 업 (b) 허난성 뤄양 (c) 장쑤성 난징의 건강

같은 시기에 남쪽에서는 수나라가 건강을 함락하기 직전임에도 부유한 귀족들이 자신들의 저택을 개량하려 했다. 이로 인해 579년에 도시 거주지에 과도한 지출을 금지하는 황실의 지침이 내려졌다.[56] 그러나 건강의 마지막 통치자들인 진陳 왕조(557~589)의 황제들은 시민들 개개인이 불교사원이나 종교기관을 건립하는 것을 막지는 않았다. 수나라의 창립자는 건강을 파괴했다. 후당後唐(923~936)과 이후 남당 南唐(937~975)의 통치 속에서 건설이 재개되면서 새 건물이 건강 남쪽에 지어졌다([도형 6.2] 참조).

결론

이 장은 다른 장들에서 언급된 초기 도시들보다 검토한 시기가 상당히 길지만, 고대 중국의 도시주의에 관한 기본적 요소들은 실제로 6000년을 관통해야 추적이 가능하다. 무엇보다도 제국으로서 중국은 분열의 시기에서건 제국 전 단계에서건 성곽도시들이 없이는 존재하지 않는다. 초기 중국의 가장 중요한 도시들은 수도들이었고, 거의 언제나 주요 강들 주변에 자리를 잡았으며 해안가에 있지는 않았다. 정복, 제국의 확장, 교역은 죽음을 위협하는 산들과 사막들을 지나 아시아 대륙의 동쪽을 가로질렀다. 그리고 산맥의 통로들과 오아시스들을 거쳐 간 비단이 중앙아시아의 중계 상인들을 통해 로마로 들어갔고 사치품들이 중국으로 들어왔다. 한漢 왕조와 일본 열도 사이 제한적 교환을 제외하고 600년 이전에 중국은 주요한 전쟁이나 교역을 위해 바다로 나

가지 않았다. 중국은 이 기간에 제국을 유지하기 위한 모든 물품과 서비스의 생산과 확보를 육로로 해결했다.

선사 시기에 중국의 도시들은 담장 두르기enclosure로 스스로를 구분했다. 담장 두르기는 아마도 처음에는 방어를 위한 것이었겠지만 중국 역사의 맥락에서 자기인식의 영속적 특성이다. 청동기 시대 이전 중국의 기록되지 않은 도시주의는 또한 왕권, 노예, 아마도 추가적 계급의 존재를 함축하는 건축과 의례의 증거들에 의해 구별된다. 이 세 요소는 지구상에서 가장 오래된 도시들에서도 유사하게 발견된다. 청동기시대 중국의 상 왕조와 주 왕조가 단지 무기들과 더 많은 구조화된 의례의 시기였던 것은 아니다. 이 시기는 논쟁의 여지가 없는 연대기 속 왕들이 통치했던 수도들의 시기이기도 하다. 중국의 가장 중요한 경제와 의례 중심지이자 통치자가 거주하는 곳이라는 수도의 개념은 상 왕조에서 시작해 기원후 제2천년기까지 지속된다. 진시황이 중국 전역의 성지 숭배를 시작한 이후 1000년이 지나 중국 동남부 해안 도시〔연안도시〕coastal city들에서 막대한 부가 생겨났으나, 수도는 결단코 중국 제1의 도시라는 아우라를 상실하지 않았다. 후기 청동기시대의 전국시대 도시들은 에게해의 도시국가 및 경제와 비교를 시사한다. 그러나 에게해 모델과 달리, 전국시대 국가들을 하나로 통일하려는 추진력은 중국 제국에 의해 성공적으로 해결되었다. 이후 2200여 년 동안 중국의 제국은 자신을 고대 정치체의 연속으로 간주했다. 이러한 이유로 도시사학자들은 종종 전국시대 이후의 도시들을 동일 계획에서 비롯된 것으로 파악한다. 유교 경전에 표현된 이 시대에 대한 철학적 이해는 같은 이유로 중국의 관료제를 이끌어간다. 세계의 중심에서 통치한다는 중국 통치자의 권한과 이를 보조하는 관료들의 사회적 역할은 왕성의 개념과 일치한다. 왕성 모델을 구현한 한漢 왕조의 성공은 시장과 오락을 활성화했다. 중국은 심지어 한 왕조에서도 최고 도시라는 수도의 위상, 그리고 통치자를 위한 서비스 중심지라는 수도의 최고 기능을 상실하지 않았다. 이 이미지는 매우 강력해서 3세기부터 6세기까지 30개 왕조와 이민족이 중국에 밀려왔을 때도 가장 현저한 도시는 수도였다. 동일의 강력한 이미지는 통치자가 만족스럽지 못한 건설의 경우〔그 관련자들을〕사형으로 처벌하고 국가의 대의를 위해 도시의 사치를 막는 기간을 선포하게 했다. 한 왕조 이후 수 왕조 이전까지 기간의 새로운 도시주의 기능은 종교 건축이었다. 불교와 도교 사원들은 중국 도시의 다른 모든 것과 마찬가지로 중국 도시의 기념(비)적 제도가 되었으며, 그 옆에는 중국 전근대 역사의 나머지를 보여주는 유교 사원들 및 토착 신들의 사원들이 서 있다.

중국의 도시는 분명 생산과 서비스의 중심지였지만 더 중요한 역할은 국가 혹은 제국을 섬기는 것이었다. 중국 도시의 공간은 이 책에서 언급된 어떤 도시보다도 질서정연했다. 구역과 시장을 포함해 규제된 공간이 있는 도시들의 비율은 이 책에서 논의된 다른 어떠한 지리적 지역의 비율보다 컸다. 고대 중국의 가장 위대한 기념(비)적 건축물은 도시들에 있었다. 대부분은 도시들 안에 있었고 일부는 신성한 지역들에 있었는데, 도시에 있든 성 밖에 있든 모두 통치자를 위한 것이었다. 황제와 제국에 대한 집중과 이에 따른 통일성은 중국 고대 도시들을 정의하는 특징적 요소들이다.

주

1 이들 세 유적지에 대해서는 *Wenwu* 1996.12, 26-39; *Kaogu* 1997.1, 1-26, 52;
   Henao Cultural Relics Research Institute, *Wuyang Jiahu*, 2 vols. (Beijing: Science
   Press, 1999); *Wenwu* 1981.4, 1-8, 2000.5, 62-73. 중국과 일본의 독자들은 이
   책이 겨냥한 독자층에서 작은 비중이기에, 그리고 주에 할당된 공간에서 가능한
   가장 광범위한 참고문헌을 제공하기 위해, 폭넓게 유통되는 동아시아 정기간행물
   의 인용은 정기간행물 제목과 권호의 번호만 제시한다. 책 제목과 덜 알려진 동아
   시아 정기간행물 서지사항은 모두 제시한다.

2 Xi'an Banpo Museum, *Xi'an Banpo* (Banpo in Xi'an) (Beijing: Cultural Relics
   Press, 1982).

3 *Wenwu* 1997.1, 36-41.

4 *Zhongyuan wenwu* 2000.5, 4-9.

5 Li Ji, *Ch'eng-tzu-yai: the Black Pottery Cultures at Lung-shan-chen in Li-ch'êng-
   hsien, Shantung* (New Haven: Yale University Press, 1956).

6 Cultural Bureau of Chaoyang City and Liaoning Provincial Institute of
   Archaeology and Cultural Relics, *Niuheliang Site* (Beijing: Academy Press, 2004).

7 *Wenwu* 1988.1, 1-31. Zhejiang Cultural Relics and Archaeology Research
   Institute, *Yaoshan* (Beijing: Wenwu Chubanshe, 2003).

8 Liu Li, "Ancestor Worship: An Archaeological Investigation of Ritual Activities
   in Neolithic North China", *Journal of East Asian Archaeology*, 2, 1-2 (2000),
   129-164.

9 K. C. Chang(Kwang-chih Chang, 1931-2001)의 중국 고고학에 대한 핵심 주장
   에 대해서는 *The Archaeology of Ancient China* (New Haven: Yale University Press,
   4 edns. from 1963 to 1986).

10 N. Steinhardt, *Chinese Imperial City Planning* (Honolulu: University of Hawaii
    Press, 1990), 30-32.

11 Chinese Academy of Social Sciences Archaeology Institute, *Yanshi Erlitou: 1959
    nian-1978 nian kaogu baojue baogao* (Archaeology Report on Excavations of
    the Years 1959-78 at Erlitou, Yanshi) (Beijing: Zhongguo Dabaike Quanzhu
    Chubanshe, 1999). K. C. Chang, *Shang Archaeology* (New Haven and London:

Yale University Press, 1980), 342-346.

12 Henan Cultural Relics and Archaeology Research Institute, *Zhengzhou Shangcheng: 1952-1985-nian kaogu fajue jianbao* (Excavation Report on 1952-85 at the Shang City at Zhengzhou) (Beijing: Cultural Relics Press, 2001). Henan Cultural Relics and Archaeology Research Institute, *Zhengzhou Shangcheng kaogu xinfaxian yu yanjiu, 1985-1992* (New Discoveries and Research in Archaeology of the Shang City at Zhengzhou, 1985-92) (Zhengzhou: Zhongzhou Guji Chubanshe, 1993).

13 Tang Jigen, "The Largest Walled City Located in Anyang, China", *Antiquity*, 74 (2000), 479-480. *Wenwu* 2003.5, 35-44.

14 *Kaogu* 2000.7, 1-2; 1999.2, 1-22; 1998.6, 1-8; 1984.6, 488-506.

15 Hubei Cultural Relics and Archaeology Research Institute, *Panlongcheng: 1963-1994-nian kaogu fajue baogao* (Report on Excavations at Panlongcheng from 1963-1994), 2 vols. (Beijing: Cultural Relics Press, 2001).

16 *Huaxia kaogu* 2000.2, 16-35.

17 Henansheng Anyangshi Difangshizhi Bianzuan Weiyuanhui, *Anyang shi zhi* (Record of Anyang), 4 vols. (Zhengzhou: Zhongzhou Guji Chubanshe, 1998).

18 이러한 관점들은 다음 책에서 정리되고 논의되었다. Norman Yoffee, *Myths of the Archaic State* (Cambridge: Cambridge University Press, 2005), 42-90, 특히 49-52.

19 Bernhard Karlgren, *The Book of Odes* (Stockholm: Museum of Far Eastern Antiquities, 1950), 198.

20 *Guanzhong congshu* (Collected Writings of Guanzhong) (Taipei: Y iwen Publishing Company, 1970), juan 2/11a-12b.

21 중요한 의미를 주장하는 책 분량의 연구로 He Yeju, *'Kaogong ji' yingguo zhidu yanjiu* (Research on the Building System according to 'Kaogong ji') (Beijing: China Architecture and Building Press, 1985). Paul Wheatley, *The Pivot of the Four Quarters* (Chicago: Aldine Publishing Company, 1971), 폴 위틀리Paul Wheatley의 이 책에 대한 토론의 초점은 2008년에 제기된 고대 중국 도시의 기원과 특성에 관한 것이다. 낸시 S. 스타인하트Nancy S. Steinhardt는 이 문제를 문헌을 통해 중국 도시주의의 단순 모델로 다루었다. Nancy S. Steinhardt, *Chinese*

Imperial City Planning (Honolulu: University of Hawaii Press, 1990).

22 *Kaogu* 1975.6, 363-379.

23 Chen Shen, "Compromise and Conflicts: Production and Commerce in the Royal Cities of Eastern Zhou, China", in *The Social Construction of Ancient Cities*, ed. Monica L. Smith (Washington, D. C: Smithsonian Books, 2003), 290-310.

24 Wenwu 1993.4, 4-15.

25 Mark E. Lewis, *The Construction of Space in Early China* (Albany: SUNY Press, 2006), 160-166; id., *The Early Chinese Empires: Qin and Han* (Cambridge: Harvard University Press, 2007), 81-85.

26 Tôyôshi kenkyû 21, 3 (1962): 271-294. Miyazaki Ichisada, "Les villes en Chine a l'Epoque des Han", *T'oung Pao* 48, 4-5 (1960): 376-392.

27 David Knechtges, trans. *Wen xuan, or Selections of Refined Literature*, vol. 1: *Rhapsodies on Metropolises and Capitals* (Princeton: Princeton University Press, 1982), xiii, 181, 203, 235.

28 Ibid. 247.

29 청두의 초기 역사에 대해서는 Chang Qu (fl. 265-316), *Huayang guozhi* (Record of the State of Huayang) (Taipei: Taiwan Shangwu Yinshuguan, 1983).

30 건강에 대해서는 *Jiankang shilu* (Veritable Record of Jiankang [Nanjing when it was capital of the Southern Dynasties]). 오늘날 난징의 위치에서 220년에서 589년 사이에 성장하고 몰락한 여섯 도시에 대한 보다 많은 정보에 대해서는 Zhu Xie, *Jinling guji tukao* (Plans and Research on the Ancient City Jinling [Nanjing]) (Shanghai: Shangwu Yinshuguan, 1936).

31 *Wenwu* 1979.9, 33-42, 43-56.

32 *Kaogu* 1990.7, 595-600; *Wenwu chunqiu* 1995.3, 1-5, 15; Edward Schafer, "The Yeh chung chi", *T'oung Pao* 76, 4-5 (1990): 147-207.

33 Jin shu (Standard History of Jin), *juan* 113, 2895.

34 *Zizhi tongjian, juan* 95, 2237.

35 *Jin shu, juan* 86, 2237-2238.

36 Wang Mianhou, *Gaogouli gucheng yanjiu* (Research on Koguryo Cities) (Beijing: Cultural Relics Press, 2002).

37 Yang Hsiian-chih, *A Record of Buddhist Monasteries of Lo-yang, trans. Wang Yi-t'ung*

(Princeton: Princeton University Press, 1984). W. J. F. Jenner, *Memories of Loyang* (Oxford: Clarendon Press, 1981).

38 *Wei shu, juan* 23, 604. 평성 연구를 포함하는 것으로 *Wenwu* 1977.11, 38-46; *Beichao yanjiu* 1992.2, 22-27; 1993.3, 53-58; 1995.1, 1-17; 1995.2 9-14; Li Ping, *Bei Wei Pingcheng shidai* (The Age of Northern Wei Pingcheng) (Beijing: Shehui kexue wenxian chubanshe, 2000). Jenner, *Memories of Lo-yang*, 18-37.

39 불교기관에 대해서는 *Wei shu*, juan 114, 3030-3039.

40 Ibid., *juan* 62, 1400.

41 Jenner, *Memories of Lo-yang*, 117에서는 기록상의 10만 9000가구에 1가구당 5명씩의 인구를 추산한다. *Luoyang qielan ji, juan* 5, 227; *Wei shu, juan* 18, 428; *Wei shu, juan* 8, 194.

42 Jenner, *Memories of Lo-yang*, 200.

43 *Wei shu, juan 12, 297, juan* 79, 1766.

44 Sima Guang (1019-86), *Zizhi tongjian* (Comprehensive mirror for aid in government), *juan* 157, 4867.

45 Ibid., *juan* 158, 4877.

46 *Wei shu, juan* 12, 303-304.

47 *Kaogu* 1997.3, 27-32. Zhu Yanshi, "Research on the Palace-city of the South City of Ye of the Eastern Wei and the Northern Qi", in *Between Han and Tang: Visual and Material Culture*, ed. Wu Hung (Beijing: Cultural Relics Press, 2003), 97-114.

48 Fu Xinian, *Zhongguo gudai jianzhu shi* (History of Chinese Ancient Architecture), vol. 2 (Beijing: China Architecture and Building Press, 2001), 92.

49 *Xu Gaoseng zhuan* (Biographies of Eminent Monks, Continued) (Beijing: Zhonghua Shuju, 19), 4908, *juan* 10, first biography 510.

50 *Zhou shu, juan* 6, 107.

51 *Zhou shu, juan* 6, 103. 북부 제나라 건축의 화려함에 대해서는 Steinhardt, "Xiangtangshan and Northern Qi Architecture", in *Echoes of the Past*, ed. K. Tsiang (Chicago and Washington, D.C.: Smart Museum and Sacker Gallery, 2010), 59-77.

52 *Zhou shu, juan* 7, 124.

53 Chinese Academy of Sciences Archaeology Institute, *Xin Zhongguo de kaogu faxian he yanjiu* (Archaeological Discoveries and Research in New China) (Beijing: Cultural Relics Press, 1984), 395.

54 *Zizhi tongjian, juan* 174, 4248.

55 Ibid,, *juan* 184, 5761,

56 *Jiankang shilu, juan* 20, 802.

참고문헌

Chang, Kwang-Chih, *The Archaeology of Ancient China*, 4th edn. (New Haven: Yale University Press, 1986).

Falkenhausen, Lothar von, "Stages in the Development of 'Cities' in Pre-Imperial China", in *The Ancient City: New Perspectives on Urbanism in the Old and New World*, ed. Joyce Marcus and Jeremy Sabloff (Santa Fe: School for Advanced Research, 2008), 209–228.

Jenner, W J. F., *Memories of Loyang: Yang Hsüan-Chih and the Lost Capital (493–534)* (Oxford: Clarendon Press, 1981).

Knechtges, David, trans., *Wen xuan, or Selections of Refined Literature*, vol. 1: *Rhapsodies on Metropolises and Capitals* (Princeton: Princeton University Press, 1982).

Shen, Chen, "Compromises and Conflicts: Production and Commerce in the Royal Cities of Eastern Zhou, China", in *The Social Construction of Cities*, ed. Monica L. Smith (Washington, D.C.: Smithsonian Books, 2010), 290–310.

Steinhardt, Nancy S., *Chinese Imperial City Planning* (Honolulu: University of Hawaii Press, 1990).

Wheatley, Paul, *The Origins and Character of the Ancient Chinese City*, 2 vols. (New Brunswick and London: Aldine, 1971).

Xu, Hong, *Xian Qin chengshi kaoguxue* (Archaeology of Pre-Qin Cities) (Beijing: Yanshan Chubanshe, 2000).

초기 도시

EARLY CITIES

주제

Themes

제7장

경제
Economy

데이비드 L. 스톤

David L. Stone

아시아, 유럽, 아프리카, 아메리카의 초기 도시들은 상대적으로 짧은 기간에 흔히 성장했고 거주민들의 삶에 많은 변화를 주었다. 도시화 urbanization의 시작은 농업 생산의 강화, 원거리 교역의 확대, 관리자 계급의 형성, 특화된 공예품을 생산하는 노동력의 창출, 도시 주변 지역의 인구 감소로 이어졌다. 지배계급의 경제적 권력은 증대하는 경향이었지만, 동시에 부를 획득할 새로운 기회들이 창출되었다. 초기 도시들이 퇴보했을 때, 많은 도시가 그러했듯이, 도시들의 쇠퇴에서 경제 성장 과정의 역전을 감지할 수 있다. 이 장의 초점은 도시들의 등장이 경제에 어떤 의미였는지, 그리고 가장 중요하게는 경제를 구성했던 농민, 토지소유주, 직인職人, 상인, 행정가의 노동이 어떤 의미였는지 살펴보는 것이다. 이 장에서는 먼저 이전 연구들의 기초가 된 생각이 무엇인지를 고찰한다. 그다음 새로운 과학적 연구의 결과와 새로운 이론적 접근법의 유사한 발전을 들여다본다. 이 둘 모두 오늘날 초기 도시들에 관한 연구에 지대한 영향을 끼치고 있다. 이것들은 경제이 주된 다섯 가지 영역과 관련지어 탐색될 것이다. 계층화, 시골, 위세재와 원거리 교역, 전문적 생산, 쇠퇴가 그것이다. 이 장에서 경제는 '사회 공급을 위한 생산, 유통, 교환, 소비'로 정의된다.

　　세 가지 주요 요소를 통해 초기 도시들의 경제를 알 수 있다. 첫째, 기록 문서들은 이 책에서 논의하는 메소포타미아, 지중해, 중국에서처럼, 초기 도시들과 같은 시기에 자주 나타난다(2, 3, 6장 참조). 이집트, 마야 등 다른 사회들에서도 마찬가지다. 기록 문서들은 엘리트들의 관점에 특권을 부여하는 경향이 있음에도, 경제, 조세, 주요 작물staple crops의 관리에 대한 많은 정보를 제공한다. 둘째, 도시 그 자체의 물질적 유물들은 교역, 노동, 현지의 생산 및 소비를 증명한다. 셋째, 환경적 증거들은 초기 도시 주변의 경관 속에 혹은 발굴된 유적 속에 남아 있고, 생태, 기후, 농업 관행을 연구하는 데 활용될 수 있다.

　　초기 도시들의 경제를 논의하기 위해서는 세계적 비교 관점을 수용하는 게 도움이 된다. 도시들은 서로 다른 특징들을 가지고 있지만 유일하지는 않다. 비교는 도시들의 기원과 기능의 유사점을 식별하고, 무엇이 도시들을 연결하고 또 무엇이 도시city를 작은 타운town 및 마을village과 구분하는지 평가하게 해주며, 도시들의 성장과 쇠퇴의 이유를 파악할 수 있게 해준다. 마찬가지로, 비교접근법은 같은 문화를 공유하지 않거나 비슷한 지역에 위치하지 않을 수 있는 도시들 사이에 공통점을 식별하고, 그들 사이에 변이성의 범위를 설정할 수 있게 해준다. 프랜츠 보애스Franz Boas의 인류학이나 문화적 상대주의 같은 특정한 접근법에서는 이러한 유형의 비교가 불가능하거나 비생산적이라고 간주할 수 있으나 아래에서 설명할 것들에 따르면 그렇지 않을 수도 있다.

비교comparison는 도시의 경제에 대한 가장 이른 초기의 학문적 접근법을 제공했다. 뉘마 드니 퓌스텔 드 쿨랑주Numa Denis Fustel de Coulanges는 자산 소유권을 에트루리아, 그리스 및 로마 도시들과 여타의 대안적 조직 형태를 구별하는 핵심 요소로 간주했다. 막스 베버는 이러한 비교접근법을 심화했는데 '서구Western'와 '오리엔트Oriental'의 도시들을 분석한 후 서유럽 도시들은 시민권과 시장으로, 오리엔트 도시들은 전제정과 재분배로 특징지어진다고 주장했다.[1] 다른 이들이 언급한 대로, 이와 같은 시각은 식민주의와 오리엔탈리즘의 관점을 표상한다(9장 참조). 후대의 학자들은 고대 도시를 연구하는 수단으로 비교를 추구했고, 이러한 접근법은 오늘날에도 일반적이다. 이 방식은 20세기 후반기와 21세기의 첫 10년 동안 중요 연구들의 기초가 되었다.[2]

무엇이 '초기 도시early city'를 구성하는가? 이 책의 많은 장은(예컨대 1장) '도시'의 정의가 절대적일 수는 없지만, 개별 사례들이 다양하고 모든 특징적 요소를 보여주지는 않는다는 전제에서 출발한다. 일반적으로 말해, 도시는 인근 정주지settlement보다 인구밀도가 훨씬 높은 곳이었다. 거주민들에는 상류층과 식량 생산에 직접 관여하지 않는 노동자들이 포함되었다. 비록 다른 주민들의 많은 비율이 농업 활동에 참여했을지는 모르지만 말이다. 비농업 기능의 수행은 도시를 주변의 시골과 구분해주었다. 도시 중심지urban centre에서는 지도자들이 정치적이거나 행정적인 결정을 내렸고, 종교적 의례가 행해졌으며, 축제가 열렸고, 원거리 교역이 이루어졌고, 특화 상품이 생산되었으며, 이데올로기가 전파되었다. 변이성은 초기 도시들의 주요 유형에서 분명하게 나타났다. 그 유형의 하나는 대략 권력이 서로 비슷한 도시들에서 더 큰 규모의 문화적 집단에 속한 도시들이었고, 다른 하나는 문화적 집단 내의 다른 정주지들을 지배하고 그곳의 수도로 기능하는 도시들이었다. 전자는 '도시국가city-state'로 간주되며, 도시 중심지와 그 주변 영토로 구성된 단일한 정치 단위를 지칭한다. 메소포타미아, 고대 그리스, 마야는 여러 경쟁적 도시국가로 구성된 공통의 문화로 묘사된다. 이 스펙트럼의 반대쪽 끝에는 고대 이집트가 예시인 '영토국가territorial state'와 아스테카, 잉카, 로마 세계와 같은 '제국empire'이 존재한다.[3] 이 4개 복합적인 초기 국가들의 중심에는 도시들이 자리했는데 멤피스Memphis, 테노치티틀란Tenochtitlán, 쿠스코Cuzco, 로마 등이다. 이 수도들은 군사 활동으로 차지한 지리적으로 먼 영토와 그곳의 신민들을 착취하는 방향성을 띠었다는 점에서 도시국가와 달랐다. 영토국가와 제국을 평가할 때는 반드시 개별 도시들의 경제와 더불어 도시가 지배하는 훨씬 더 큰 경제 또한 고려해야 한다. 그럼에도, 경제는 어떤 유형의 도시든 그것을 정의하는 데서 중요한 역할을 한다.

도시국가 우루크의 규모가 기원전 3200~기원전 3000년 무렵 100헥타르(1제곱킬로미터)에 이르렀을 때, 그 주변 시골들의 농업 잉여물은 특화된 도자기 생산과 서비스 제공을 지원했다. 신전temple들과 그것들을 관리한 사람들은 잉여물을 수집·저장·재분배하는 것에 더해 토지를 소유하고 노동자를 지휘하는 사회에서 가장 큰 실체로 부상했다.[4] 기원전 4000년 무렵에 처음 등장한 우루크와 여러 메소포타미아 도시는 세계 최초의 혹은 가장 '원시적인pristine' 도시들로 알려지며 종종 가장 많은 주목을 받았다. 그러나 세계의 다른 부분에서는 '초기early' 도시들이 한참 후에 나타났다. 따라서 긴 연대기의 확장과 넓은 지리적 영역 모두가 비교분석에서 중요하다. 이 장에서는 메소포타미아부터 이집트, 중국, 인더스계곡, 지중해, 메소아메리카, 남아메리카에 이르기까지를 다루는데, 대략 기원전 4000년부터 기원후 600년까지다.[5] 과거 인구의 상대적으로 적은 비율만이 '첫 번째first' 도시들에 살았기에 이후의 '2차secondary' 도시 중심지들에 대해서도 강조한다. 궁극적으로 "도시란 무엇인가?" "경제가 그 정의에 어떤 영향을 끼치는가?"와 같은 질문들은 다음과 같은 질문보다 덜 흥미롭다. "초기 도시들의 경제는 무엇으로 구성되어 있었는가?" "초기 도시들에서 경제 발전의 의미는 어떻게 해석되었는가?"

초기 도시들의 경제에 대한 이론들

초기 도시들의 경제에 관한 논쟁을 이해하기 위해서는 이전의 이론들에 대한 고려가 중요하다. 많은 이론이 '국가 형성state formation' '복합 사회complex society들의 발전' 혹은 '문명civilization의 출현'에 관한 연구에서 나왔다. 이 용어들은 학자의 배경이나 관심들을 반영하지만 선사시대에서 역사시대로의 전환과 동일한 과정을 나타낸다.[6] 이들 이론은 도시의 기원에서 경제의 역할을 고려하는 경향이 있긴 함에도, 경제가 일상적으로 또는 시간에 따라 어떻게 기능했는지는 거의 고려하지 않는다. 따라서 〔초기 도시들의〕 경제 연구는 특히 정치와 종교와 같은 주제와 비교해 다소 무시되었다.

카를 비트포겔Karl Wittfogel의 '수자원 가설hydraulic hypothesis은' 아마도 고대 도시들의 경제성장과 관련해 가장 잘 알려진 이론일 것이다. 비트포겔은 연간 강수량이 낮아서 사람들이 신뢰할 수 있는 수확물을 생산하려면 수원을 통제해야 하는 지역에서 도시와 계층화한 사회가 출현했다고 가정했다(그는 고대 하와이Ancient Hawaii, 메소포타미아, 이집트, 중국, 인도, 메소아메리카, 잉카 페루, 비잔티움, 차르 치하 러시아를 언급했다). 비트포겔은 관개irrigation가 농민들에 의한 소규모 활동에서 비롯되었지만 일단 그것이 성공한 이후에는 통치자들에 의해 이용당했다고 생각했다. 통치자는 대규모 관개 체계 구축에 필요한 대규모 노동을 조직한 다음 그 체계에 세금을 부과해 이익을 얻었다. 대규모 관개 작업은 농업 잉여물을 발생시켰고 인구의 성장, 군대의 조직, 전문 직인들의 고용을 통해 주요 도시들을 탄생시켰다. 잉여가 커지면서 통치자들은 '전제적despotic'이고 '전체주의적totalitarian'이 되었다. 비트포겔은 수자원 사회hydraulic society의 통치자들을 20세기 중반 소련과 중국의 공산주의 지도자들과 연관시키는바 이들의 전체적 권력total power이 "관료제적bureaucratic 국가 노예 체계를 인류의 3분의 2로 확대하고" 서방 국가들의 민주적 자유를 위협한다고 보았다.[7] 이 연구는 냉전시대 정치와 분명한 연관성이 있긴 하지만 적어도 20년 동안 초기 도시 연구에 다음과 같은 주요한 영향을 끼쳤다. 첫째, 고고학자들과 역사학자들이 초기 도시 자료들 속에서 '수자원 사회들'을 식별해내도록 장려했다. 둘째, 수자원 사회의 작동에 대한 특별한 해석을 촉진했다. 수자원 사회의 통치자들이 농민에게 공물과 노동을 제공하도록 규정해 자신들이 권력을 획득하고 자신들을 풍요롭게 했다는 것으로, 이것은 카를 마르크스의 '아시아적 생산양식Asiatic mode of production〔Asiatische Produktionsweise〕'과도 일맥상통한다. 셋째, 사회가 원시에서 근대로 직선적인 발전 순서로 진행되었다고 주장하는 '신新진화론적neo-evolutionary' 사고를 발전시켰다. 신진화론자들은 1950년대부터 1970년대까지 인류학과 인류학적 고고학anthropological archaeology 분야를 장악했는데, 이들은 비트포겔의 관점이 자신들과 양립가능하다고 보았다. 비트포겔이 식별했던 양상(부족한 수자원을 관리하기 위한 대규모 관개 공사를 통해 소규모 평등주의 지역이 대규모 억압 지역으로 전환된다는 양상)이 전 세계 여러 사회에서 독립적으로 등장했다는 점에서다. 그런데 개개의 사회들에 영향을 끼치는 특정 요인들이 더욱 주목을 받으면서 보편적 모델들은 구식이 되었고, 신진화주의와 비트포겔의 수자원 가설 모두 1980년대에 대부분 폐기되었다.[8]

또 다른 논쟁의 뿌리에는 초기 도시와 현대 도시의 비교가 자리한다. 역사학자 미하일 로스톱체프Mikhail Rostovtzeff는 자신의 고전 세계에 대한 분석에서 고대 도시와 현대 도시 사이에 유사점이 있다고 주장했다. 베버의 연구에 나타나는 식민주의적 결론을 강조하며, 로스톱체프는 다음과 같이 언급했다. 로마 도시들은 "거주민들에게 가능한 한 최대의 안락함을 제공하는 것을 목표로 삼았다. 그것들은 오늘날 동양 도시들과 마을들보다는 근대 서구 도시들의 일부처럼 보였다." 그는 로마 도시들의 부富를 세계무역, 값싼 재화시장, 산업의 지방분권화[분권화, 분산]decentralization, 막대한 돈을 모은 영향력 있는 사람들과 같은 자본주의capitalism의 특성 덕으로 돌렸다.[9] 로스톱체프는 로마 제국이 기원후 2세기에 고도의 번영을 달성한 게 경제가 합리적으로 운영된 때문이라고 파악했다. 이와 같은 입장은 '형식주의자formalist' 혹은 '근대주의자modernist'의 것으로 기술된다. 경제사학자 칼 폴라니Karl Polanyi는 다른 관점을 취하는바, 통상적으로 '실체주의자substantivist' 혹은 '최소주의자minimalist'의 견해다. 초기 도시에서 토지는 민간 개인보다는 기관이나 집단이 소유하는 일이 많았고, 상인 중산층이 매우 드물었다는 점에 주목하면서, 폴라니는 토지와 교역 관리에 대한 정부의 강력한 역할을 구상했다. 그는 정부가 도움이 필요한 이들에게 부를 재분배했고 사치재 공급을 면밀하게 통제했던 반면, 상호적 혹은 재분배적 거래가 시장 거래보다 더 중요했다고 생각했다. 폴라니는 마르크스주의 관점을 보여주는데 그 이유는 그가 고대 경제를 사회적 관계들과 기관들에 '내재하는embedded' 것으로 보기 때문이다. 이와 같은 관점에서는, 과거의 사람들은 행위를 할 때 이익을 추구하는 것이 아니라 관계를 창출하고, 유지하고, 또는 조정하는 것을 목표로 했다고 본다. 폴라니 및 그리스와 로마 경제를 연구한 모지스 핀리Moses Finley 같은 그의 지지자들은 자본주의가 초기 도시들의 경제에 적용될 수 있다는 전제를 거부했다. 핀리는 상업 활동이 대규모로 존재했다는 로스톱체프의 결론들에 이의를 제기하면서 토지소유주가 자급자족을 달성하고 시장과의 관계에서 자유로워지는 것을 목표로 했음을 암시하는 텍스트를 지적한다.[10]

기존의 이론들은 현대 정치사상에 영향을 받았고 고대 문헌에서 나온 증거들에 크게 의지했다. 그러나 세계의 많은 지역에서 도시들은 첫 기록이 시작된 동시대에 혹은 그보다 더 이른 시기에 생겨났기에 도시의 기원들을 고려하는 데는 고고학 자료가 특히나 중요하다. 비어고든 차일드는 고고학 자료를 가지고 세계 전역의 고대 사회들을 비교 분석하면서 초기 도시들의 10가지 특성을 분리해냈다. 큰 규모와 인구, 비非전임專任 식량 생산 노동자, 농업 잉여물에 대한 세금 부과, 기념(비)적 공공건축물, 통치 계급, 기록물, 계수計數 체계, 장인, 희소 원자재 수입, 정치적·경제적 공동체가 그것이다. 차일드는 이와 같은 특성의 등장이 사회적 조직을 변화시키는 '도시혁명urban revolution'을 나타낸다고 주장했다.[11] 차일드의 '도시혁명' 이론은 기술의 진보 및 관개의 발전을 도시주의urbanism의 자극으로 간주했다. 1960년대와 1970년대의 신진화주의자들은 인간이 변화하는 인구학적·환경적 조건에 어떻게 적응했는지를 탐색하면서 이러한 견해를 더욱 추구해나갔다.[12]

브루스 트리거Bruce Trigger와 마이클 스미스Michael Smith의 초기 도시들에 대한 더욱 최근의 분석은 문헌과 고고학 데이터 둘 다를 훨씬 더 광범위하게 활용하려고 노력했다. 트리거는 총 7개 '초기 문명'(메소포타미아, 이집트, 상 왕조 중국, 마야, 아스테카 멕시코, 잉카, 요루바)의 정치 행정, 계급 체계, 농경 체제, 과세와 공물 체계, 도시 형태, 특화된 공예, 교역, 종교 관습, 신념, 법률 체계, 기록 작업에 관한 정보를 모았다. 7개 문명 각각의 특성에 대한 심층분석을 통해 그는 정치, 경제, 문화에서 초기 문명들 사이에 많은 유사점과 마찬가지로 많은 특이한 특성도 있다고 결론 내렸다.[13] 트리거가 언급한 유사점 일부는 다음과 같다. 두 형태의 정치적 조직(도시국가나 영토국가) 가운데 하나의 존재,

지도자들이 부의 막대한 잉여를 축적하는 경향, 지도자들이 초자연적 힘을 자신에게 유리하게 규제하려 신전〔사원〕, 제의, 희생, 종교적 숭배에 거액을 지출하도록 요구하는 종교적 신념의 고수 등. 차이점은 농업 관행에서 나타나는바 각 문명이 각각의 지역적 특성들에 적응했기 때문이다. 비슷한 이유로 초기 문명의 인구밀도는 많은 변이를 보이는데 도시화를 자극하는 특정 인구밀도는 발견되지 않았다. 트리거의 결론들은 유사한 적응형 인간행동adaptive human behaviour이 세계 전역에서 도시들의 성장을 낳았다는 신진화론적인 과도한 결정론을 거부하는 근거를 제공한다. 그 결론들은 각 문화(또는 '초기 도시')가 자체적으로 발생했기 때문에 비교할 수 없다는 상대주의적 입장에도 반대한다. 트리거는 그 대신 양상들이 단일한 설명 틀에 정확하게 맞아떨어지지 않지만 그러함에도 공통점이 많다는 것을 제시한다.

마이클 스미스는 '고대국가 경제'를 검토하면서 변이성을 강조했다. 그에게 핵심 차이점은 국가의 규모가 아니라 정치적 조직의 유형과 경제의 '상업화'commercialization 정도였다. 스미스는 네 가지 정치적 조직 (즉 '약한 국가weak state', 도시국가, 영토국가, 제국)을 구별했다.[14] 또 그는 네 가지 상업적 단계 즉 비非상업화 단계, 저급 상업화 단계, 중급 상업화 단계, 발전된 전前자본주의 단계를 구별했다. 해당 단계에 대한 설명이 필요하다. 비상업화 경제에는 자금, 시장, 독자적 상인〔자영상인〕이 부족하다. 이 단계에는 국가를 위해 활동하는 전임full-time 공예 전문 인력과 원거리 교역업자들이 존재할 수 있다. 정부의 통제는 저급 상업화 단계의 경제에서 강한데, 토지의 사적 소유는 없으나 상인과 시장이 있을 수 있다. 중급 상업화 단계는 자금, 시장, 상인의 존재로 특징지어질 수 있으나 사적 소유나 노동의 통제가 존재하지 않는다. 마지막 단계는 발전된 전자본주의 상업화다. 광범위하게 확산된 재화 시장, 확장된 사적 토지 소유, 은행과 신용기관들이 존재한다. 정치적 유형과 상업적 단계의 상관관계를 통해 스미스는 초기 도시들에서 경제 활동의 복잡성 스펙트럼을 그래프로 표시할 수 있었다. 저급 상업화 단계 사례의 한쪽 끝에는 인더스계곡과 마야가 있다. 그 맞은편 끝에는, 아시리아 제국, 로마 제국, 고전기 그리스 도시국가들이 있다. 그 사이에 고대 이집트, 상 왕조 중국, 초기 메소포타미아 도시국가들, 테오티우아칸Teotihuacán, 잉카 제국이 있다. 스미스의 상업화 개념은 앞으로 나아갈 두 가지 중요한 점을 일러주는 것 같다. 첫째, 초기 국가들의 연구를 통해 정치와 경제가 분리될 수 없었다는 사실을 알려주며 이를 함께 고려하는 수단을 제공한다는 것이다. 둘째, 형식주의자나 실체주의자 입장이 그러했던 것처럼, '원시적' 혹은 '현대적' 경제를 비교하는 것 대신 각각의 국가들을 비교한다는 것이다.

새 방향들

트리거와 스미스가 명시한 노선을 따라 광범위한 고고학적·텍스트적 접근법을 지속하는 것은 더 큰 가능성을 보여준다. 최근 몇 년 사이에 학제 연구는 환경 조건, 생활 체제, 교역, 건강〔보건〕, 일상 활동 등 중요한 주제들을 다루는 신新이론과 엄청난 양의 증거를 쏟아냈다. 이 연구는 연구자들이 오랫동안 대다수 인구의 '경제적 현실'을 조사하기를 원했던 일종의 데이터와 분석 틀을 만들어냈다. 부분적으로 이것이 고고학적 지표 조사와 같은 전통적인 엘리트적 방법론에서 벗어나서 하류층에 관해 질문하기 위한 현장 조사와 문헌 연구의 지향성을 예시해주었기 때문이다. 또 안정 동위원소 분석stable isotope analysis, 준성자 방사화 분석neutron activation analysis, 가속 질량 분석 방사성탄소 연대 측정accelerator mass spectrometry radiocarbon dating과 같은 신기술을 사용하게 된 과학적 진보 때문이다. 이러한 기술은 고고학 유물의 구성 요소를 식별하고, 근원을 밝히고, 연대를 측정하는 데서 정밀도를 높여준다. 동시에 사회과학 내에서 생성된 이론들은 과거 사회들에 관한 연구의 새로운 길을 열었다. 이 장의 나머지 부분에서는 이런 연구들이 초기 도시의 경제에 중요한 다섯 가지 영역에 어떻게 영향을 끼쳤는지 논의한다. 계층화, 시골, 위세, 전문 인력 생산, 쇠퇴가 그 영역들이다. 이들 영역은 도시 형성과 새로운 경제적 양상들의 출현이 도시 거주민들에게 어떤 영향을 주었는지 고려하는 데서 특히나 유용하다.

도시들과 사회적 계층화

수렵-채집민 군집band에서 마을을 거쳐 도시에 이르는 구체적 경로는 전 세계적으로 다양했으나, 주요 단계에서 경제적 요인은 사회적·환경적 요인과 함께 도시의 부상에 수반하는 인간 생활방식의 일련의 '혁명' 배후에 놓여 있었다. 도시혁명의 중심에는 계층화한 사회들의 발전이 있다. 초기 도시들은 경제적, 사회적, 정치적 불평등의 조합으로 정의할 수 있는 지나친 사회적 계층화social stratification와 거의 동시에 세계 여러 지역에서 나타났다. 어니스트 겔너Ernest Gellner의 농경사회 agrarian society의 사회구조 모델은 농업 잉여물로부터 생계와 일차적 부의 원천을 끌어낸 초기 도시들에 적합하다([도형 7.1] 참조). 이 모델은 "측면으로 격리된 농업 생산자 공동체" 위에 위치하는 "계층화되고 수평적으로 분리된 군사적, 행정적, 종교적 및 때로는 상업적 지배계급"을 묘사한다.[15] 그러함에도 겔너의 모델은 초기 도시들의 경제와 관련한 많은 질문을 제기한다. 가장 핵심은 이것이다. 계층화는 어떻게 형성되었고, 또 어떻게 유지되었는가?

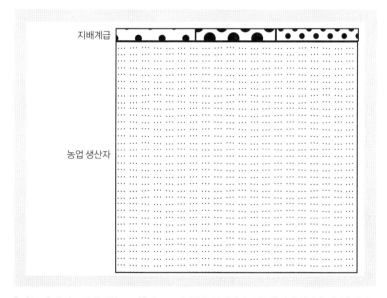

[도형 7.1] 초기 도시의 사회구조. "측면으로 격리된 농업 생산자 공동체" 위에 위치하는 "계층화되고 수평적으로 분리된 군사적, 행정적, 종교적 및 때로는 상업적 지배계급." (출처: Gellner, *Nations and Nationalism*, 9)

계층화는 네안데르탈인 후기 시대(5만~3만 년 전)와 해부학적 현대인anatomically modern humans(5만~1만 5000년 전) 시대 사이인 후기 구석기 시대Upper Palaeolithic부터 기록되었다. 최근 연구는 수렵-채집민들에게 '초평등주의transegalitarian' 사회들이 존재했다는 점을 부여준다('초평등주의 사회'는 평등 사회와 계층 사회 어느 쪽에도 속하지 않는 과도적 사회를 가리킨다). 이런 사회에서는 위세재威勢財, prestige goods의 생산 및 잉여 식량의 배분과 관련한 경쟁적 행동들이 일상화되었다('위세재'는 '위신품' '위신재' '위세품' 등으로도 쓰인다). 대다수 논평가는 인간이 야생 식물들을 경작하고, 정착지로 그것을 가져와서 계절마다 수확에 가장 적합한 것들을 선택하면서 계층화가 증가했다는 점에 동의한다(계층화는 처음 1만 1000년 전 근동 지역에서 독립적으로 나타났으며 이후 세계 여기저기에서도 등장했다).[16] 사람들이 식단의 더 많은 부분을 재배 작물에 의존하기 시작하고, 또 길들이고 사육할 수 있는 동물들을 사냥하고 포획하면서 일 년 중 더 많은 시간을 정착지에서 머무르자 이곳들이 최초의 영속적 마을이 되었다. 최초의 농민들은 땅을 더 집중적으로 경작해 그들 마을의 더 많은 인구를 부양할 수 있었으므로 소규모 수렵-채집민 보다 더 강력해졌다. 시간이 지나면서 농업마을의 일부 구성원은 유리한 토지 보유, 더욱 집중적인 경작 기술, 혹은 좋은 수확을 통해 자신들이 필요한 것보다 더 많은 식량을 생산할 수 있었다. 이런 방식으로 그들은 초기 마을들과 초기 도시들 모두에서 부의 기본적 형태인 잉여 식량을 축적했다. 그들은 이 잉여 식량을 재화나 노동에 대한 대가로 공동체의 다른 구성원들과 교환했고, 혹은 축제에 음식을 제공해 위세를 얻었다. 시간이 지나면서 그들은 권력을 얻었고 공동체의 다른 구성원들은 그들에게 의존하기 시작했다. 인류학적 연구들은 농경 마을들이 다양한 방법으로 초기 도시들로 발전했고, 각각의 핵심에 증가하는 도시 인구를 지원하기 위해 농업 잉여물을 획득할 수단을 가진 소규모 통치 계급이 존재했음을 말해준다. 이들 공동체의 지도자가 더 많은 통제권을 획득하면서, 그들은 전쟁을 통해 때때로 더 작은 이웃 마을들을 흡수할 수 있었고, 이에 더해 인구를 늘릴 수 있었다. 가장 이른 초기의 농경마을farming village들부터 도시들의 등장까지 장기적 관점이 중요한 이유는 농업마을agricultural village들의 경제를 더욱 잘 이해함으로써 사회가 도시로 어떻게 변모했는지를 더 잘 이해할 수 있기 때문이다. 여기에서 해결되지 못한 핵심 질문 하나는 그러한 변모가 한 단계에서 다음 단계로의 '진보'로 가장 잘 설명되는지 아니면 마을을 인식하게 어렵게 하는 '중단적 전환'으로 가장 잘 설명되는지 여부다.

도시들과 시골들

주변 시골countryside의 농민들이 농업 잉여물 생산을 통해 초기 도시의 많은 부를 축적한 이래, 시골에서 나오는 이러한 잉여의 전유專有, appropriation는 '경제적 권력economic power'을 통제하는 데서 필수 요소였다. 트리거의 교차–문화 검증은 초기 도시들의 지배계급이 총 농업 잉여물의 10분의 1에서 5분의 1까지 전유했음을 시사했다.[17] 상나라 중국(기원전 1600~기원전 1100)에서는 농민들이 생산한 농작물의 9분의 1을 왕, 지역 통치자, 혹은 현지 관리들에게 넘겼다. 또 그들에게는 수확이 끝난 이후 한 달의 부역corvée이 요구되었다. 고대 이집트도 유사한 세금과 부역을 부과했다. 이집트의 가장 유명한 기념물인 피라미드는 부역 노동자들에 의해 만들어졌고 나일강의 관개 수로들도 마찬가지였다. 메소포타미아인들은 농업 수확물에 대한 세금이나 농지 임대료, 교역 상품에 대한 세금을 내야 했고 부역 의무도 있었다. 잉카는 전적으로 부역 체계를 통해 농업 잉여물을 확보했다. 게다가 잉카인들은 자신들의 땅 외에도 국가 소유의 땅들을 경작했고, 라마와 알파카 떼를 돌보고, 군사 복무를 이행하고, 도로와 다리를 건설하거나, 직물, 도기, 여타의 재화를 제조하도록 요구받았다. 관료, 숙련된 직인, 미숙련 노동자, 군대, 통치자에게 영양을 공급하기 위해 사용될 수 있는 기본적 농산물의 수취는 종종 '주主산물 재정staple finance'으로 지칭된다. 통치자가 농업 잉여물의 전유를 필요로 했다는 점은 분명하지만, 왜 초기 도시들의 거주민들이 세금, 임대료, 부역의 부과를 허용했는지는 분명하지 않다. 어쨌든 전前도시pre-urban 단계의 마을들에서는 '주산물 재정'에 대한 합의가 이루어졌을 수 있으며 그 부담은 균등하지는 않았을 것이다. 이런 전유에 대한 대가로 초기 도시 통치자들은 공동체에 '서비스service들'을 제공했는데, 일반적으로 도시 행정, 전쟁에서의 보호, 공동체를 대신하는 신성神性과의 중재가 그것들이다. 이 가운데 마지막 것이 가장 중요했다. 교차-문화 연구들은 초기 도시들의 거주민들은 통치자들이 공동체를 위해 '봉사serving' 하고 있다고 인식했고 자신들의 잉여물을 통치자들에게 기꺼이 바쳤다는 점을 보여준다.[18] 다음 도형은 초기 도시의 경제를 단순화한 모델로 마리오 리베라니Mario Liverani가 도식화한 우루크에서의 잉여물과 서비스의 흐름에 기반을 두

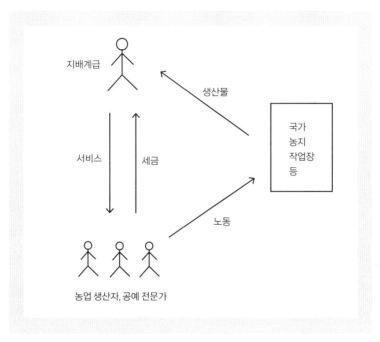

[도형 7.2] 초기 도시의 경제의 단순화 모델 (출처: Liverani, *Uruk*, 21)

었다([도형 7.2] 참조).

　시골 관련 새로운 연구의 관점에서, 우리는 초기 도시 주변의 경관을 검토하는 것을 〔이와 관련해〕 가장 중요한 자료들을 수집해온 고고학적 지표 조사에 기댈 수 있다. 이 기술은 오랫동안 행해졌으나 20세기 후반기에 급격하게 늘었고, 현재 고고학 연구에서 큰 부분을 차지하고 있다. 탐사들은 종종 특정 도시가 아닌 지역에 중점을 두며 개개의 기간보다는 장기간을 통해서 이루어지며, 배후지hinterland와 관련해 도시가 시간의 흐름에 따라 어떻게 성장하거나 쇠퇴했는지 측정할 수 있는 일종의 증거를 만들어낸다. 가장 이른 초기의 체계적 지표 조사 가운데 하나에 대해 보고하면서 로버트 애덤스Robert Adams는 "메소포타미아 도시들은 배후지의 작은 농촌 정주지를 희생시키며 성장했다"라고 적었다.[19] 이를 통해 그는 도시화 과정에 대립적인 '농촌화ruralization'가 동시대적으로 나타난다는 점을 관찰했다. 메소포타미아, 멕시코분지, 이탈리아 중부, 페루의 조사 결과 표본을 보면, 이 과정이 많은 초기 도시에서 흔한 형태임을 알 수 있다.

남부 메소포타미아에서는 도시국가 에리두, 움마, 우르, 우루크 주변에서 지표 조사가 수행되었다. 연구자들은 우바이드Ubaid기(기원전 4500~기원전 3500)에 용지用地 수와 인구 면에서의 급속한 성장을 기록했다. 그러나 도시국가들이 규모 면에서 커지면서 우루크는 기원전 3200년경 70헥타르에, 기원전 3000년경에는 100헥타르[1제곱킬로미터]에 이르렀고 동시에 농촌 용지들이 줄어들었다.[20] 멕시코분지의 반대편에 있는 테오티우아칸과 쿠이쿠일코Cuicuilco는 기원전 3세기와 기원전 2세기에 대규모 도시들로 발전되었으며 아마도 2만여 명의 인구와 400헥타르의 영역을 가졌던 것처럼 보인다. 쿠이쿠일코는 기원전 1세기에 화산으로 인해 묻혔으나 테오티우아칸은 팽창했고 2000헥타르와 10만 명의 인구에 이르렀다. 기원후 1세기 말에 테오티우아칸은 멕시코분지의 유일한 대규모 정주지였다. 초기 철기시대Early Iron Age (기원전 900~기원전 700)의 이탈리아에서는 팔라티누스Palatinus, 에스퀼리누스Esquilinus, 오피우스Oppius, 카일리우스Caelius 언덕들의 작은 정주지들이 로마 도시를 형성했고, 유사한 과정이 인근의 에트루리아 도시국가들에서 나타났다. 초기 중간기Early Intermediate부터 중기 호라이즌

2기 Middle Horizon 2까지(기원후 200~800) 페루의 아야쿠초Ayacucho분지에서는 '타운town' '부락hamlet' '마을village'이 줄어들었다. 세 용지가 와리Wari라는 한 도시로 통합되었는데 중심부는 250헥타르 규모이고 15제곱킬로미터에 달하는 더욱 큰 고고학적 지역 내에 위치한다. 와리의 확장은 도시가 더 먼 영토를 통제하면서 발생했다(현재의 증거는 정확한 연대기를 알려주지 않는다). 카트리나 슈레버Katharina Schreiber는 이 과정을 '국가state 수준 조직의 출현'이라고 서술했다.[21]

정주지 양상의 변화와 세금, 임대료, 노동 요구의 부과는 도시와 농촌 거주민 모두의 삶에 영향을 끼쳤다. 도시의 많은 새 거주민은 계속 농민으로 일했고 농토로 가기 위해서는 거의 확실히 멀리 있는 밭까지 움직여야 했다. 남는 시간에 그들은 단기 노동의 기회를 얻었다. 건축, 직물 짜기, 도자기 제조, 혹은 바구니 제작이 그것이었다. 몇몇은 전임full-time 직업의 기초가 될 보석, 조각, 주물 기술을 익혔다. 다른 이들은 아마도 재산의 영향력이나 가족 간의 관계들을 통해 사서, 세금 징수원, 감독관, 재산 관리자, 군사 지휘관 같은 행정 공무원의 직위를 얻었다. 시골에 남은 인구에는 다른 결과들이 있었다. 농촌경관rural landscape에서 더 큰 생산성이 요구되는 경우가 많아지자 결과적으로 토지 소유 양상에 변화가 빈번했다. 토지가 집단의 통제에서 벗어나 민간, 신전(사원), 또는 국가 재산으로서 중요한 '이익집단interest group'의 통제에 놓이는 일은 드물지 않았다.[22] 도시 인근 농촌 토지의 소유는 인구가 감소했음에도 생산 '강화'를 가져온 것으로 보인다. 농민들은 운송비가 낮은 타운에 인접한 곳의 수확을 극대화하기 위해 추가적 김매기, 관개, 쟁기질, 혹은 비료 주기를 하며 땅에서 더 철저하게 일했을 수 있다. 더 먼 거리의 땅에서는 축산이 발달했는데 고기를 도시의 시장으로 '신선한 상태로' 운송할 수 있었기 때문이다. 이러한 과정은 '조방화粗放化, extensification'로 정의된다.* 이와 같은 방식으로 도시의 형성이 그 반대인 시골의 발전 역시 이끌었다.

도시, 원거리 교역, 위세경제

원거리 교역long-distance trade은 초기 도시들에서 경제적 권력을 획득하는 두 번째 방법이었다. 많은 초기 도시는 주요 식량〔주식〕staple foods 생산에 적합한 환경에 자리를 잡았지만 귀중한 원재료는 덜 풍부했다. 희소 상품들을 얻기 위해서는 교역이 필요했다. 페니키아는 스페인 〔에스파냐〕과 이탈리아에서 광물 원석들을 찾았고, 마야는 멕시코 중부에서 흑요석을 찾았다. 이집트는 누비아에서 금과 흑단을, 레바논에서 삼나무를 획득했다. 상인들은 재화가 풍부한 곳에서 재화를 구매해 해당 재화가 희귀한 곳에 판매하면서, 그것을 저렴한 가격에 운송하는 만큼 이익을 얻을 수 있었다. 기원전 제2천년기 초반의 설형문자 점토판들에 있는 이야기를 해보자. 아수르Assur(현재의 이라크 아시시르카트Ash Shirqat) 출신 메소포타미아 상인은 자신의 고향에서 직물을 구한 후 카네시Kanesh(현재의 튀르키예〔터키〕퀼테페Kültepe)까지 900킬로미터의 거리

---

* "조방화농업"은 일정 면적의 토지에 투하되는 노동력과 자본이 적고 수확량과 판매액이 적은 형태의 농업을 말한다.

를 당나귀 대상隊商 행렬로 운반해 그것을 몇 배로 되팔고는 은을 가득 싣고 돌아와 그것을 두 배의 가격으로 팔 수 있었다. 상인들은 은을 카네시보다 아수르에 더 풍부했던 주석으로 수익성 높게 교환하기도 했다. 아수르와 카네시 사이의 교역은 결정적으로 시장지향적market-oriented 이었고 이익을 추구한 것이었지, 자신을 대신하도록 상인을 고용한 지배자들 간의 선물 교환으로서의 경제에 '내재한' 것이 아니었다.[23] 메소포타미아에 남아 있는 위와 같은 유형의 상세한 텍스트 문서 없이는, 다른 초기 도시들의 교역이 시장지향적이었는지를 확인하기 어렵다. 아스테카 사회에서 상인들의 입지는 이들이 교역에서 이익을 얻을 수 있는 능력을 강하게 암시하지만, 이집트와 잉카는 상인들의 활동을 보다 면밀하게 통제했던 것으로 보인다.[24]

교역은 완성품과 원자재를 도시에 제공했다. 멀리서 획득할 수 있는 재화만이 가치를 지녔고 물품이 복합적 기술이나 숙련도로 제조되었을 때 그것은 부가적 중요성을 지니게 되었다. '재화 재정wealth finance'은 위세적 사치품들의 생산과 조달을 환기하는바, 종종 원거리 교역과 숙련 장인들에 의해 마련되었다.[25] 통치자들은 도시 작업장들의 장인들을 고용해 귀중한 수입 원자재를 자신의 사회에 적합한 메시지를 적절하게 전달하게 해주는 '위세적' 물건으로 바꾸는 과정을 통제했다. '위세경제prestige economy'가 어떻게 작동했는지를 보려면 후기 청동기시대Late Bronze Age의 그리스(기원전 1500∼기원전 1200) 도시국가들에 기댈 수 있다.[26] 미케네Mycenae, 티린스Tiryns, 테베Thebae, 필로스Pylos는 거대한 궁전palace들을 가지고 있었으며, 궁전에는 우아한 만찬 홀, 거대한 저장 시설물, 작업장들이 있었다. 미케네의 그레이브 서클Grave

Circle과 톨로스Tholos의 사례처럼, 거대한 무덤들이 궁전들을 둘러싸고 있었다.* 궁전 건물들과 무덤들은 모두 수입된 사치품에 대한 광범위한 증거들을 제공한다. 금 장신구, 청동 무기, 호박 구슬, 크리스털 그릇, 유리 장식품, 가구나 화장품 상자들을 꾸밀 때 쓴 상아 장식 등이다. 미케네와 필로스의 그림들은 통치자들이 의례에서 위세재들을 사용하는 모습을 묘사하고 있다.[27] 통치자들이 이 희귀하고 귀중한 물건들에 대한 접근을 제한하고 이를 지니고 대중 앞에 등장했을 때, 그것은 그들의 지위를 주목하게 해준다. 통치자들은 또한 잉여를 추출하고 사회질서를 유지하는 데 도움을 준 대가로 고위층에게 위세재들을 나누어주었다. 이러한 분배가 빈번하지 않았을 수 있지만, 위세재들에 대한 일종의 약속은 정치체계를 유지하는 데 도움이 되었을 수 있다. 후기 청동기시대 그리스 도시국가들에서 약간 떨어진 무덤들에서 발견되는 수입 재화들은 귀중한 재화들의 분배를 나타내는 것일 수 있다. 대안적 설명으로, 브라이언 번스Bryan Burns가 제안한 것처럼, 지배 엘리트 외부의 개인들이 체제에 이의를 제기하기 위해 위세재를 축적하려 시도했을 수도 있다. 비슷한 사회분화social differentiation 과정이 메소포타미아, 서아프리카, 멕시코, 페루의 초기 도시들에서 기록되었다.[28]

위세재의 원거리 교역은 마이클 스미스의 상업화 네 단계 모두를 포함해 많은 초기 도시에서 일반적이었으나, 교역을 통한 주요 식량의

---

* '그레이브 서클'은 원형圓形의 왕족 묘지로 1876년 독일 고고학자 하인리히 슐리만Heinrich Schliemann이 발견한 기원전 16세기의 것을 '그레이브 서클 A', 1951년 발견된 기원전 17세기의 것을 '그레이브 서클 B'로 구분해 부르고 있다. '톨로스'는 미케네 문명 후기에 발달한, 궁륭 천장을 가진 원형 설계의 굴형식 돌방무덤이다.

확보는 상업화의 발전된 단계로 국한되어 있었다. 그러함에도 주요 식량의 획득은 대규모 도시들에 중요한 경제적 전략이었다. 이들 도시가 그들의 인구에 필요한 식량을 배후지에서 모두 조달하지 못했기 때문이다. 기원전 100년부터 기원후 300년 사이 4세기 동안 인구가 100만 명에 가까웠던 로마 제국은 아마도 가장 잘 알려진 사례일 것이다. 로마 당국은 처음에는 곡물을 생산·추출·수입하기 위해서, 나중에는 포도주·올리브유·돼지고기를 위해서 광범위한 체계를 발전시켰다. 이는 도시 거주민들에게 무료로 제공되었다.[29] 공급은 제국의 여러 지역에서 발원했지만, 주요한 곳은 이집트, 스페인, 북아프리카, 이탈리아 남부였다. 이 체계는 제국의 기반설비(도로, 항구, 선박)의 발전과 더불어 공무원들의 네트워크와 상인 단체들의 발전에 공헌했다. 체계가 번성하는 동안 주요 식량의 생산에 참여하는 속주 정주지에 대한 경제적 투자는 높은 수준이었다. 북아프리카 렙티미누스Leptiminus는 주요 상품(올리브유, 포도주, 염장 생선)을 생산해 수도로 운송한 항구의 한 사례다. 기원전 50년부터 기원후 250년까지 정주지 중심은 10헥타르 미만에서 40헥타르 이상으로 확대되었다. 거주민들은 격자형 도로, 450미터의 부두, 2개의 산업지구를 건설했다([도형 7.3] 참조). 동시에 그들은 대리석과 금속 같은 '위세재'를 수입하고 '위세 활동'(목욕, 원형경기장 검투사 싸움)에 자금을 지원했다. 이 기간에 렙티미누스는 도시의 정의를 충족했지만(그 도시 역사의 대부분은 그렇지 않았는데) 기원후 4세기에 로마에 공급하는 체계가 축소되면서 쇠퇴했다.[30] 렙티미누스는 항구와 같은 특화된 경제를 가진 도시가 더 넓은 교역 네트워크에서 수행할 수 있는 역할을 강조한다(12장 참조). 또 수 세기 동안 주요 작물

[도형 7.3] '생산적 주변부productive periphery'로 둘러싸인 원도심urban core을 보여주는 기원후 2세기와 3세기의 렙티미누스

을 수입할 수 있었던 로마의 예외적 능력이 지중해의 상대적으로 저렴한 해상 운송 비용으로 촉진되었음을 말해준다. 대조적으로 아스테카와 잉카는 주요 작물을 그들의 제국 전역에서 공물로 취합했고, 내륙에서 멀리 운송하는 것이 불가능했기 때문에 현지에서 소비했다.[31]

도시들과 전문 생산자들

금속세공, 도기, 바구니, 보석, 직물, 여타 물품을 생산하는 전문 직인들은 초기 도시들의 경제활동의 복잡성에 대해 알려준다. 이 전문 생산자specialist producer들은 오랫동안 학술적인 분석에서 두드러진 위치를 차지해왔다. 예컨대, 차일드는 그들의 존재를 '도시혁명'의 필수적 요소로 간주했다. 그는 농민들이 더 이른 시기 사회의 비非전임 노동자들을 능가하는 조각, 회화, 혹은 금속세공 기술들을 습득함으로써 결과적으로 더 정교한 제품을 만들 전임 상근 전문 인력들을 지원하게끔 충분한 잉여를 생산했을 때 도시들이 발전할 수 있다고 주장했다. 도시 내에서의 그들의 위치 덕분에 원거리 교역으로 수입된 원자재에 대한 접근성도 향상될 수 있었다. 차일드의 주장은 이후 확장과 보강을 거쳤다. 캐시 코스틴Cathy Costin은 생산의 '규모' '맥락' '집약' '강도'로 분류한 것들을 재검토했다.[32] 규모scale는 생산시설의 조직과 규모를 나타내며 소규모(가구)에서 대규모(공장)까지 다양하다. 맥락context은 생산자들의 경제적 제휴 여부를 고려한 것이다. 곧 생산자들이 독립적으로 일하는지, 혹은 (통치자를 위해 특혜 품목들을 만드는 전문가들처럼) 고용주와 결합해 있는지 등이다. '집약concentration'은 생산의 집중을, '강도intensity'는 공예 노동자가 일한 시간을 통칭한다. 차일드의 주장에 대한 하나의 수정은 메소포타미아 우루크에서 나왔다. 리베라니는 차일드가 도시들에서의 전문화한 노동에 대해 지나치게 강조하고 있다고 주장했다. 위세재의 생산은 중앙 당국의 엄격한 통제 아래 도시에서 이루어졌지만, 도기와 같은 다른 일반 공예품은 마을과 도시 모두에서 생산되었는데, 이는 원재료를 광범위하게 가용可用할 수 있었고 상대적으로 짧은 거리인데도 상품 운송비가 비싼 때문이었다. 많은 공예품 생산, 특히 비전임 노동자의 생산은 정치 조직에 의해 통제되지 않았고, 그 결과 경제가 이전보다 더 독립적이고 덜 '내재하는' 것으로 변했다는 게 현재의 일반적 생각이다.[33]

전문 생산에 대한 이해가 수정되면서, 연구들은 엄격한 유형 분류 체계(가정/작업장/공장)로부터 생산이 매우 다양한 방식으로 구성될 수 있음을 알려주는 보다 유연한 유형 분류 체계로 옮겨갔다. 또한, 위세재도 오랫동안 관심의 초점이었으나 이제는 실용적 재화의 중요성에 주목하고 있다. 스페인인 정복자 베르날 디아스델카스티요Bernal Díaz del Castillo의 설명에 따르면, 자리mat, 끈 신발sandal, 옷, 바구니, 조롱박, 여타의 일상 재화가 테노치티틀란의 시장에 있었으며, 이는 평민들의 교환을 말해준다(20장 참조). 폼페이의 프리즈frieze 벽화는 십중팔구 유사한 시장 교환들을 표상하는 것 같은데, 여기엔 직물, 신발, 청동 그릇, 여러 일상적 공예품이 판매되는 것이 묘사되어 있다.[34] 〔'프리즈'는 장식이 있는 천장과 주벽 사이의 작은 벽이다.〕

집약, 강도, 규모, 맥락은 가변적이어서 단순하게 식별되어야 하거니와 설명되어야 한다. 초기 도시들에서의 가변성의 한 예는 생산 작업장들의 위치와 연관이 있다. 고고학 조사는 기원전 제2천년기 초반 남부 메소포타미아 도시인 마슈칸-샤피르Mashkan-shapir 타운의 중심을 가로지르는 거리에서 구리 조각들과 제련 부산물들을 발견했다. 이곳은 구리 작업장들이 집중된 곳으로 보였다. 도기와 보석세공의 생산은 정주지의 남동부에 집중되어 있었으며 도시 성벽들 안쪽에서 이루어졌다. 인더스계곡 초기 도시들의 증거들은 더욱 분산된 생산 양상을 제시한다. 하라파(기원전 2600~기원전 2000)에서는, 도기, 구리, 뼈 가공품 파편들이 분리되어 다른 공예품의 파편과 섞이지 않는 것처럼 보이지만, 조각난 석재, 지석, 조개껍데기 가공품 파편이 함께 발견되었다. 도시 내 총 5개의 언덕에 불火기술pyrotechnology의 잔해가 남아 있다. 모헨조다로에서는 일상용 도기의 생산이 유적지 곳곳에 분포한 것으로 보이지만, 돌 고리 장식들은 남동부 지역에 집중되어 있어 엘리트가 '위세재'를 통제했음을 시사한다. 후기 청동기시대 그리스 도시국가들에서도 위세재의 생산은 엄격하게 통제되었던 것으로 알려졌다.[35] 이런 연구들에서 나타나는 공통적 요소들은 다음과 같다. 위세재 생산 작업장들의 위치는 궁전과 가까운 도시 중심지에 자리하는 것이 선호되었고, 오염 산업들은 정주지 경계 끝에 두었으나 도시 중심지와 너무 떨어져 있지는 않게 해서 수송이 어렵거나 비용이 많이 들지 않고 재화도 통제되도록 했다.

도시들의 쇠퇴

초기 도시들의 경제들은 실제로 취약할 수 있었다. 앞에서 언급한 것처럼, 도시 통치자들은 자신들의 지위 유지를 위해 농민들로부터의 지속적 자원 추출에 의존했다. 그러나 이러한 체계는 결코 지속이 되지 않았고, 착취당하는 신민들의 권위에 대한 반발들에 취약했다. 세계에서 가장 거대했던 초기 도시 로마에 관한 에드워드 기번Edward Gibbon의 연구는 그 유명한 '쇠퇴decline' 측면에 주목하게 했다. 이는 최근에 주목받는 주제가 되었는데, 아마도, 실제적이건 인지적이건 간에, 21세기 초반의 경제 불안정성에 영향을 받은 듯하다. 재러드 다이아몬드Jared Diamond는 붕괴를 마주했을 때 성공(혹은 실패)의 열쇠는 악화하는 환경 조건을 해결(혹은 무시)하는 것이라 제안했다. 퍼트리샤 맥애너니Patricia McAnany와 노먼 요피Norman Yoffee는 이에 반대하며 사회들이 급격하게 몰락하는 것은 거의 없다고 주장했다. 그 대신 요피에 의하면, "고대국가들이 겪었던 몰락의 가장 빈번한 결과는 몰락한 국가를 의식적으로 모델로 삼는 새로운 국가들의 궁극적 부상이었다."[36] 가장 잘 연구된 쇠퇴의 사례는 마야 문명과 로마 문명의 사례인바, 이제 이들을 살펴보자.

　마야 학문의 큰 하위 분야는 후기 고전 시기late Classic period(750~900)에 걸쳐 속성, 시점, 심각도가 변이성을 보인 '붕괴collapse'에 초점을 맞추고 있다. 도시국가들의 위축이나 소멸에 대해서는 100여 개의 설명이 제시되었는데, 많은 학자는 현재 환경적 설명 혹은 사회적 설명들이 가장 설득력 있다고 보고 있다. 몇몇 지역에서 기후적으로 또는 인위개변人爲改變적으로 유도된 환경 파괴에 대한 자세한 증거가 있다. 기후학자들은 마야 북부 지역의 호수 퇴적물에 있는 안정적 산소 동위원소를 바탕으로 반복되는 가뭄을 확인했는바, 800년에서 1000년 사이는 기록상 가장 건조한 기간의 하나다. 생태학자들은 페텐Petén 중부 지역의 호수 퇴적들을 통해 퇴적물 축적, 토양 침식, 삼림 벌채가 초기 마야 거주민들에 의해 시작되었고 850년에 정점이 되었음을 알아냈다. 남부 도시국가 코판Copan의 꽃가루 핵pollen core들은 비슷한 파괴의 흔적을 보여준다. 경관에서 사라진 소나무 삼림은 옥수수밭을 지원하기 위한 것으로 추정되고 이는 추정 인구가 600~750년 사이에 5000명에서 거의 2만 8000명으로 늘어난 것과 같이 나타났는데, 이후 인구는 점차 줄어들어 1050년경에는 다시 5000명으로 돌아왔다. 반대로 서부 페테스바툰Petexbatun 지역은 인골 분석 결과에 의하면 스트레스의 징후는 나타나지 않았고, 생태학적 연구들은 토지 사용은 과도했으나 환경 악화는 제한적이었으며, 안정 동위원소 분석은 식습관 변화가 거의 없었음을 드러낸다. 오히려 도시 쇠퇴는 희소 자원에 대한 엘리트 간 경쟁의 증가와 주변 영토들의 통제를 위한 지역적 전쟁과 관련 있는 것으로 보인다. 761년에 수도 도스 필라스Dos Pilas가 파괴되면서 페테스바툰 지역에서 교역이 감소했고 도기 생산이 '여러 작은 지역으로 분산화balkanized'되었으며, 방어용 구조물들이 급증했고 정주지들이 버려지면서 830년 무렵에 이 지역에 거주하는 주민은 거의 없었다.[37] 이런 많은 '사회적 요인'이 다른 곳에서도 언급되었으나 종종 환경적 요인보다는 비중을 덜 차지했다. 또 다른 주장은 인구가 남부 저지대의 도시국가들에서 북부 해안으로 900년 이후 빠르게 이동했음을 언급하면서 마야인들이 환경 파괴나 전쟁에 취약하지 않았고 '회복적' 경향이 있었다고 강조한다.[38] 아직 합의는 도출되지 않았으나 마야 '붕괴 연구들'은 많은 학자가 연구의 방향성을 설정하는 도시 쇠퇴의 경제적, 환경적, 사회적 재구성에 관련된 구체적 가능성을 제시했다. 결과들에 대한 해석들이 여러 학문에서 논쟁의 대상이라는 점은 단일한 해석만 인정되는 것보다 분명 훨씬 이로운 현상이다.

한 학자는 로마 제국의 몰락에 관한 설명들을 210가지나 꼽았는데, 모순된 것에서 설득력 없는 것까지 다양하다. '권리의 폐지, 중앙 집권화, 지방분권화〔분권화〕, 평등'을 시작으로 '미신, 우울, 폭식, 자만'까지 언급된다. 많은 경제적 합리화도 제시되었는바, 여기엔 파산, 기상 변화, 인플레이션, 과잉인구, 조세, 저개발이 포함된다. 경제적 합리화는 약간의 장점을 갖고 있지만, 정치적·경제적·사회적 요소들의 조합이 가장 큰 비중을 차지한다. 초기 도시들의 증명하기 어려운 쇠퇴의 이유를 제시하는 것보다 도시사회의 붕괴가 일어났을 때 무슨 일이 일어났는지 조사하는 데 더 관심을 가질 필요가 있다. 브라이언 워드-퍼킨스Bryan Ward-Perkins가 로마의 모든 문제에 영향을 끼친 5세기부터 7세기까지 생활수준의 감소를 기록했던 목적이 그러했다. 그는 주로 고고학 조사와 발굴로 확인된 일종의 물질문화(도기, 동전, 유리, 타일, 집·교회 평면도)에 관한 연구를 통해 결론에 다다랐다.[39] 로마 제국의 여러 지역에서 이러한 재화들의 가용성可用性, availability 추세를 비교한 그는 각각의 지역적 사건 및 공급 네트워크에 따라 다른 비율로 발생하는 광범위한 감소를 도표로 작성했다. 워드-퍼킨스는 물질문화의 소실이 로마 제국 거주민들의 삶에서 경제적 복잡성의 감소를 표상한다고 파악했는바, 이들은 낮은 질의 요리 냄비 및 식사 도구, 금전 거래의 감소, 더욱 좁고 내구성이 떨어지는 주택에 익숙해져야만 했다. 이와 같은 방식으로 제국 내에서의 경제와 도시의 성장 과정이 '후퇴'했다.

결론

이 장에서 취했던 비교접근을 통해 초기 도시들이 그들의 더 넓은 지역 경제에 주요한 변화를 일으켰다는 점을 알 수 있다. 초기 도시들의 성장은 농업과 공예품 생산, 노동, 교역, 부, 계층화에 근본적 변화를 낳았다. 새로운 과학적 연구와 이론적 접근법의 개발로 이런 변화들을 더욱 잘 관찰할 수 있게 되었다. 또 초기 도시들의 기원 연구부터 개인이 어떻게 살았는지에 대한 역학에 이르기까지 학문적 초점을 조정함으로써 많은 것을 얻었다. 이와 같은 발전들을 지속하기 위해서는 현재 잘 이해되지 않는 초기 도시들의 경제 양상들에 관한 더 많은 연구가 필요하다. 소유, 노동, 평민층의 소비, 가구와 동네 단위의 역할이 바로 그것이다. 또 생활수준의 변화를 평가하기 위해, 마야 도시국가에서 잘 수행된 것처럼, 환경 자료들을 문헌 및 물질문화의 증거와 통합하는 더 많은 연구가 필요하다. 가구, 동네, 도시, 지역, 지역 간 등 다양한 규모에서 경제에 대한 증거를 고려해야 한다. 이들 영역에 관심을 가지고, 과거에 고려되었던 주제를 뛰어넘어 논의의 범위를 넓히려는 노력은 향후 도시들의 경제를 더욱 잘 이해할 수 있게 해줄 것이다.

주

1 Numa Fustel de Coulanges, *La cité antique*, 2nd edn. (Paris: Durand, 1866), 69;
Max Weber, "Der Stadt", *Archiv fur Sozialwissenschaft und Sozialpolitik*, 47 (1921),
621-772.

2 가장 최근의 연구로는 Joyce Marcus and Jeremy Sabloff, eds., *The Ancient City:
New Perspectives on Urbanism in the Old and New World* (Santa Fe: School for
Advanced Research Press, 2008).

3 도시국가와 영토국가의 개념에 대해서는 Bruce Trigger, *Understanding Early
Civilizations: A Comparative Study* (Cambridge: Cambridge University Press,
2003), 94-113. 제국에 대해서는 Carla Sinopoli, "Empires", in Gary Feinman
and Douglas Price, *Archaeology at the Millennium: A Sourcebook* (New York:
Plenum Publishers, 2001), 439-471.

4 Mario Liverani, *Uruk: The First City*, trans. Zeinab Bahrani and Marc Van de
Mieroop (London: Equinox, 2006).

5 이 장에서는 이 책에서 '초기' 도시와 '중세' 도시를 구분하는 서기 600년 이후의
몇 도시를 고려한다. 이 시기는 유럽 도시 및 아시아 도시와 관련이 있는데, 아메리
카 도시 및 사하라 이남의 아프리카 도시는 이 연도 이후에도 '초기'라고 할 수 있다.

6 Liverani, *Uruk*, 1.

7 Karl Wittfogel, *Oriental Despotism: A Comparative Study of Total Power* (New
Haven: Yale University Press, 1957), 447.

8 신新진화적 모델에 대해서는 Marshall Sahlins and Elman Service, eds., *Evolution
and Culture* (Ann Arbor: University of Michigan Press, 1960). 신진화론적 사고에
대한 비판에 대해서는 Norman Yoffee, *Myths of the Archaic State: Evolution of the
Earliest Cities, States and Civilizations* (Cambridge: Cambridge University Press,
2005), 8-15, 22-33. Karl Wittfogel의 결론에 대한 비판에 대해서는 Robert
Adams, *Heartland of Cities: Surveys of Ancient Settlement and Land Use on the
Central Floodplain of the Euphrates* (Chicago: University of Chicago Press, 1981),
243-248.

9 Mikhail Rostovtzeff, *The Social and Economic History of the Roman Empire*, 2nd.
edn. (Oxford: Clarendon Press, 1957) 142-177.

10 Karl Polanyi, "The Economy as Instituted Process", in Karl Polanyi, Conrad Arens burg, and Harry Pearson, eds., *Trade and Market in Early Empires* (Glencoe, Ill.: Free Press, 1957), 243-270; Moses Finley, *The Ancient Economy*, 2nd. edn. (Berkeley: University of California Press, 1985).

11 Gordon Childe, "The Urban Revolution", *Town Planning Review*, 21 (1950), 3-17.

12 예를 들어 초기 연구 성과를 인용하는 Charles Redman, *Social Archeology: Beyond Subsistence and Dating* (New York: Academic Press, 1978), 218-219.

13 다음을 요약한 것이다. Trigger, *Understanding Early Civilizations*, 279-406, 653-688.

14 다음을 요약한 것이다. Michael Smith, "The Archaeology of Ancient State Economies", *Annual Review of Anthropology*, 33 (2004), 73-102.

15 Ernest Gellner, *Nations and Nationalism* (Oxford: Blackwell, 1983), 9.

16 초평등주의적 사회들에 대해서는 Brian Hayden, "Richman, Poorman, Beggarman, Chief: The Dynamics of Social Inequality", in Feinman and Price, *Archaeology at the Millennium*, 231-272. 계층화의 기원에 대해서는 Douglas Price and Ofer Bar-Yosef, "Traces of Inequality at the Origins of Agriculture in the Ancient Near East", in Douglas Price and Gary Feinman, eds., *Pathways to Power: New Perspectives on the Emergence of Social Inequality* (New York: Springer Science, 2010), 147-168.

17 경제력에 대해서는 Yoffee, *Myths of the Archaic State*, 35. 잉여에 대해서는 Trigger, *Understanding Early Civilizations*, 387.

18 기본 재정에 대해서는 Karl Polanyi, Primitive, *Archaic, and Modern Economies: Essays of Karl Polanyi* (Garden City, N. J.: Doubleday, 1968) 186-188, 324; Terence D'Altroy and Timothy Earle, "Staple Finance, Wealth Finance, and Storage in the Inka Political Economy", *Current Anthropology*, 26 (1985), 187-206. Services: Trigger, *Understanding Early Civilizations*, 490-494; Yoffee, *Myths of the Archaic State*, 34-40.

19 Robert Adams and Hans Nissen, *The Uruk Countryside: The Natural Setting of Urban Societies* (Chicago: University of Chicago Press, 1972), 17.

20 도시 규모와 시대 구분은 다음에 의한다. Liverani, *Uruk*, 84. 메소포타미아의 발

굴 결과에 대해서는 Tony Wilkinson, *Archaeological Landscapes of the Near East* (Tucson: University of Arizona Press, 2003).

21 William Sanders, Jeffrey Parsons, and Robert Santley, *The Basin of Mexico: Ecological Processes in the Evolution of a Civilization* (New York: Academic Press, 1979), 98-129. Nicola Terrenato, "The Versatile Clans: Archaic Rome and the Nature of Early City-States in Central Italy", in Nicola Terrenato and Donald Haggis, eds., *State Formation in Italy and Greece: Questioning the Neoevolutionist Paradigm* (Oxford: Oxbow Books, 2011), 231-244. Katharina Schreiber, *Wari Imperialism in Middle Horizon Peru* (Ann Arbor: University of Michigan, 1992), 90.

22 Trigger, *Understanding Early Civilizations*, 283-284. 농업 집약화에 대해서는 Ester Boserup, *The Conditions of Agricultural Growth: The Economics of Agrarian Change under Population Pressure* (Chicago: Aldine Publishing Company, 1965).

23 Robert Adams, "Anthropological Perspectives on Ancient Trade", *Current Anthropology*, 15 (1974), 239-258; Yoffee 2005, *Myths of the Archaic State*, 150. 시장지향성에 대해서는 Klaas Veenhof, *Aspects of Old Assyrian Trade and Its Terminology* (Leiden: E. J. Brill, 1972), 이는 다음에 반대하는 것이다. Karl Polanyi, "Marketless Trading in Hammurabi's Time", in Polanyi, Arensburg, and Pearson, *Trade and Market in Early Empires*, 12-26.

24 Trigger, *Understanding Early Civilizations*, 342-355.

25 D'Altroy and Earle, "Staple Finance, Wealth Finance".

26 도시국가 그리스에서 후기 청동기시대 정착지의 상태가 논의될 때, 분류는 기능보다 덜 중요하다.

27 가장 최근의 성과로 Bryan Burns, *Mycenaean Greece, Mediterranean Commerce, and the Formation of Identity* (New York: Cambridge University Press, 2010). 정치적, 의례적, 의식적 맥락에서 '고급' 품목을 사용한다는 것은 초기 도시의 경제를 다른 영역의 활동에서 분리하는 것이 어렵다는 점을 보여준다.

28 Elizabeth Brumfiel and Timothy Earle, eds., *Specialization, Exchange, and Complex Societies* (Cambridge: Cambridge University Press, 1987).

29 초기 참고문헌들을 인용하는 것으로 Neville Morley, *Metropolis and Hinterland: The City of Rome and the Italian Economy, 200 BC-AD 200* (Cambridge:

Cambridge University Press, 1996).

30 David Stone, David Mattingly, and Nejib Ben Lazreg, *Leptiminus (Lamta). Report No.3: The Field Survey* (Portsmouth, R. I.: Journal of Roman Archaeology, 2011).

31 Jeffrey Parsons, "The Role of Chinampa Agriculture in the Food Supply of Aztec Tenochtitlan", in Charles Cleland, ed., *Cultural Change and Continuity: Essays in Honor of James Bennett Griffin* (New York: Academic Press, 1976), 233-257; D'Altroy and Earle, "Staple Finance, Wealth Finance".

32 Childe, "Urban Revolution", 6-16; Cathy Costin, "Craft Specialization: Issues in Defining, Documenting, and Explaining the Organization of Production", *Archeological Method and Theory*, 3 (1991), 1-55.

33 Liverani, *Uruk*, 44-50. 논쟁은 다음의 견해에서 비롯되었고 Polanyi, "Economy as Instituted Process". 다른 이들에게 비판받았다. Smith, "Archaeology of Ancient State Economies", 74-76.

34 Bernal Díaz del Castillo, *Historia verdadera de la conquista de la Nueva España* (Madrid: Instituto 'Gonzalo Fernandez de Oviedo', 1982), 190; Christopher Parslow, "The 'Forum Frieze' of Pompeii in Its Archaeological Context", in *The Shapes of City Life in Rome and Pompeii* (New Rochelle, N.Y.: Caratzas, 1998), 113-138.

35 Elizabeth Stone and Paul Zimansky, *The Anatomy of a Mesopotamian City: Survey and Soundings at Mashkan-shapir* (Winona Lake, Ind.: Eisenbrauns, 2004), 377-378; Heather Miller, "Reassessing the Urban Structure of Harappa: Evidence from Craft Production Distribution", in Maurizio Taddei and Giuseppe De Marco, eds., *South Asian Archaeology 1997* (Rome: Istituto Italiano per l'Africa e l'Oriente, 2000), 77-100; Massimo Vidale, "Specialized Producers and Urban Elites: On the Role of Craft Industries in Mature Harappan Urban Contexts", in Jonathan Kenoyer, ed., *Old Problems and New Perspectives in the Archaeology of South Asia* (Madison: University of Wisconsin Press, 1989), 171-181; Burns, *Mycenaean Greece*.

36 Edward Gibbon, *The History of the Decline and Fall of the Roman Empire* (London: Strahan and Cadell, 1776-1778; Jared Diamond, *Collapse: How Societies Choose to Fail or Succeed* (New York: Viking, 2005); Patricia McAnany and Norman Yoffee,

Questioning Collapse: Human Resilience, Ecological Vulnerability, and the Aftermath of Empire (Cambridge: Cambridge University Press, 2010; Yoffee, Myths of the Archaic State, 137.

37 설명들에 대해서는 David Webster, *The Fall of the Ancient Maya: Solving the Mystery of the Maya Collapse* (London: Thames & Hudson, 2002), 217, 328. 북부 마야 지역에 대해서는 David Hodell, Mark Brenner, Jason Curtis, and Thomas Guilderson, "Solar Forcing of Drought Frequency in the Maya Lowlands", Science, 292/5520 (2001), 1367-1370; 페텐 지역에 대해서는 Michael Binford, Mark Brenner, Thomas Whitmore, Antonia Higuera-Gundy, Edward Deevey, and Barbara Leyden, "Ecosystems, Paleoecology and Human Disturbance in Subtropical and Tropical America", *Quaternary Science Reviews*, 6 (1987), 115-128; 코판에 대해서는 Webster, *Fall of the Ancient Maya*, 308-315; 페테스바툰 지역에 대해서는 Arthur Demarest, *The Petexbatun Regional Archaeological Project: A Multidisciplinary Study of the Maya Collapse* (Nashville: Vanderbilt University Press, 2006), 95-109; Kitty Emery, *Dietary, Environmental, and Societal Implications of Ancient Maya Animal Use in the Petexbatun: A Zooarchaeological Perspective on the Collapse* (Nashville: Vanderbilt University Press, 2010), 264-273.

38 Patricia McAnany and Tomas Gallareta Negrón, "Bellicose Rulers and Climatological Peril? Retrofitting Twenty-first Century Woes on Eighth Century Maya Society", in McAnany and Yoffee, *Questioning Collapse*, 142-175.

39 설명들에 대해서는 Alexander Demandt, Der Fall Roms: die Auflösung des römischen Reiches im Urteil der Nachwelt (München: Beck, 1984), 695. 생활 수준에 대해서는 Bryan Ward-Perkins, *The Fall of Rome and the End of Civilization* (Oxford: Oxford University Press, 2005), 87.

참고문헌

Adams, Robert, *Heartland of Cities: Surveys of Ancient Settlement and Land Use on the Central Floodplain of the Euphrates* (Chicago: University of Chicago Press, 1981).

Brumfiel, Elizabeth, and Earle, Timothy, eds., *Specialization, Exchange, and Complex Societies* (Cambridge: Cambridge University Press, 1987).

Burns, Bryan, *Mycenaean Greece, Mediterranean Commerce, and the Formation of Identity* (New York: Cambridge University Press, 2010).

Childe, Gordon, "The Urban Revolution", *Town Planning Review*, 21 (1950), 3-17.

D'Altroy, Terence, and Earle, Timothy, "Staple Finance, Wealth Finance, and Storage in the Inka Political Economy", *Current Anthropology*, 26 (1985), 187-206.

Polanyi, Karl, Arensburg, Conrad, and Pearson, Harry, eds., *Trade and Market in Early Empires* (Glencoe, Ill.: Free Press, 1957).

Smith, Michael, "The Archaeology of Ancient State Economies", *Annual Review of Anthropology*, 33 (2004), 73-102.

Trigger, Bruce, *Understanding Early Civilizations: A Comparative Study* (Cambridge: Cambridge University Press, 2003).

Ward-Perkins, Bryan, *The Fall of Rome and the End of Civilization* (Oxford: Oxford University Press, 2005).

Webster, David, *The Fall of the Ancient Maya: Solving the Mystery of the Maya Collapse* (London: Thames & Hudson, 2002).

Wittfogel, Karl, *Oriental Despotism: A Comparative Study of Total Power* (New Haven: Yale University Press, 1957).

Yoffee, Norman, *Myths of the Archaic State: Evolution of the Earliest Cities, States and Civilizations* (Cambridge: Cambridge University Press, 2005).

제8장

인구와 이주
Population and Migration

루크 드 리히트

Luuk de Ligt

기원전 3500년부터 기원후 500년 사이 유럽, 북아프리카, 아시아에서 도시주의urbanism의 인구학적 차원을 측정하기는 매우 어렵다. 한 가지 분명한 이유는 '도시city'라는 용어가 완전히 다른 현상을 나타내는 데 사용될 수 있기 때문이다. 중국 역사 대부분의 시기에 외벽[외성]outer wall의 존재는 '도시들cities'을 구별하는 특징으로 여겨졌지만, 이 정의 는 '도시urban'로 분류되는 아주 작은 정주지settlement에도 적용할 수 있 다. 고전기 그리스Classical Greece에서는 자치적 '도시국가들city-states'의 중심이던 모든 결집은 규모에 상관없이 '도시들cities'로 여겨졌다. 이들 중심지 대부분은 벽이 있었으나 다른 유형의 정주지와 구별이 되는 기 본적 기준은 여전히 정치와 행정이었다. 초기 메소포타미아의 다양한 출판물은 정주지 규모에 초점을 맞추고 10헥타르(0.1제곱킬로미터) 이상의 모든 정주지를 '도시urban'로 분류한다. 이러한 모든 접근법이 옹호될 수 있는바, 도시urban로 인정될 수 있는 결집의 수나 대략적 도시 인구의 크기에 관한 일반적 결론을 도출하는 것이 거의 불가능하기 때문이다.[1]

실제적 측면에서 정량화의 시도는 문헌 자료에 신뢰할 수 있는 인구 수치가 거의 없다는 어려움에 부딪힌다. 이는 초기 도시들의 인구 규모에 관심이 있는 연구자들이 고고학이 제시하는 이러저러한 징후에 의존해야 한다는 것을 의미한다. 그런데 우리가 보게 될 고고학 자료들은 폭넓은 인구 추정치와 양립가능하다고 주장되었다.

도시로의 이주migration에 대한 논의는 자발과 강제 사이의 잘 알려진 구분을 기반으로 한다. 또 도시 네트워크urban network의 횡적 팽창을 가져온 식민화colonization 현상에도 주목해야만 한다. 도시 이주에 대한 출판물들은 일시적 이주와 영구적 이주, 농촌-도시rural-urban 이주와 도시 간 이주도 구분한다. 다른 중요한 주제로는 친척이나 여러 민족 집단의 구성원을 포함하는 연쇄 이주chain migration와 이주민이 전근대 도시들의 사회적·경제적 구조로 흡수되는 것을 촉진하는 통합 기제가 있다. 이와 같은 많은 주제에 대해 남아 있는 자료들이 들려주는 이야기는 거의 없거나 아예 없다. 이는 특히 일시적 이주에서 두드러지며, 도시 간 이주, 통합 기제에 대해서도 마찬가지다. 이 장에서 이런 주제들은 간단하게 설명되거나 생략될 것이다.

그러나 방법론적 문제가 많고 결정적으로 중요한 많은 질문에 답을 내리지 못할지라도, 고대 유럽과 아시아의 특정 지역 도시 규모,

도시화urbanization 단계, 농촌-도시 이주 단계에 대해 일정 부분 중요한 결론을 도출하는 것은 여전히 가능하다.

메소포타미아

근동에서 타운town 생활의 시작은 팔레스타인의 예리코(기원전 8000년 무렵)와 터키[튀르키예]의 차탈회위크Çatalhöyük(기원전 7000~기원전 5000 무렵)까지 거슬러 올라간다. 그러함에도 불구하고 더 넓은 지리적 영역 전반에 걸쳐 인식되는 '도시'문명'urban' civilization의 출현은 기원전 4000 년 이전에는 시작되지 않았던 것 같다(2장 참조). 이러한 발전의 몇 가지 놀라운 사례는 남메소포타미아에서 찾을 수 있다. 이곳의 우루크 정주지는 기원전 3600년 무렵 약 70헥타르에서 기원전 3200년 무렵 약 100헥타르로 확장되었다. 초기 왕조 시기Early Dynastic Period(기원전 2900~기원전 2500) 우루크는 약 250헥타르[2.5제곱킬로미터]까지 확장되었다.[2]

이들 수치를 인구 추정의 기초로 사용하기는 여전히 어렵다. 근대 초기 근동의 도시 인구밀도는 여러 마을village과 도시city에서 헥타르당 250~400명으로 기록되었다. 그러나 이 수치는 해당 지역의 헥타르당 거주민을 의미하는 것이다. 대다수 전문가에 따르면, 초기 메소포타미 아 도시들에서 건축된 영역의 3분의 1 정도에서만 주택이 있었다. 이 를 바탕으로 초기 왕조 시기 우루크에는 2만 명에서 3만 명 사이의 거 주민들이 있었다는 주장이 제기되었다.

많은 농촌 조사 자료를 고려한 논저에서 로버트 매코믹 애덤스 Robert McCormick Adams는 도시국가 우루크의 인구 약 70퍼센트가 10헥타르 이상 규모의 정주지들에서 거주했음에 틀림이 없을 것이라고 주장한다.[3] 그러나 그의 도시 규모 측정치(400헥타르)는 너무 높다고 대다수가 보고 있다. 더욱 중요한 점은 그의 팀이 수행한 농촌 조사가 부분적으로 철저하지 않다는 것이다. 따라서 그의 도시화율 추정치도 너무 높다고 볼 수 있다. 동전의 다른 측면과도 같은 관점은 우루크가 상당한 규모의 도시들 중 훨씬 더 큰 곳의 하나일 뿐이라는 점이다. 어떤 관점에서든 비교적 작은 지역에 많은 대규모 도시가 동시에 존재한다는 것은 논리적으로 높은 수준의 도시화를 의미한다.

빠르게 성장하는 이들 도시의 인구는 어디에서 왔을까? 우루크의 경우, "대규모 농촌 인구가 남쪽을 향해 우루크 지역으로 이동했다"라고 가정하지 않는다면 도시의 성장을 설명할 수 없다는 주장이 제기되었다.[4] 그러나 이는 반半유목민이 대거 농경민이 되어 타운에 거주하게 되는 정주화sedentarization 과정을 보는 것과 유사하다. 후자의 이론은 기원전 3000년 무렵에서 기원전 2500년 무렵 사이에 발생한 것으로 보이는 총 정주지 규모의 5배 증가가, 초기의 반유목 거주민들이 고고학적으로 거의 드러나지 않는다는 점에서, 인구의 5배 증가를 반영하지 않는다는 가정을 포함한다.

또 다른 중요한 질문은 왜 남메소포타미아 인구의 많은 수가 도시 거주지를 택했냐는 것이다. 한 가지 가능한 설명은 기원전 제4천년기와 기원전 제3천년기 초반에 매우 중요한 자원(주로 토지와 물)에 대한 경쟁이 심화했고 이로써 농촌의 치안 수준이 낮아졌다는 것이다.

또한 전前왕조 시기와 초기 왕조 시기의 특정 맥락에서 도시 거주지를 차지하는 것이 초기 도시국가의 정치적, 종교적, 사회적, 경제적 공동체의 구성원임을 표현하거나 주장하는 효과적 방법으로 간주되었을 수 있다.

도시의 출산율과 사망률에 대한 직접적 증거가 없기에 메소포타미아 도시들의 인구학적 역학에 관해서는 언급할 만한 게 거의 없다. 그러나 지역 내부의 밀집이 강했고 배수가 열악했다는 점에서, 많은 메소포타미아 도시 인구의 거주 조건이 좋지 않았고 도시 인구가 높은 사망률로 고통을 받았음을 합리적으로 확신할 수 있다. 십중팔구 도시의 인구를 유지하기 위해서는 농촌권rural area으로부터 도시로의 지속적 이주가 필요했다.

기원전 제3천년기 후반과 기원전 제2천년기 초반은 또한 많은 수의 아모리Amori인이 남메소포타미아로 이동한 것이 관찰된 시기다. 이 이주민들은 원래 유프라테스강 서쪽에 살았던 이전 시기의 반유목민 부족의 잡다한 집단에 속해 있었다. 시간이 흐르면서 바빌론과 시파르Sippar 같은 주요 도시에서 아모리인 이름을 가진 상당수의 사람(왕 포함)이 발견되기 시작했다. 이는 이주민 인구가 남메소포타미아의 대규모 도시권역urban agglomeration이 행사하는 견인력에 끌려갔음을 시사한다.[5]

기원전 13세기 후반기부터 아시리아 왕들에 의한 일련의 새 수도 건설은 메소포타미아 도시주의 역사에 새 국면을 열었다. 이 정책은 전쟁 포로를 동원해 신도시 카르-투쿨티-니누르타Kar-Tukulti-Ninurta를 건설하고 거주민을 채웠던 투쿨티-니누르타 1세Tukulti-Ninurta I의 통치 기간에 시작된 것으로 보인다. 이 도시의 벽들은 적어도 240헥타르 정도의 영역을 둘러싸고 있었다. 신아시리아 제국(기원전 934~기원전 610)의 몇몇 왕은 칼후Kalhu(360헥타르), 두르-샤루킨Dur-Sharukkin(300헥타르), 니네베(750헥타르) 같은 일련의 새 궁전도시palace-city를 건설하며 이 사례를 따랐다. 건물로 가득한 벽으로 둘러싸인 영역의 비율에 대한 정보가 부족해 이러한 도시의 인구를 추정할 수는 없다. 한 문헌에서 아슈르나시르팔 2세Assurnasirpal II[재위 기원전 883/884-기원전 859]가 칼후의 6만 9574명에게 음식을 제공했다고 주장했는데, 이 수치가 신뢰할 만하다면(정확하지는 않더라도), 이것은 도시 거주민이 아니라 왕의 취임식에 참가한 인원을 의미할 수 있다. 도출할 수 있는 유일한 결론은 중아시리아 시대와 신아시리아 시대에 새로 만들어진 일부 도시가 규모가 매우 컸고 비자발적 이주가 이 도시들의 창조에 중요한 역할을 했다는 점이다.

바빌론은 신바빌로니아 제국 시기(기원전 626~기원전 539)에 메소포타미아에서 가장 거대한 도시가 되었다. 도시 외벽은 890헥타르 이상의 면적을 둘러싸고 있었으나, 도시 인구 대다수는 원형 내벽의 400~500헥타르 지역에서 거주했다는 데 일반적으로 동의가 이루어진다. 이 지역조차도 완전히 건설되지는 않았을 것이다. 거주민들을 정확하게 측정하는 것이 어렵다는 점을 재차 말하지만, 의견 대다수는 기원전 6세기에 바빌론에 5만 명 이상이 거주했을 가능성은 낮다는 것이다.[6]

유감스럽게도, 6세기 바빌론 인구의 인종 구성은 거의 알려지지 않았다. 예루살렘 점령(기원전 586) 이후 추방된 유대인 대다수는 결국은 도시보다는 마을에 귀결한 것처럼 보이지만, 도시에서 유대인 이름이 새겨진 인장이 발견된 것은 그 도시에 추방자나 그 후손들이 있었을 가능성을 제기한다. 이것은 농촌권에서의 비자발적 이주민의 정착 이후에 도시로의 자발적 이주 두 번째 국면이 이어졌음을 시사하는 단서가 될 수 있다.

아르카이크기 및 고전기 그리스와 헬레니즘 세계

아르카이크기[상고기]Archaic Period(기원전 750~기원전 500) 초기 몇십 년 동안 그리스 본토의 많은 지역, 그리스 섬들, 소아시아 서해안에서 '도시국가'(폴리스polis)의 대두를 목격할 수 있었다(3장 참조). 성인 남성 인구의 많은 수가 군용 텐트에 살았던 스파르타의 주목할 만한 예외를 제외하고, 기원전 8세기에서 7세기에 등장한 모든 도시국가는 눈에 띄는 도시 중심지urban centre가 있었다. 이러한 타운들의 출현으로 암시되는 농촌-도시 이주의 양을 평가하기는 여전히 매우 어렵다. '모여 살기(시노이키스모스synoikismos)' 결정으로 형성된 새로운 폴리스의 이야기는 단일한 정치적 중심지를 위해 농촌 정주지들을 부분적으로 포기해야 했던 것을 제시하기 위해 취해질 수도 있다. 그러나 광범위한 농촌 포기에 대한 고고학적 증거를 찾기는 악명 높을 정도로 어렵다.

아마도 어느 정도 군집화群集化, clustering가 일어났다는 것이 확실하다는 견해에 찬성하는 가장 좋은 논거는 고전기에 도시화한 폴리스 중심지들의 규모일 것이다. 기원전 5세기와 4세기 그리스 도시들의 규모와 인구들에 대한 최근의 조사들이 논증한 바와 같이, 비록 성벽 내

지역의 3분의 1에서 2분의 1만이 거주에 사용되었다고 가정하더라도, 고전기 도시 성벽으로 둘러싸인 지역의 규모는 많은 도시 인구의 존재를 암시한다. 타운과 농촌에 많은 인구를 할당하면 필연적으로 총인구가 터무니없이 많아질 것이어서, 그리스 세계 인구의 적어도 60퍼센트가 도시에 거주했다는 결론을 피할 수는 없다.[7] 말할 필요도 없이, 이것이 의미하는 바가 그리스 인구의 60퍼센트가 주로 비농업 직업에 종사했다는 것은 아니다. 정확한 결론은 고전기 그리스 농경 인구의 매우 많은 부분이 도시에 거주하는 것을 선호했다는 점이다. 이로써 도출되는 모습은 초기 왕조 시기 메소포타미아의 고고학 증거에서 도출되는 결과와 흥미롭게도 유사하다.

아르카이크기〔상고기〕에는 또한 많은 수의 그리스인이 이탈리아, 시칠리아Sicilia, 키레나이카(현대의 리비아), 흑해 지역의 식민시들로 이주하는 것을 목격할 수 있었다. 이 과정에서 등장한 도시들과 도시국가들은 그리스 본토와 소아시아 서부의 그것들과 매우 유사했다. 예를 들어 시칠리아, 이탈리아 남부, 북아프리카의 많은 그리스 도시가 시민 인구의 대부분을 수용했을 매우 넓은 타운 성벽을 가지고 있었다는 것에는 의심의 여지가 없다. 이런 사례에는 시라쿠사Siracusa(1600헥타르〔16제곱킬로미터〕의 성벽 내 영역), 타라스Taras(530헥타르의 성벽 내 영역), 키레네Cyrene(750헥타르의 성벽 내 영역)가 포함된다. 일반적으로 이들 도시의 5분의 1에서 3분의 1 정도가 거주용이었으나, 시라쿠사는 거주용 건물들이 내벽 영역의 10퍼센트만을 차지했다.[8]

그리스 본토의 아테네는 가장 기록이 잘된 폴리스다. 펠로폰네소스전쟁Peloponnesian War〔기원전 431~기원전 404〕이 시작될 때 아테네인들이 내보낼 수 있었던 장갑裝甲 보병 수에 기초한다면, 이 시기 아티카에는 약 25만 명의 인구가 있었다고 계산된다. 이 추정치는 외국인 거주민과 노예를 포함한 것이다. 가장 최근에 추산된 아테네의 인구는 3만 5000~4만 명, 피레우스Piraeus의 인구는 3만 명 정도다.[9] 이 모든 추정치는 오차 범위가 넓다. 그러함에도 아티카가 평균적인 그리스 폴리스보다 훨씬 낮은 도시화율을 특징으로 한다는 결론을 피하기는 불가능해 보인다. 명백한 설명은 아테네가 다른 그리스 도시들보다 더 큰 규모의 농촌 영토를 가지고 있었다는 것이다.

아티카의 인구 이동은 묘비 기록의 도움으로 추적될 수 있다고 오랫동안 인식되었다. 그 이유는 클레이스테네스Cleisthenes의 정치 개혁(기원전 508년경)이 도시와 농촌의 행정구역들(데모이dêmoi) 소속이 세습되는 체제를 만들어냈기 때문이다〔고대 그리스어로 '데모이'는 아테네의 시민 행정구역인 데모스demos의 복수이며, 데모스는 영어로 딤deme으로 표현되기도 한다〕. 이는 어떤 시민이 농촌 지역에서 아테네나 피레우스로 이주한 후에 죽더라도 그 시민은 여전히 그가 태어난 지역 소속으로 추모되었다는 점을 의미한다. 이러한 유형의 증거를 사용하면 아테네, 피레우스 혹은 아티카 남쪽 해안의 도시화한 지역에 묘비가 세워진 시민의 약 60퍼센트가 농촌 데모스 중 하나에 소속되었음을 알 수 있다. 묘비가 세워진 사람들이나 그들의 조상 중 한 명은 농촌에서 도시로 이주했었을 것이다.

이 60퍼센트라는 수치는, 인상적으로 높아 보일 수 있지만, 아티카 농촌 구역에서 태어난 대다수 사람이 그들의 고향 마을이나 그 근처에서 머물렀고 죽었다는 견해와는 전혀 모순되지 않는다. 일례로,

케라미스Kerameis 농촌 데모스의 21명 구성원 중 약 62퍼센트가 그들의 조상의 데모스 또는 그 근처에서 추모된 것으로 입증되었다. 람누스 Rhamnous(아티카 북동쪽 해안) 농촌 데모스의 경우 이 수치는 76퍼센트까지 올라간다

흥미롭게도, 노예들에 의한 해방 소송의 승소 서류철인 일련의 4세기 문서에서는 완전히 다른 모습이 등장한다. 이들 기록이 제공하는 정보에는 시민 주인들의 소속지와 외국인 및 해방 노예들의 거주지가 포함되어 있어, 얼마나 많은 예전 노예가 자신들의 출신지 데모스나 이전 소유주의 거주지와는 다른 데모스에서 살았는지를 입증할 수 있다. 전체 사례의 약 85퍼센트에서 주인의 소속지가 노예의 거주지와는 다르며, 기록에서 언급된 예전 노예들 대부분이 아테네 도시 안 또는 아테네 도시 바로 인근 외곽에 거주한 것으로 보인다. 이들 자료를 통해 대다수의 예전 노예가 아테네와 피레우스로 이동한 것이 타당하게 추정되었으며, 아티카의 다른 지역에서는 교역 또는 상업 활동을 추구할 기회가 미미했다는 명백한 이유 때문이었다.[10]

헬레니즘 시대에는 그리스 유형의 많은 신도시가 페르시아 제국의 여러 지역에 세워졌다. 알렉산드로스(재위 기원전 336~기원전 323)와 그의 직계 후계자들이 세운 많은 신도시에서는 참전군인 집단이 인구의 핵심을 차지했다. 소수의 도시가 상당수의 민간 이주민을 받아들인 것으로 알려져 있다. 일례로 셀레우코스 제국의 수도 가운데 하나로 시리아의 도시인 안티오크의 중심 인구들은 방치된 도시인 안티고니아 Antigonia에서 온 아테네인, 더 이른 이 구역 초기 정주자의 후손, 셀레우코스 1세Seleucus I의 군대 출신인 많은 수의 마케도니아 참전군인과

그들의 처자식이었다. 인구의 핵심은 5300명의 남성으로 구성되었다. 안티오크는 형성되자마자 약 225헥타르를 차지했다. 1세기 안에 인구는 5만 명에 육박한 것으로 여겨진다.

성벽 내 영역이 825헥타르[8.25제곱킬로미터] 이상이었던 프톨레마이오스 왕조의 수도 알렉산드리아는 규모가 훨씬 더 컸다. 최근 추정에 따르면, 이 도시의 인구는 20만~50만 명에 이르며 성벽 내 영역에서 헥타르당 240~600명의 인구밀도가 나타냈다. 후자의 수치는 이 시기 그리스 도시로서는 매우 높은 것으로 보인다.[11]

그리스에서 온 안티오크 이주민들과 후손들이 알렉산드리아의 인구에서 많은 부분을 차지했다. 흥미롭게도, 우리는 마침 알렉산드리아에 이집트인 구역과 유대인 구역이 있었음을 알고 있다. 이들 구역의 존재는 이 도시가 이웃 지역에서 많은 수의 이집트 원주민과 이주민을 유인했음을 증명한다.

로마의 이탈리아와 로마 제국

고고학 자료들을 통해 볼 때, 로마는 기원전 6세기에 이미 상당한 도시였던 것으로 보인다. 이 시기에 도시는 4개의 '관구管區, region'로 구성되었고 총 285헥타르의 영역이었다. 이 수치는 에트루리아나 라티움[라틴]의 어떤 도시보다도 큰 수치였다(에트루리아 도시 중 가장 규모가 컸던 베이이Veii는 194헥타르였다). 그러나 6세기의 에트루리아 혹은 라틴 도시들의 벽들과 종교적 경계들이 규모가 아주 큰 영역을 둘러싸고 있었고 이 영역에서 상대적으로 작은 부분들만이 건설되어 있었다는 점을 강조해야 한다.

마찬가지로 기원전 4세기 초반에 이른바 '세르비아네'방벽Servian Wall으로 둘러싸인 427헥타르의 모든 부지에 처음부터 공영, 종교용, 혹은 거주용 건축물들이 있었다고 가정할 근거는 없다.* 초기에 성벽으로 둘러싸인 지역은 거대한 비어 있는 공간을 가지고 있었고, 이 공간이 기원전 4세기와 3세기에 걸쳐 점차 채워졌던 것으로 보인다. 어떤 경우든 간에 기원전 3세기 마지막 몇십 년 동안 로마의 거의 모든 인구는 성벽 내에서 거주한 것으로 보인다.[12]

로마인들이 이탈리아를 정복하면서 새로 예속된 영토에 대한 자신들의 지배력을 공고히 하는 데 사용한 기술 하나가 로마 시민권이 없는 '라틴' 식민시(라틴 콜로니아Latin Colonia)를 만드는 것이었다(3장 참조). 각 라틴 식민시에는 성벽으로 둘러싸인 도시 중심지가 있었으며, 여기서 다양한 행정 기능, 종교 기능, 또한 의심의 여지가 없는 경제 기능이 농촌 인구들을 위해 작동되었다. 기원전 4세기와 3세기의 몇몇 라틴 식민시의 성벽으로 둘러싸인 지역은 매우 넓었다. 기원전 3세기 후반과 2세기의 대다수 라틴 식민시는 훨씬 더 작았다. 그러나 초기 라틴 식민시들의 성벽으로 둘러싸인 지역의 작은 부분만이 건설된 상태였다는 증거가 있기에 이후 시기 규모가 작은 식민시들이 더 적은 도시 인구를 가질 필요는 없었다. 유일하게 확실한 점은 모든 기간에 식

---

* '세르비아네방벽'(무라 세르비아네Mura Serviane)은 기원전 4세기 초반에 건설된 것으로 보이는 고대 로마 도시의 방어벽이다. 로마 6대 왕 세르비우스 툴리우스Servius Tullius의 이름을 딴 것으로 '세르비우스성벽'으로도 불린다.

민시의 인구 대다수가 농촌에 살았다는 것이다.[13]

설령 우리가 몇몇 라틴 식민시가 기존의 타운에 건설되었다는 사실을 염두에 두더라도, 로마의 식민 정책이 로마식 도시주의를 이탈리아에 넓게 확산했다는 점을 부인할 수는 없다. 이주 역사의 관점에서 볼 때, 이런 결과가 자발적 이주보다는 국가의 후원을 통해 달성되었다는 것이 흥미롭다. 새로 정복한 지역으로의 자발적 이주가 없었다는 것은 아니지만, 증거가 거의 없어 그 중요성을 평가하기는 불가능하다.

기원전 2세기와 1세기에 로마의 인구는 거의 100만 명 가깝게 성장한다. 풍부한 고고학 자료는 이 시기에 규모가 작은 많은 이탈리아 도시가 훨씬 더 규모가 커졌음을 말해준다. 도시의 쇠퇴에 대한 몇몇 예도 보이나 이는 이탈리아 남부 일부 지역에 국한되었다.

초기 왕조 시기 메소포타미아와 고전기 그리스의 경우와 마찬가지로 많은 학자가 도시에 거주하는 이탈리아 인구 비율을 추정하려고 노력해왔다. 합의에 이르지는 못했지만, 초기 제국 시대에 로마를 포함하면 이탈리아 도시화율은 약 32퍼센트이고 로마를 제외하면 약 20퍼센트라는 것이 중론이다. 이 도시화율은 고전기 그리스에 대해 추정된 최소 60퍼센트에 크게 못 미친다. 이에 대한 설명은 고전기 그리스의 도시 인구와 달리 로마 제국 초기 이탈리아의 도시 인구는 농경 인구의 상당 부분을 포함하지 않았다는 것이다.[14]

문헌 자료로 판단하건대, 자발적 이주는 로마의 성장에 중요한 역할을 했다. 그 예로 기원전 203년에서 기원전 187년 사이에 약 1만 2000명의 라틴인이 로마로 이주했다고 전해진다. 기원전 60년대 초반에 로마 인구의 구성 변화를 서술하면서 살루스티우스Sallustius[로마 공화정 시대의 역사가)는 다음과 같이 말한다. "농촌에서 육체노동으로 비참한 생활을 유지했으나 공공이나 개인이 제공하는 구호에 유혹되었던 젊은이들이 혐오스러운 고역보다 도시에서의 나태함을 더 선호하게 되었다." 비록 이 구전에 분명한 도더저 과장이 있을지라도, 최대 32만 명의 수급자를 위한 무료 곡물 배급grain dole이 이주민들에게 강력한 유인 요인으로 작용했다는 기본적 생각은 매우 그럴듯하다.

다른 유형의 이주민이 〔도시 인구에〕기여한 바를 파악하기는 여전히 어렵다. 초기 제국 시기에 도시 로마의 인구는 약 5만 명의 외국인을 포함했고 노예는 약 10만 명에서 30만 명 사이였다는 가변적 추산이 제기되었다. 도시 노예의 다수가 자유를 얻게 되면서, 부자유 노동자non-free labourer를 가정의 하인들과 도시경제urban economy의 노동자로 고용하는 로마의 전통은 로마의 자유민 인구의 증가에 일조했다. 그러나 자유민 증가의 반대급부는 도시의 노예 인구를 유지하기 위한 많은 노예의 유입이었다.

유감스럽게도, 이주민들을 주택·음식·일자리에 더 쉽게 접근할수 있게 만들었을 이주민 네트워크나 다른 조정들에 대해서는 거의 알려진 바가 없다. 사업 목적으로 푸테올리Puteoli〔지금의 포추올리Pozzuoli〕, 오스티아, 혹은 로마로 온 일부 외국인들은 특정한 도시나 종교에서 생겨난 협회나 사무실들의 존재로 이익을 얻었을 것이고, 유대인들과 같이 특정 디아스포라 공동체diaspora community의 존재가 자신들과 같은 배경의 사람들이 제국에서 더 쉽게 이동할 수 있게 만들었다는 점이 그럴듯하게 제시되었다. 그러나 데이비드 노이David Noy가 날카롭게 관찰한 것과 같이 로마 어느 곳에서도 개인들의 국적별 집중에 관한 명백한

증거는 없다.[15]

기원전 마지막 2세기 동안 로마의 빠른 팽창은 높은 수준의 자발적 또는 강제적 이주를 가정하지 않고서는 설명할 수가 없지만, 이렇게 형성된 매우 많은 인구를 유지하는 이주의 역할에 대해서는 더 많은 논란이 있다. 한 연구에 따르면, 로마의 인구학적 조건은 조사망률粗死亡率, crude death rate과 조출생률組出生率, crude birth rate 사이 차이가 연간 약 10명〔1000명당 10명〕이었던 18세기 런던의 그것과 비슷했을 가능성이 크다〔'조사망률'은 인구 1000명당 1년간 사망자 수의 비율을, '조출생률'은 인구 1000명당 1년간 출생아 수의 비율을 말한다〕. 이 관점에서 서기 1세기 동안 로마의 인구로 믿어지는 약 100만의 인구를 유지하기 위해서는 약 1만 명의 자발적 혹은 강제적 이주민이 필요했다.

이 이론에 반해, 여러 학자가 제국 초기 로마의 위생 조건이 근대 초기 유럽의 대규모 도시들의 그것에 비해 더 좋았다고 주장해왔다. 이 반박은 설득력이 떨어진다. 예를 들어 로마의 초기 기독교인 묘비들에 기록된 사망 날짜는 늦여름이나 초가을에 크게 집중되어 있는데, 이는 열대열熱帶熱 말라리아의 치명적 영향과 이것의 여타 계절적 감염과의 합병증을 반영하는 것으로 가장 잘 이해된다.[16] 균형감을 가지고 보자면, 로마는 전산업pre-industrial 시기 유럽의 다른 많은 대규모 도시와 인구학적 체계가 비슷했고 인구를 유지하기 위해 상당히 높은 수준의 이주가 필요했다는 결론을 피하기가 여전히 어렵다.

최근 몇 년 동안 골격 및 치과 재료에 포함된 동위원소 물질을 살펴봄으로써 로마 및 여러 이탈리아 도시로의 이주 수준과 양상을 더 잘 이해하려는 시도가 있었다. 이러한 접근법을 통해 항구타운harbour town

포르투스Portus(로마 서쪽)의 해골들을 분석했고 매장된 이들의 약 3분의 1이 다른 지역에서 태어났음이 밝혀졌다. 이 연구에서는 제1대구치大臼齒(앞어금니 뒤쪽에 있는 이)와 제3대구치 사이의 산소 동위원소 비율을 조사함으로써, 상당수의 이주민이 어렸을 때 포르투스에 왔다는 것을 증명할 수 있었고, 이로써 이주민이 전형적으로 그리고 압도적으로 젊은 성인 남성이라는 전통적 시각의 입지를 잠식했다.

이와 같은 분석에서 한 단계 더 나아간 더 최근의 연구는 치과 재료인 스트론튬strontium의 동위원소 분석을 사용해 로마와 그 인접 농촌권으로 이주한 사람들의 출신지를 밝혔다. 분석된 증거는 2개 묘지에서 나왔으며 로마에서부터 대략 2킬로미터와 11.5킬로미터 떨어져 있었다. 105명 중 7명이 로마의 지역 범위와 현저하게 다른 스트론튬 동위원소 비율을 보였다. 그중 6명은 이탈리아의 여러 지역 출신으로 추정될 수 있지만, 한 경우는 북아프리카 출신일 가능성이 가장 컸다. 흥미롭게도 55명의 어금니에 포함된 스트론튬 동위원소와 산소 동위원소를 조사한 보다 상세한 분석에서는 그중 20명의 경우가 현지 기원이 아닌 것으로 밝혀졌다. 이 이주민들 가운데 3명은 준準성인sub-adult이었고 그 가운데 1명이 북아프리카를 가리키는 동위원소 기호를 가지고 있었다.[17]

이 연구에 사용된 2개의 묘지 중 1개가 상대적으로 로마에서 멀리 떨어져 있어서, 분석 결과 가운데 일부가 로마의 인구가 아닌 교외 농촌 지역에 유효했을 가능성을 고려해야 한다. 또 다른 문제는 동위원소 분석이 로마의 자유 이주민과 노예들을 구분할 수 없다는 점이다. 그러함에도 이것은 지중해 세계(그리고 그 너머의) 이주 연구에 혁명을 일으킬 잠재력이 있는 매우 유망한 새 조사법이라는 점에 의심의 여지가 없다.

기원전 2세기 후반부터 이주민들은 속주들에서 로마식 도시들이 등장하고 성장하는 데서 일정한 역할을 담당했다. 기원전 122년에 이탈리아 식민시이주민colonist 6000명이 카르타고(기원전 146년에 파괴)의 도시와 그 영토를 다시 보충하기 위해 이식되었고, 율리우스 카이사르 Julius Caesar(기원전 100~기원전 44)는 스페인, 프랑스 남부, 북아프리카, 제국 동부의 여러 속주에 있는 식민시에 수만 명의 민간 식민시이주민과 퇴역 군인들을 정착시켰다.

공화정에서 제정으로 전환된 이후 많은 수의 퇴역 군인은 국경 지역의 기존 도시 또는 새로 설립된 도시나 그 근처에 계속해 정착했다. 이 시기 로마 군대는 약 30만의 병력을 보유했으며 두 가지 유형으로 구성되었다. 군단에서 복무〔군단병, 레지오나리legionary〕하기 위해 징집된 시민들과, 보조 역할로 25년을 복무〔보조병, 아욱실라리auxiliary〕한 후 시민권을 획득할 수 있는 비非시민들이다. 기원후 1세기 이후 대다수 시민 지위의 사람들이 지중해 유럽에 살았고, 대다수 보조병이 그들이 모집된 지역 바깥 지역에 배치되었다는 점에서, 초기 제국군의 구성은 지역 간 이주의 높은 수준을 암시한다. 군인들의 출신지를 언급하는 비문은 이러한 이동을 일부 알 수 있게 한다. 일례로, 기원후 70년 마인츠Mainz에 있는 군단기지를 수비하는 남자 대부분은 이탈리아와 갈리아 남부에서 왔고 체스터Chester(웨일스Wales 국경 근처)에 주둔하고 있던 제1군단에는 발칸 지방과 이탈리아 북부에서 온 신병들이 포함되어 있던 것으로 보인다.[18]

25년의 복무에서 생존한 자들은 종종 자신들이 근무했던 속주에 그대로 남아서 식민시로 형성되거나 혹은 발전한 시민 정주지들에 정착했다. 이러한 신도시 대부분은 엄격한 격자형 거리가 있었고 로마의 외관과 매우 비슷했다. 그러나 국가에 의한 군대의 이동과 퇴역 군인들의 정착이 국경지대의 많은 도시의 성장에 중요한 역할을 하는 동안, 로마 제국의 도시 대다수는 현지적 혹은 지역적 이주 과정 및 도시 노예들에 대한 엘리트층의 지출 결과로서 성장한 것으로 파악이 된다.

중국

최근 연구는 중국 도시주의의 시작이 중국 북동부 여러 지역에서 보통 정도 규모의 '원原도시proto-city'가 발달하기 시작한 신석기시대(기원전 3500~기원전 2600)보다 더 이전으로 거슬러 올라갈 수 있음을 제시한다(초기 중국의 발전은 6장 참조). 이러한 정주지들은 판축版築, stamped earth 기법의 성벽 요새[토성]로 3.5~7.5헥타르[0.035~0.075제곱킬로미터]를 둘러싸고 있었다.* 더 큰 규모의 도시들은 룽산龍山 시대(기원전 2600~기원전 2000)에 주권국가sovereign state들의 출현과 함께 발전하기 시작했다. 이 도시국가들의 수도는 일반적으로 20~35헥타르 영역에 걸쳐 있었으나 일부 더 넓은 결집 영역이 발견되기도 했다. 가장 작은 규모의

---

* '판축'은 판으로 틀이나 주형을 만들어 그 안에 흙·모래·자갈 같은 자연적 재료를 넣은 후 다짐 방망이 등으로 다져 블록이나 기반, 또는 성벽 등을 쌓아 올리는 대표적 고대 토목 기법이다. '다져쌓기'라고도 한다.

도시들(단지 몇 헥타르만의)의 경우 고고학자들은 내벽(내성) 영역의 거주민 밀도를 헥타르당 250명으로 추정하지만, 이런 추정치는 더 큰 규모의 중심지에는 적용하기가 어렵다. 고고학 자료로 볼 때, 대규모 도시의 성벽 내 3분의 1 정도가 궁전 영역과 사원/제단 복합단지(복합체) temple/altar complex 영역이었고 나머지 3분의 2는 완전히 채워지지 않았다는 지표들이 있다. 이와 같은 점이 중국 초기 도시들의 인구 파악을 매우 어렵게 한다.

초기 청동기시대(기원전 2000~기원전 1600)에는 거대한 영토국가 territorial state들이 30만 제곱킬로미터에 이르는 영토를 통제했다. 1959년에 이들 국가 중 한 국가의 수도가 얼리터우(뤄양에서 그리 멀지 않은)에서 발견되었다. 이 도시는 면적이 375헥타르(3.75제곱킬로미터)였다. 이 넓은 영역에서 궁전 구역(7.5헥타르)만이 성벽으로 보호되었다. 궁전의 북쪽, 동쪽, 남쪽 영역에는 가마와 공방들이 있었다. 늘 그렇듯이 도시의 나머지 부분들의 밀집도는 알 수 없다. 일부 전문가에 의하면, 거주민 수는 1만 8000명에서 3만 명 사이였을 수 있는데, 이는 전체 유적지의 헥타르당 평균 48~80명의 인구 밀집을 뜻한다.[19]

얼리터우의 몰락 이후, 상 왕조 시기(기원전 1600~기원전 1046) 정저우는 얼리강 문화의 중심지로서 요새도시fortified city로 성장했고 내벽으로 둘러싸인 중심부가 300헥타르에 전체 면적이 2500헥타르(25제곱킬로미터) 이상이었다. 한 측정에 따르면, 이 도시에는 10만 명이나 되는 인구가 있었던 것으로 보인다. 이 계산이 적정하다면 정저우는 이 시기 세계에서 가장 큰 규모의 도시였을 것이다. 그러나 일부 다른 전문가는 당시 정저우의 인구를 1만 명 이하로 파악한다. 이 두 추정치

사이 불일치는 고고학 자료에서 인구 추정치를 도출할 때 극복해야 하는 커다란 방법론적 어려움을 잘 드러내준다.

아주 규모가 큰 수도를 만드는 전통은 주 왕조(기원전 1046~기원전 403)에서도 이어졌다. 이 시기 수도는 종주宗周(49제곱킬로미터)와 섬주成周(15제곱킬로미터, 뤄양 인근)를 포함했다.* 기원전 7세기부터 주나라 왕의 효과적 지배력의 붕괴는 각각 자체 수도가 있는 지역적 영토국가들이 출현하는 계기가 되었다. 이와 같은 양상은 지역의 통치자들이 주나라 왕에게 명목상의 충성을 중단한 전국시대戰國時代(기원전 403~기원전 221)까지 계속되었다.

전국시대의 가장 큰 규모의 도시는 제나라(산둥반도) 수도 린쯔로서 면적이 약 15제곱킬로미터였다. 린쯔는 흥미로운 사례로, 7만 가구가 거주하고 있다고 기록된 문헌 자료로부터 인구 추정치를 도출할 수 있는 중국 최초의 도시라는 점에서다. 가구당 4명을 기준으로 한다면 도시의 인구는 약 28만 명으로 추정된다. 그러나 거주 구역이 300헥타르〔3제곱킬로미터〕에 불과해 이 추정치는 헥타르당 인구 밀집이 900명 이상이었음을 의미한다.[20] 이는 거의 불가능할 정도로 높은 수치다. 전체 도시권urban area인 약 15제곱킬로미터가 모두 채워져 있었다고 한다면 헥타르당 약 187명이라는 더 유연한 밀도 수치를 얻게 되지만, 이 대체 추정치의 기초가 되는 시작점의 가정은 정확하지 않은 것으로

---

* 주나라는 2경二京 체제였음을 말하는 대목이다. 종주는 주나라(서주)의 원래 도읍인 호경鎬京을 말하고, 성주는 주나라 제2대 왕 성왕 때 섭정 주공 단周公旦이 동방을 통치하는 중심으로서 건설한 제2의 도읍이자 정치도시 성격의 낙읍雒邑(뤄양)을 말한다. 이후 낙읍이 호경보다 동쪽에 있어 동도東都로 일컬어지게 되었다. 서도인 호경에는 종묘가 있었고, 동도인 낙읍에는 왕의 정통성을 상징하는 구정九鼎이 있었다.

보인다. 유일하게 가능한 결론은 7만 가구라는 기록이 신뢰하기 어려운 것이거나 훨씬 더 넓은 지역의 인구를 파악하기 위해서만 참조되어야 한다는 것이다.

가구 수 해석에 대한 유사한 문제가 기원후 2세기 한 제국[후한, 25~220]의 10대 최대 규모 도시로 보이는 곳들에 대한 인구조사 관련 목록에서도 나타난다. 이 목록에 의하면, 수도 장안에는 8만 가구와 24만 6200명에 이르는 거주민이 있었다. 이 시기 장안의 내벽 영역은 36제곱킬로미터였으나 더 이른 초기 중국 역사의 수도들을 볼 때 이 영역의 작은 부분만이 거주 구역으로 쓰였을 것이다. 이와 같은 이유로 여러 전문가는 이 기록된 가구 수에 주변 지역의 가구가 포함되었을 것이라는 결론을 내렸다. 한편 장안현縣에 거주한 많은 인구가 내벽으로 둘러싸인 영역과 내벽 주변의 교외에 거주했을 가능성이 크다. 또 이 기록에는 모든 관료와 왕족 외에도 모든 귀족과 그들의 친인척이 제외되어 있다는 점을 주지할 필요가 있다. 따라서 20만이라는 인구 수치는 여전히 옹호되고 있다.[21]

개별 도시 인구에 대한 신뢰할 수 있는 정보의 부족으로 [초기 중국의] 전체 도시화율을 추정하기는 불가능에 가깝다. 2세기 인구조사 당시 중국 제국의 인구는 약 6000만 명이었다. 그런데 성읍城邑, town 거주민의 수는 수도 인구와 명목상 평균치 인구를 가진 여러 유형의 행정도시 인구가 신뢰되어야만 추정될 수 있을 것이다. 어느 전문가는 이러한 접근법으로 한漢 전체 인구의 27.7퍼센트를 인구 1만 명 이상인 도시들에 할당했다. 그러나 가장 작은 규모의 행정구역(정亭) 주민들을 농촌 인구로 분류하는 다른 학자는 도시화율을 약 17퍼센트로 도출한다. 이 수치조차 높은 축에 속하는 것 같은데, 한의 전체 도시화율이 중국 인구의 최대 13퍼센트가 인구 5000명 이상의 도시에서 살았던 것으로 여겨지는 훨씬 이후인 송 왕조 시기의 비율을 초과하지는 않았을 것이라는 점에서다.[22]

　초기 중국의 역사에서 이주가 대규모 도시들을 만들고 그 인구를 유지하는 데 얼마나 영향을 끼쳤는지는 거의 알려지지 않았다. 이 분야에서 몇 안 되는 확실성 중 하나는 강제적 이주가 적어도 일부 주요 도시의 성장에 중요한 역할을 했다는 것이다. 예를 들어 진시황은 기원전 221년에 그의 마지막 적을 패배시킨 후 제국 전역에서 인질로 데려온 12만 명의 부유한 가족들을 진의 수도인 셴양 인근에 다시 정착시켰다고 한다. 얼마 지나지 않아, 한 왕조 초기에 약 5만 명이 청두 또는 그 근교에 재정착했다. 마찬가지로, 장안은 전국 각지에서 온 부유한 일가가 재정착할 수 있는 거대한 교외 지역이 있었다. 이런 사례들은 강제 이주민들의 상당수가 도시 성벽 내부가 아니라 도시들이 통제하는 행정구역들에 정착했음을 말해준다. 그럼에도 청두와 장안의 빠른 확장이 많은 수의 강제 이주민의 유입 없이는 일어날 수 없었을 것임에는 의심의 여지가 없다.

　때때로 부자유unfree 이주민들이 수도로 옮겨졌다는 이야기도 있다. 전한 무제武帝(재위 기원전 141~기원전 87) 초기에 사마천司馬遷은 장안의 확장에 대해 다음과 같이 기록했다. "관청은 그 기능이 점점 혼란스럽게 되면서 점점 많은 수가 세워졌다. 지방에서 수도로 이주하는 노비들이 매우 많아서 400만 담斛의 곡물들을 황하강 하류 지역에서 옮겼으며 추가로 관청에서 구매한 곡물까지 합해야 수도에 적절하게 식량이 공급될 수 있었다."

자발적 이주에 대한 기록은 더욱 드물다. 그러나 이런 유형의 이주가 있었음에는 의심의 여지가 없다. 사마천이 장안에 대해 언급한 다른 문구는 다음과 같다. "제국 각지에서 사람들이 몰려들어 장안 주변의 황릉 근처 마을들로 모여 마치 수레바퀴처럼 수도를 둘러쌌다. 토지는 작고 인구는 너무 많아 사람들은 점점 세파에 물들고 영악해졌으며 생계를 유지하기 위해 상거래와 같은 2차 직업으로 눈을 돌렸다."[23]

국경 지역으로의 이주에 대해서는 훨씬 더 많이 알려져 있다. 새로 발견된 목간木簡과 죽간竹簡의 정보들을 바탕으로 한 창춘수Chun-su Chang〔장춘수張春樹〕의 연구는 기원전 2세기 후반부터 1세기 초반에 새로 정복된 호시互市〔중국과 주변 민족 또는 국가 사이의 육상무역〕지역에서의 여러 유형의 이주민 정착에 대해 논했다. 전한의 무제에 의해 이 지역이 정복된 이후, 몇만 명의 새 이주민들이 들어왔다. 여기엔 정규 병영〔주둔지〕garrison 병사와 함께 다수의 죄인도 포함되었다. 이 이민자 중대다수는 농민-군인으로 정착했다. 그러나 몇십 년 뒤에 가장 큰 규모의 요새는 좀 더 민간인의 장소로 그 성격이 바뀌었으며 지방의 수도로 발전했다. 고고학 기록으로 미루어볼 때, 이 도시들 대부분은 성벽으로 둘러싸인 영역이 8.75~17.1헥타르 사이로 아주 규모가 작은 채로 남았다.[24] 장기적으로 그 결과는 혁신적인 국경 사회의 출현보다는 한漢 제국 도시체계urban system 측면의 확장이었다.

남아시아

남아시아 도시주의의 역사는 기원전 제3천년기 중반에 모헨조다로와 하라파로 대변되는 4~5개 대규모 도시large city의 등장에서 시작된다 (5장 참조). 이 도시들의 인구를 측정해보려는 시도는 통상적인 방법론적 어려움에 부딪혔다. 모헨조다로는 규모가 100~200헥타르[1~2제곱킬로미터] 정도였고 하라파는 규모가 80~150헥타르 정도였던 것으로 보인다. 모헨조다로의 인구는 4만 명이라는 주장이 제기되는데, 이 추정은 근거가 미약하기에 도시의 어느 정도 비율이 거주지로 사용되었는지 확인하기는 불가능하다.[25]

기원전 600년에서 기원후 500년까지의 남겨진 기록에 신뢰할 만한 인구 수치가 나와 있지 않은 만큼, 기원전 마지막 천년기 후반기에 인도 전역에서 많은 수의 눈에 띄는 도시 정주지들이 출현했다는 결론을 넘어서기는 힘들다(5장 참조). 또 마우리아 제국(기원전 342~기원전 187) 시기에 수도 파탈리푸트라가 인도 아대륙의 가장 큰 규모의 도시 권역이었다는 널리 공유된 합의를 발견할 수 있다. 도시의 외곽 방어선은 2200헥타르 이상을 둘러싸고 있었을 것으로 여겨지며 이 수치는 인구를 27만 명으로 추정하는 데 활용되었다. 그러나 몇몇 전문가에 의하면, 파탈리푸트라의 인구 대다수는 340헥타르의 내부 영역에서만 거주했다. 이런 관점에서 볼 때, 파탈리푸트라는 여전히 마우리아 인도에서 가장 큰 규모의 도시이나 인구는 단지 5만 명 정도다.

최소한 10개의 다른 인도 도시들이 마우리아 제국 이전이나 이후에 100~300헥타르의 요새화한 영역이었던 것으로 알려졌다(5장 참조).

갠지스평원의 카우샴비를 예로 들자면, 기원전 600~기원전 300년에 이 도시는 약 50헥타르에 걸쳐 있었는데 마우리아 제국 시기에는 그 외벽이 200헥타르를 둘러싸고 있었으며 이 면적의 4분의 3에 해당하는 영역에 건물들이 들어서 있었다. 카우샴비는 추가로 약 50헥타르에 이르는 성 밖의 교외가 있어서 건축물들이 들어선 총 영역은 거의 200헥타르로 추정된다. 헥타르당 160~200명의 거주민이 있었음을 가정할 수 있기에(도시공간urban space에서 헥타르당 발굴된 주택 수에 기초해), 여러 전문가는 카우샴비의 도시 인구를 3만 6000~4만 명으로 추정하고 있다.[26]

유감스럽게도, 단편적인 고고학 기록은 초기 역사 시기 인도 도시들의 수를 대략적이나마 추정할 수 있는 근거조차 제공하지 않는다. 또 매우 우려되는 점은 모든 인도 지역을 포함했던 마우리아 제국의 인구 추정이 1550만 명에서 1억 8100만 명까지 차이를 보인다는 것이다. 이 두 가지 이유로 도시, 지역, 제국 전체의 도시화율을 계산하거나 추정하는 시도들은 실패할 것으로 보인다.

몇 가지 확실한 점 중 하나는 기원전 6세기에 시작된 것으로 보이는 [초기 역사 시기 인도의] 도시팽창urban expansion 국면이 일반적 인구 확장 시기와 일치한다는 것이지만, 이 두 현상 사이 정확한 관계는 여전히 논쟁의 여지가 있다. 인구성장population growth이 도시화를 가능하게 한 원동력이었을까? 국가와 도시의 출현이 치안을 증진해 인구학적 성장을 자극했을까? 아니면 국가 형성, 도시팽창, 인구성장의 과정이 불가분하게 얽혀 있는 걸까?

고고학 기록으로 판단해볼 때, 초기 역사 시기 인도의 도시들은 농촌의 결집보다 더 빠른 속도로 팽창했다.[27] 이처럼 다른 성장률은 어느 정도까지는 농촌 자료들의 결함으로 나타나는 착시 현상이라고 설명하는 게 가능하다. 그러함에도 많은 도시의 동시 성장이 농촌-도시의 상당한 수준의 이주 없이는 발생할 수 없었을 것이라는 점이 안전한 추론이다. 또 도시팽창의 초기 단계 이후에도 파탈리푸트라와 카우샴비와 같은 도시의 대규모 인구가 감소하는 것을 막기 위해 농촌권에서 도시로의 일정 수준의 이주가 필요했던 것으로 보인다. 그러나 이 추론을 뒷받침할 구체적 증거가 없다는 것도 인정해야만 한다.

결론

지금까지 살펴본 것처럼, 기원전 3000~기원후 500년 시기의 도시 규모와 도시로의 이주는 연구하기 어려운 주제다. 그러함에도 메소포타미아와 고전기 그리스, 아마도 마우리아 제국의 가장 큰 규모의 도시들도 인구가 10만 명 이하였다는 것이 분명해 보인다. 몇몇 헬레니즘 세계의 수도는 인구가 더 많았고 중국 한나라의 장안은 아마도 20만 명의 거주민이 있었던 것으로 보인다. 그러나 이 장에서 다룬 기간에 제정 초기의 로마만이 인구가 약 100만 명으로 성장했다. 많은 전근대 국가에서 새 정복지에 형성한 식민지로의 국가 후원에 의한 이주는 도시 네트워크의 팽창에 주요한 요인이었다. 동시에 전쟁 포로와 노예의 강제 이주가 많은 초기 도시의 성장에 중요한 역할을 했다는 증거가 있다. 비위생적 생활 조건에서 기인하는 높은 도시 사망률을 고려할 때, 대규모 인구 밀집 도시의 인구는 끊임없는 이주 없이는 지속될 수 없었을 가능성이 크다. 문헌과 고고학 증거들이 이를 뒷받침해주지만 유감스럽게도 근본적 이주의 양상에 대한 구체적 분석을 가능케 하지는 않는다.

주

1 도시의 다양한 정의에 대해서는 스타인하트가 쓴 이 책의 6장을 보라. R. Adams, *Heartland of Cities* (Chicago and London: University of Chicago Press, 1981); M. Hansen, *The Shotgun Method. The Demography of the Ancient Greek City-State Culture* (Columbia and London: University of Missouri Press, 2006).

2 Adams, *Heartland of Cities*; U. Finkbeiner, *Uruk Kampagne 35-37 1982-1984: Die archäologische Oberflächenuntersuchung (Survey)*, Ausgrabungen in Uruk-Warka Endberichte 4 (Mainz: Philipp von Zabern, 1991).

3 Adams, *Heartland of Cities*. 기원전 2500년까지 메소포타미아 남부 인구의 80퍼센트가 40헥타르(0.4제곱킬로미터) 이상의 도시에서 살았다는 의견에 대해서는 A. Kuhrt, *The Ancient Near East c. 3000-330 BC*, vol. 1 (London and New York: Routledge, 1995), 31.

4 Adams, *Heartland of Cities*, 90.

5 D. Charpin, D. O. Edzard, and M. Stol, *Die altbabylonische Zeit* (Göttingen: Vandenhoeck & Ruprecht, 2004), 57-58, 80.

6 아시리아의 도시들에 대해서는 M. van de Mieroop, *The Ancient Mesopotamian City* (Oxford: Oxford University Press, 1999); B. Oded, *Mass Deportations and Deportees in the Neo-Assyrian Empire* (Wiesbaden: Dr Ludwig Reichert Verlag, 1979). Babylon: T. Boiy, *Late Achaemenid and Hellenistic Babylon* (Leuven: Peeters, 2004), 233.

7 Hansen, *The Shotgun Method*, 이는 다음에 기반을 두고 있다. J. L. Bintliff, "Further Considerations on the Population of Ancient Boeotia", in J. L. Bintliff, ed., *Recent Developments in the History and Archaeology of Central Greece*, BAR International Series 666 (Oxford: Tempus Reparatum, 1997), 231-252.

8 R. Osborne, "Early Greek Colonization? The Nature of Greek Settlements in the West", in N. Fisher and H. van Wees, eds., *Archaic Greece. New Approaches and New Evidence* (London: Duckworth with the Classical Press of Wales, 1998), 251-270. Hansen, *The Shotgun Method*, 31. 이는 기원전 4세기에 그리스 식민시나 그리스 외의 헬레니즘 공동체들에 최소 300만 명이 살았을 것으로 추정한다. 어떤 관점에서건 그리스와 아시아로부터의 식민시이주민들은 인구학적으로 중요

한 현상이었음에 틀림없다.

9 아티카의 인구에 대해서는 예를 들어 P. Garnsey, *Famine and Food Supply in the Graeco-Roman World. Responses to Risk and Crisis* (Cambridge: Cambridge University Press, 1988), 90; 아테네에 대해서는 I. Morris, *Burial and Society: The Rise of the Greek City State* (Cambridge: Cambridge University Press, 1987), 100; 피레우스에 대해서는 R. Garland, *The Piraeus. From the Fifth to the First Century BC* (Ithaca, N.Y.: Cornell University Press, 1987), 58.

10 도시의 묘비들에 대해서는 A. Damsgaard-Madsen, "Attic Funeral Inscriptions. Their Use as Historical Sources and Some Preliminary Results", in *Studies in Ancient History and Numismatics Presented to Rudi Thomsen* (Aarhus: Aarhus University Press, 1988), 55-68. 농촌 시구市區, deme들에 대해서는 R. Osborne, "The potential mobility of human populations", *Oxford Journal of Archaeology*, 10 (1991), 231-251.

11 안티오크에 대해서는 G. Aperghis, *The Seleukid Royal Economy: The Finances and Financial Administration of the Seleukid Empire* (Cambridge: Cambridge University Press, 2004), 93. 알렉산드리아에 대해서는 D. Delia, *Alexandrian Citizenship during the Principate* (Atlanta, Ga.: Scholars Press, 1991), 275-92; C. Haas, *Alexandria in Late Antiquity. Topography and Social Conflict* (Baltimore: Johns Hopkins University Press), 46-47.

12 T. J. Cornell, *The Beginnings of Rome. Italy from the Bronze Age to the Punic Wars (c.1000-264 BC)* (London: Routledge), 203; N. Morley, *Metropolis and Hinterland: The City of Rome and the Italian Economy, 200 BC-AD 200* (Cambridge: Cambridge University Press), 33-39.

13 P. Garnsey, 'Where Did Italian Peasants Live?' (first pub. 1979), repr. in P. Garnsey (ed. with addenda by W. Scheidel), *Cities, Peasants and Food in Classical Antiquity. Essays in Social and Economic History* (Cambridge: Cambridge University Press, 1998), 107-133.

14 로마에 대해서는 Morley, *Metropolis and Hinterland*, 37; D. Noy, *Foreigners at Rome. Citizens and Strangers* (London: Duckworth with the Classical Press of Wales, 2000), 15-17. 이탈리아의 도시화율에 대해서는 K. Hopkins, *Conquerors and Slaves* (Cambridge: Cambridge University Press, 1978), 68-69.

15 Noy, *Foreigners at Rome*, 152.

16 E. Lo Cascio, "Did the Population of Imperial Rome Reproduce Itself?", in G. R. Storey, ed., *Urbanism in the Preindustrial World* (Tuscaloosa: University of Alabama Press, 2006), 52–68; R. Sallares, *Malaria and Rome. A History of Malaria in Ancient Italy* (Oxford: Oxford University Press); W. Scheidel, "Libitina's Bitter Gains: Seasonal Mortality and Endemic Disease in the Ancient City of Rome", *Ancient Society*, 25 (1994), 151–175.

17 T. Prowse et al., "Isotopic Evidence for Age-related Migration to Imperial Rome", *American Journal of Physical Anthropology*, 132 (2007), 510–517; K. Killgrove, *Migration and Mobility in Imperial Rome* (PhD dissertation, University of North Carolina at Chapel Hill, 2010); ead., "Identifying Immigrants to Imperial Rome Using Strontium Isotope Analysis", in H. Eckardt, ed., *Roman Diasporas. Archaeological Approaches to Mobility and Diversity in the Roman Empire* (Portsmouth, R.I.: 2010), 157–174.

18 로마 공화정 후기의 식민화에 대해서는 L. Keppie, *Colonisation and Veteran Settlement in Italy, 47–14 BC* (London: British School at Rome, 1983). 로마 군단들의 기원지에 대해서는 M. Carroll, *Spirits of the Dead. Roman Funerary Commemoration in Western Europe* (Oxford: Oxford University Press, 2006).

19 초기 중국의 도시주의에 대해서는 V. F. Sit, *Chinese City and Urbanism. Evolution and Development* (Singapore: World Scientific Publishing Co., 2010); N. Yoffee, *Myths of the Archaic State. Evolution of the Earliest Cities, States and Civilizations* (Cambridge: Cambridge University Press, 2005), 96.

20 Ch. Sen, "Early Urbanization in the Eastern Zhou in China (779–221 BC): An Archaeological View", *Antiquity*, 68 (1994), 735.

21 M. Loewe, *Everyday Life in Early Imperial China during the Han Period 202 BC-AD 220* (London: B. T. Batford and G. P. Putnam's Sons, 1968), 129.

22 중국 한 제국의 도시화율에 대해서는 Sit, *Chinese City*, 124; K. Chao, *Man and Land in Chinese History: An Economic Analysis* (Stanford: Stanford University Press, 1986), 47–8. 중국 송나라에 대한 다음 책은 도시화율을 10~13퍼센트로 제시한다. P. Bairoch, *Cities and Economic Development: From the Dawn of History to the Present* (Chicago: University of Chicago Press, 1988), 353. 하지만 다음 연

구는 단지 인구의 5퍼센트만이 3000명 혹은 그 이상의 인구 규모의 도시들에 거주했다고 주장한다. G. Rozman, *Urban Networks in Ch'ing China and Tokugawa Japan* (Princeton, NJ: Princeton University Press, 1973), 279-80. 그리고 Hilde De Weerdt는 이 책의 16장에서 중국 송 대 전체 가구의 5~10퍼센트가 도시에 거주했다고 제시한다.

23 추방자와 노예에 대해서는 Sit, *Chinese City*, 132; A. Schinz, *The Magic Square: Cities in Ancient China* (Stuttgart Axel Menges, 1996), 104 and 129-131; 자발적 이민에 대해서는 ibid. 113.

24 Chun-Su Chang, *The Rise of the Chinese Empire*, vol. 2. *Frontier, Immigration, and Empire in Han China, 130 BC-AD 157* (Ann Arbor: University of Michigan Press, 2007), 92.

25 예를 들어 U. Singh, *A History of Ancient and Early Medieval India* (Delhi: Pearson Education, 2008), 149. F. R. Allchin and G. Erdosy, *The Archaeology of Early Historic Asia: The Emergence of Cities and States* (Cambridge: Cambridge University Press, 1995), 57은 모헨조다로와 하라파가 각각 85헥타르(0.85제곱킬로미터) 규모였다고 믿는다.

26 파탈리푸트라에 대해서는 Allchin and Erdosy, *The Archaeology of Early Historic Asia*, 69. 낮은 추산치는 340헥타르(3.4제곱킬로미터)다. ibid. 57. 다른 도시들에 대해서는 G. Erdosy, *Urbanisation in Early Historic India* (Oxford BAR International Series 430, 1988), 59, 74. 주택 밀집에 대해서는 ibid. 49.

27 Erdosy, *Urbanisation*, 56, 66, 77.

참고문헌

Adams, R. M., *Heartland of Cities: Surveys of Ancient Settlement and Land Use on the Central Floodplain of the Euphrates* (Chicago and London: University of Chicago Press, 1981).

Chang, Chun-Su, *The Rise of the Chinese Empire, vol. 2. Frontier, Immigration, and Empire in Han China, 130 BC-AD 157* (Ann Arbor: The University of Michigan Press, 2007).

Damsgaard-Madsen, A., "Attic Funeral Inscriptions. Their Use as Historical Sources and Some Preliminary Results", in *Studies in Ancient History and Numismatics Presented to Rudi Thomsen* (Aarhus: Aarhus University Press, 1988), 55-68.

Eckardt, H., ed., *Roman Diasporas. Archaeological Approaches to Mobility and Diversity in the Roman Empire*, Journal of Roman Archaeology Supplement 78 (Portsmouth, R.I.: 2010).

Erdosy, G., *Urbanisation in Early Historic India*, BAR International Series 430 (Oxford: Tempus Reparatum, 1988).

Hansen, M., *The Shotgun Method. The Demography of the Ancient Greek City-State Culture* (Columbia and London: University of Missouri Press, 2006).

Noy, D., *Foreigners at Rome. Citizens and Strangers* (London: Duckworth with the Classical Press of Wales, 2000).

Oded, B., Mass *Deportations and Deportees in the Neo-Assyrian Empire* (Wiesbaden: Dr. Ludwig Reichert Verlag, 1979).

Osborne, R., "The Potential Mobility of Human Populations", *Oxford Journal of Archaeology*, 10 (1991), 231-51.

Scheidel, W., "Human Mobility in Roman Italy, I: The Free Population", *Journal of Roman Studies*, 94 (2004), 1-26.

Sit, V. F., *Chinese City and Urbanism. Evolution and Development* (Singapore: World Scientific, 2010).

Van de Mieroop, M., *The Ancient Mesopotamian City* (Oxford: Oxford University Press, 1999).

제9장

권력과 시민권
Power and Citizenship

마리오 리베라니

Mario Liverani

권력power 구조와 시민권citizenship 구조 사이의 관계는 오랫동안 서로 연결되고 서로 영향을 받아왔는바, 그 방식은 동양East과 서양West이 달랐다. 이제는 이런 대립이 구식이고 왜곡된 것으로 간주되는 만큼 '고대Antiquity'(기원전 3000~기원후 500년 무렵)라는 오랜 수천 년기의 시간과 공간을 구분하기 위해 좀 더 객관적인 요소를 찾아야만 한다. 우리는 따라서 연구사를 살펴보는 것에서 시작해, 도시 기관들을 현재 그것이 이해되는 방식으로 비교 설명을 하고, 마지막으로 변화하는 기관의 특성들이 도시의 형태에 끼치는 영향에 대해 살펴볼 것이다.

'이데올로기적' 모델들

19세기 중반까지 고대antiquity로부터 알려진 유일한 도시 정주지urban settlement들은 고전 세계인 그리스와 로마의 것들이었으며, 고고학보다는 고대ancient 문헌(역사가와 지리학자들의)에 언급된 것들이었다. 폼페이와 헤르쿨라네움Herculaneum 발굴 외에도 소아시아와 북아프리카의 헬레니즘 도시와 로마 도시의 눈에 띄는 유적들이 도시 정주지의 진정한 이미지를 제공했다. 반면, 오리엔트Orient 문명은 고립된 궁전(페르세폴리스)과 신전(이집트)으로부터만 알려졌다. 진정한 도시 발굴은 19세기 중반 그리스와 메소포타미아에서 시작되었고, 인도와 중국에서 이와 비슷한 활동은 한 세기를 더 기다려야 했다.

뉘마 드니 퓌스텔 드 쿨랑주(1864)의 '고대 도시cité antique〔ancient city〕'에 관한 첫 번째 책이[1] 고전기 도시Classical city들에만 몰두했다는 특징은 놀랄 일이 아니다. 책은 대부분 문헌 증거에 기초해 도시 중심지la ville, urban centre의 물질적 구조보다는 사회-정치적, 문화적(특히 종교적) 의미에서 도시 공동체la cité, urban community에 초점을 맞추고 있고, 당시 아시리아의 수도들을 통해 이미 제공된 '오리엔트'의 증거를 암묵적으로 제쳐두고 있다. 오리엔트의 도시들은 그것들의 숭배자들(오스틴 헨리 레이어드Austen Henry Layard, 1853: "우리는 동쪽의 도시들을 유럽의 그것들로 판단해서는 안 된다")과 중상자들(야코프 부르크하르트Jacob Burckhardt, 1870: "니네베의 오만한 왕실의 요새", 1898: "아시리아 왕조의 거대한 군사 주둔지들") 양쪽 모두에 의해 '다른' 것으로 여겨졌다.[2] 오리엔트의 도시들은 너무나 규모가 크고(아리스토텔레스나 밀레투스의 히포다모스의 규준을 훨씬 상회하는) 너무나 왕궁royal palace에 중심이 쏠린 반면, 정치(아고라agora), 경제(시장), 문화 소통(극장) 영역 등 공동생활 관련 구조물은 부재하다고 여겨졌다. '도시city' 개념이 ―말하자면― 고전기 모델에 의해 점유되었던 만큼 [고전기에 앞선] 오리엔트의 수도들은 같은 용어로 지칭될 수 없었고, 그리스 용어 폴리스polis와 동등한 현대적 용어로 인식되었다. 오리엔트의 도시들은 아시리아의 '군사 주둔지military encampment'든 이집트의 '신전도시temple-city'든, 다른 무엇이었다.[3]

도시의 도시적 구조에 대한 평가는 그것의 사회-정치적 제도들에 대한 각양각색의 평가에 기반을 둔다. 서양의 도시는 정치적 자유의, 민주주의의, 경제적 기업의, 집합체collective body의 소재지였지만(왕은 도시 바깥에 성이나 거주지를 두었다), 오리엔트의 도시는 전제주의, 일반화한 노예제, 경제적 통제 및 재분배라는 부정적 가치로 특징지어져야만 했다. '동양 대 서양'의 대립적 현상은 1822~1830년의 그리스독립전쟁Greek war of independence을 통해 다시 나타났으며, 이는 오스만 제국이나 중국의 근대 정주지들과 근동 지역에서 점차 밝혀지고 있던 고대ancient 정주지들의 평가에 쉽게 적용되었다.

이분법은 한 세기 동안 지속되었고 그 절정은 막스 베버의 논저들에서 확인할 수 있는바, 베버는 《농업사Agrargeschichte》(1909)에서 서양 도시(귀족정에서 민주정까지)와 오리엔트 왕궁(행정 중심 왕국도시kingdom-city)의 발전에 대한 두 가지 별개의 행로를 제시한 이래, 《도시Die Stadt》(1921)에서도 오리엔트의 사례들(이스라엘, 이슬람, 중국, 일본)을 활용해 그것들에 필요 요건이 부족하다고 곧 그것들은 시민 공동체가 아니며 시민권에 대한 개념이 부족하다고 결론 내렸다.[4] 그는 심지어 서양 도시를 '비합법적 권력illegitimate power'이라는 표제로 분류해 정치권력의 소재지에 대한 도시의 반대를 강조했다. 또한, 유럽인이면서 근대사를 다루는 학자들 대다수에게 (앙리 피렌Henry Pirenne의 영향력 있는 《중세 도시Medieval Cities》(1925)이 사례처럼) 중세부터 근대 산업도시industrial city에 이르는, 상업적 기원과 코뮌적(반反왕정적) 태도를 고수한, 유럽 도시의 특별한 궤적이 이전의 역사로 거슬러 확장되고 비유럽 문명으로 확장되는 규범적 패러다임으로 인식되는 일이 일어났다.[5]

적절한 보편적 모델을 향해

한편, 근동과 인도가 식민지로 점유된 기간에 고고학은 전 세계에서 많은 도시를 발견했고, 오리엔트의 문명과 오리엔트의 도시가 시간과 공간 측면에서 매우 다양해 동양 대 서양이라는 전통적 대립이 성립되지 않음을 인식하게 되었다. 유럽에서도 켈트족과 게르만 문화에 대한 관심이 높아지면서 도시의 영역이 고전기(지중해) 경관 훨씬 너머로 확대되고 도시 외양도 다양해졌다. 또한 유럽과 근동의 궤적이 갖는 고유성이 아시아와 신세계New World(아메리카 대륙)의 여타 궤적에 대한 인식으로 도전을 받았다. 마지막으로, 그리스 세계 내에서도 널리 퍼져 있던 비아테네적, 비민주적 정치체(왕국kingdom과 민족국가ethnic state)를 고려하게 되면서 그리스 모델의 보편성은 그리스 세계 내에서조차 도전을 받았다.

　도시(마을village이 아닌)를 식별하기 위한 편향 없는 기준을 찾는 것은 비어 고든 차일드의 〈도시혁명The Urban Revolution〉(1950)에서 절정에 달했다.[6] 그의 '10개' 기준은 이후 학자들에게 비판(과 오해)을 받았으나, 고고학적으로 검증할 가치가 있고, 잠정적이지만 보편적으로 적용할 수 있다는 장점이 있다.[7] 그는 도시화urbanization의 '본질적 특성'을 간략하고 분명하게 설명할 수 있는 도시의 기원을 찾기 위해 메소포타미아(이집트 포함), 중국, 중앙아메리카라는 적어도 세 곳의 다른 장소들을 인정해야 했다.

같은 시기에, 특히 메소포타미아의 풍부한 기록 자료에 관한 연구는 고전기 세계의 그것에 뒤지지 않는 세부적 사항과 함께, 정치구조를 보다 현실적이고 미묘한 차이가 있는 방식으로 구성할 수 있게 해주었다. A. 레오 오펜하임A. Leo Oppenheim과 시카고대학 오리엔트연구소Oriental Institute에서 진행된 '시파르 프로젝트Sippar Project'가 수행한 특별한 역할을 인정해야 한다.[8]* 그의 접근법의 기본 요점은 '위대한 조직great organization들'(왕궁과 신전)의 중심적 역할 외에도 민간 부문 역시 그 자체의 정치적 구조, 집합체 즉 모든 (성인, 남성, 자유) 시민들의 총회, 제한적인 '원로회elders' 단체를 가지고 있었다는 것이다. 대규모 조직과 민간 부문 사이의 균형은 시간과 공간에 따라 몇 가지 변화를 겪었지만, 일반적으로 오리엔트 도시의 이미지는 고전기 세계 즉 유럽의 궤도 이미지와 크게 다르지 않았다.[9]

---

* '시파르'는 유프라테스강 동쪽 제방 위편의, 고대 바빌로니아 도시다.

탈식민화부터 '이데올로기의 종언'까지

1960년대와 1970년대에 이미 작동하고 있던 경향은 탈식민화decolon-
ization가 세계화globalization에 자리를 내주고, 신자본주의neo-capitalism의
승리가 '이데올로기의 종언end of ideologies'(역사의 종언은 아니라 해도)을
가져오면서 팽배해졌다. 오래된 패러다임의 일부 강력한 개념은 주
목할 변이를 겪었고 더욱 미묘한 차이가 있는 구성으로 이어졌다. 한
때 사제 엘리트들의 완전한 (경제적, 정치적) 통제 아래 구상되었던 '신
전도시' 모델은 미묘한 차이를 보였고 폐기되기까지 했다. 왕궁의 역
할은 물리적 증거와 문헌에서 아주 확연했는데 우리 시대의 반反국가
적 경향의 틀에서 평가절하되었다. '재분배 도시redistributive city'(칼 폴라
니의 모델) 개념이 이제 반박되었고 더 큰 역할이 사기업private enterprise과
상사商社, trading house에 부여되었다.[10] 도시국가city-state의 최근 목록은,
전 세계적 관점에서, 제도적 의미의 폴리스 모델을 포기하고, 하나의
도시에만 집중할 수 있을 만큼 작은 모든 정책을 포함해야 했다—콜
린 렌프루Colin Renfrew가 이미 '초기 국가 모듈Early State Module'로 시작한
경향이다.[11] 같은 맥락에서 제국의 최근 목록에는 '그림자 제국shadow
empire'과 '확장된 복합적 군장국가君長國家, complex chiefdom'가 포함된다.[12]

물론 '권력'과 '자유Freedom', '전제주의Despotism'와 '시민권' 같은 개
념들이 더는 대립적인 두 세계의 배타적 유산으로 간주될 수는 없고
복잡한 역사적 조건과 경향에 따라 서로 다른 방식으로 두 세계에 공
존하는 것으로 여겨질 수 있다는 점은 환영할 일이다. 또한 신新지리
학New Geography이 시작한 그래픽 모델의 광범위한 사용은 도시의 구조,

도시와 도시 사이 관계, 도시와 시골countryside 사이 관계를 시각화함으로써 현상에 대한 구분되지 않는 탈역사적de-historicized 인식에 기여한다. 세계화의 정치적 영향력은 각 국가에 동등한 공간과 기회, 이에 더해 동등한 저자권authorship을 제공하려는 의지에서 명백하다.

그러나 완전히 탈이데올로기화한de-ideologized 접근법에는 이데올로기적 편향이라는 목욕물과 함께 사상과 역사적 특성이라는 아기를 버릴 위험성이 있다. 동등한 기회는 시간과 공간을 통해 분화되지 않는 연속체undifferentiated continuum와는 아무런 관계가 없다. 역사학자의 임무는 연속성 속에서 변화를, 동질성 속에서 특이성을 도출하는 것이다. '고대antiquity'는 전 세계적 맥락에서 4000년 동안 지속이 되며, 우리는 어떤 해석적 구조 없이는 단일화 모델이나 사건의 혼란을 수용할 수 없다. 지난 세기들의 '총체적' 및 편향적 모델은 오해의 소지가 있는 것으로 폐기되었으므로, 우리는 더 객관적이고 미묘한 차이가 있는 의미의 모델을 식별하기 위해 노력해야 한다. 문제에 대한 일반적이고 비교적인 접근은 어려운 작업인바, 고전기 세계와 오리엔트 세계 사이에 사료의 양과 연구 수준의 엄청난 불균형 때문이다. 아울러 비교될 여러 역사적 궤도 중 하나에 대한 개인적(십중팔구 모든 사람의) 역량의 불균등 때문이기도 하다.

정치 제도: 고대의 이론들

고대antiquity의 정치 이론들을 소개하기는 이 장의 서술 범위를 벗어난다. 그럼에도 몇 마디 언급이 필요한바 고대의ancient 이론들은, 그것들이 직접적으로 증언하는 것 외에도, 권력과 시민권 사이의 도시 간 갈등에 대한 현대적 인식에 영향을 끼쳤기 때문이다. 고대ancient 근동에서는 도시나 국가에 대한 명시적 이론이 없었고, 다양한 유형(신화, 의례, 왕실 명문銘文, 지혜문학)의 많은 문헌이 왕권과 신전의 기원과 역할에 할애되었다〔'지혜문학wisdom literature'은 고대 이집트·바빌로니아 등 고대 근동의 처세훈적處世訓的 서책을 말한다. 구약성경의 〈잠언〉〈전도서〉〈욥기〉 및 〈시편〉 일부를 통틀어 이른다〕. 왕이 신 자신이건(이집트) 또는 왕이 신을 대신한 국가의 '경영 책임자'건(수메르, 아시리아) 간에, 국가의 신성한 기원과 지배권이 중추적 개념이다. 곧 신전과 왕궁이 전면에 부각되고 시민 공동체는 특별한 관심을 받지 않는다. 도시 면세와 특권은 왕에 의해 '신성한' 도시들에(니푸르에서 아수르까지) 수여된 것으로, 시민을 위한 것이 아니라 도시-신city-god의 뛰어난 위세〔위신〕를 인정하는 것이었다.

아르카이크기〔상고기〕와 고전기 그리스의 세속 철학자, 역사가, 법학자들은 권력의 정치적 형태를 군주정, 과두정, 민주정으로 구분했다. 선택의 폭은 페르시아 제국(헤로도토스의 가상 논쟁에서 다리우스 1세가 왕위를 차지하면서 끝나는)에도 적용되었지만 대부분 그리스 도시국가들에 적용되었다. 그러나 '순수한' 형태들은 그리스 정체政體, constitution의 실제 목록에서 거의 식별되지 않았기에 혼합된 형태가 점진적으로 대두했고, 아리스토텔레스의 《정치학》에서 미화되었다. '혼합 정체〔혼합정〕mixed constitution'는 유일한 지도자(왕이든 폭군이든), 제한적인 자문회council(세습직이든 선출직이든), 시민총회general assembly〔민회〕의 존재와 그 상호 조건들에 기반을 두었다. 느슨한 의미에서 아테네에서 로마 제국에 이르기까지 모든 고대ancient 정체는 어느 정도 혼합되어 있었다. 사실 '오리엔트'의 카르타고 정체는 아리스토텔레스에 의해 가장 칭송된 정체 가운데 하나였다. 여기서 흥미로운 생각은 권력(지도자로 대표되는)과 시민권(시민총회로 대표되는)이 공존하며 협력할 수 있다는 것이었다. 혼합 정체에 대한 이론은 로마로(폴리비오스Polybios〔헬레니즘 시기의 그리스 역사가〕에 의해서) 전파·수용되었고, 마침내 유럽의 인본주의자humanist들에 의해 재발견되어 이후 정치 이론들에 주목할 영향을 끼쳤으며, 계몽사상the Enlightenment과 근대적 '세력균형balance of power' 까지 이어졌다.*

　여기서 언급하고자 하는 것은 아리스토텔레스가 《정치학》을 저술하던 바로 그 당시에, 아시아에서 유사한 논저들이 저술되고 있었고 그것들이 이들 나라의 이후 정치사상에 주목할 영향을 끼쳤다는 것이다. 중국에서 《주례周禮》(한 왕조의 통일 시기)는 주로 이상적 도시의 물질적 형태에 관심을 가졌는바 이 형태는 제도적 모델을 반영하는 것이었다.[13] 인도에서는 카우틸랴Kautilya(마우리아 왕조 창시자인 찬드라굽타 Chandragupta의 재상)가 《아르타샤스트라Artashastra》의 저자로 알려졌는바, 책은 통치 기술에 관한 논저로 시민권 위에 자리한 권력에, 도시적 형태보다는 왕실의 행위에 초점을 맞추고 있다. 또한 인도의 〈라마야나 Ramayana〉에서 유토피아적으로 서술된 도시 아요디아Ayodhya는 권위 있

---

*　폴리비우스가 기원전 2세기에 저술한 《역사》에서 강조한 권력분립 사상과 혼합 정체에 의한 정치적 균형에 관한 이론은 계몽사상가 샤를 루이 드 세콩다 몽테스키외Charles Louis de Secondat Montesquieu의 《법의 정신De l'esprit des lois》(1748)과 미국 헌법에 영향을 주었다.

는 모델로 후대의 전통에 포함되었다(《라마야나》는 산스크리트 문학을 대표하는, 고대 인도의 발미키Vālmīki가 지은 것으로 전해지는 대大서사시다).[14]

현대의 관점: 도시 대 마을

기원적 구성에서 도시city는 영토국가territorial state의 행정 중심지, 궁전(또는 정치적 기능을 지닌 신전)의 소재지였다. 이것이 중심적 타운town을 포함하고 주변부에 농촌 마을village, 부락hamlet, 목축 거점을 지닌 도시국가의 모델이다. 정체가 '지역'국가'regional' state나 '민족'국가'national' state로 발전하고 여러 타운을 포함하게 되더라도 각각의 타운은 왕궁을 대신하는 지방 궁전이 있는 권력 구조물들의 소재지로 남았다. 이것에 대해선 아래에서 자세히 설명하려 한다.

도시 외에도 마을이 있는바, 마을은 전前도시pre-urban 신석기시대의 오랜 수천 년 동안 유일하게 구조화되고 사람들이 영구히 거주하던 장소였고, 이후 도시화한 사회에서도 상당한 인구의 소재지로 남아 있었는데, 분명하게 독립성을 잃고 불평등한 관계 속에서 도시와 연결되었다. 마을과 도시의 차이를 명확히 하는 것은 둘 모두를 더 잘 이해하는 데 도움이 된다. 물리적 외관상의 분명한 차이점—도시의 영역이 마을의 그것보다 크고, 마을이 대부분 '열려' 있는 반면에 도시는 보통 성벽이 세워져 있었다—에 추가로 중요한 것은 제도적 형태다. '권력' 대 '공동체'의 관점에서 보면, 마을은 집합체, 임시 공무원, 연령과 혈족을 바탕으로 한 분산적 참여라는 공동체적 제도만 있었다. 도시는 이와 다르게 마을에서 유래한 공동체적 제도 외에도 행정 및 정치 제도 즉 궁전 그리고/또는 하나 이상의 신전이 있다. 그 실제적 행사에서, 궁전의 권력은 친족(지도자를 선출할 때 가장 중요한 요소로 남아 있는)보다 기술적 능력(서기, 행정 관료 같은)에 기반을 둔다. 권력기관과 시민 공동체 사이 대립은, 마을에는 영향을 끼치지 않지만, 도시에는 문제가 될 수 있다─궁전의 압도적 힘이 지역 공동체의 분리 전략에 거의 틈을 주지 않지만 말이다. 이러한 관점에서 고대antiquity의 도시는 유럽의 중세와 근대의 도시와는 달랐던 것으로 보인다.

공동체적 제도들

애초에 푸블리우스 코르넬리우스 타키투스Publius Cornelius Tacitus〔로마 시대의 역사가·정치가〕의 《게르마니아Germania》와 영국령 인도의 마을들에 대한 식민적 서술에 기반을 둔 19세기의 마을 모델은 결국은 고대antiquity의 마을에도 적용되었는데, 이는 찾기 어려운 1차 증거들을 부분적으로 상쇄하고, 시간의 흐름에도 마을은 고정적이었다는 추정에 힘입은 바였다.[15] 마을 및 타운의 공동체적 구역 모두에는 중앙 정부와의 관계 속에서 공동체를 대표하는 총회(비상시에 또는 전략적 문제 해결을 위해 소집되는), 제한적 '원로'회(사법 및 내부 정치 업무를 담당하는), 몇몇 공무원, '시장市長'이 있었다. 전前도시 단계의 마을들에는 이들 제도가 공동체의 모든 요구를 충족시키기에 적절했다. 도시화와 국가 형성의 도래와 함께 정치적 사안들을 궁전이 담당하는 동안, 현지 제도는 법적인 문제를 갖게 되었다. 도시에서 궁전의 존재는 현지 제도의 권한을 보다 명확하게 제한했다.

특별한 세부사항과 용어는 사례마다 다르다. 예를 들어, 스파르타에는 게루시아Gerousia(30명의 원로회), 아펠라Apella(시민총회), 에포르Ephor[민선장관] 5명이 내정을 담당했다. 아테네의 경우, 원로회인 아레오파고스Areopagos[아레이오스파고스]가 선거로 선출되는 500인회 즉 불레Boule가 되었고, 시민총회는 에클레시아Ekklesia라 불렸으며 공무원은 아르콘Archon으로 지칭되었다. 전前고전기 메소포타미아에서는 총회가 푸룸puhrum('모임') 혹은 단순하게 알룸âlum('도시city')으로 불렸다. 원로회는 5명으로 제한되었고, '시장'(하자눔hazānum 혹은 라비아눔rabiānum)은 궁전에 의해(또는 협의를 통해) 임명되었다. 그런데 일반적으로 고대 근동 도시들의 제도적 구조는 아르카이크기[상고기](클레이스테네스Cleisthenes 이전) 그리스 폴리스들의 그것과 그다지 다르지 않았다. 로마에서 시민총회는 [병역을 위한] 인구조사(켄투리아 민회comitia centuriata) 또는 장소(트리부스 민회comitia tributa)에 따라 다수의 민회[코미티아]comitia로 이관되었다.

하지만 핵심은 '시민권'이라는 개념 자체에서 나온다. 고대 근동에서는 시민과 농민 사이의 차이가 없었다. 왕국(도시건 농촌의 시골이건) 안에서 사는 모두가 왕의 신민이었다. '왕의 시종들'(궁전 행정부 소속)과 일반적 '자유' 신민 사이에는 근본적 차이가 있었다. 왕의 시종들은 사유재산이나 생산수단을 가지지 못했으나 자유민 가구는 그것을 소유할 수 있었다—따라서 그들은 정치적으로는 신민이었으나 경제적 의미에서는 '자유민'이었다. 그러나 왕의 시종들은 자유민들보다 더 신분이 높았고 더 부유했다. 왕의 시종들은 도시들에 집중되어 있었으나 대다수의 자유민 가구는 마을들에 거주했다는 점에서 자유와 도시의 관계에 대한 서양식 사고는 고대 오리엔트에서는 진실이 아니다.

그리스에서는 반대로 시민권이 선택적이었는데, 시민권은 도시에 거주하는 자유민 토지소유자에게 한정되었고 외국인과 토지 재산이 없는 노동자들은 제외되었다. 특정한 요건에 기초한 제한적 시민권 개념은 왕궁이 없는 (그리고 왕궁에 반대하는) 도시들의 모델과 관련해, 특히 중세 유럽에서 서양 전통의 전형이 될 것이다.

중앙권력 제도들

분명히 모든 도시에는 두 가지 일반적 유형으로 분류될 수 있는 활동을 수행하는 중앙의 제도들이 있었다. 궁전과 신전이 그것이다. 궁전은 제도적이고 건축적인 복합단지〔복합체〕들을 포함했다. 세속적 통치자의 거처, 국가 행정처와 기록보관소, 국가 조직에 속한 경제활동(작업장과 상점 같은) 소재지 등이 그것이다. 궁전palace은 일반적으로 규모가 크고, 기념(비)적 장식물(공적 경배를 위한)이 있었으며, 종종 외부인들뿐 아니라 일반인으로부터도 차단되었고 보호되었다.

신전temple의 역할과 책임은 더욱 다채롭다. 여기에는 이른바 신전도시의 정치적 리더십이 포함될 수 있지만, 이와 같은 모델은 드물고(초기 메소포타미아 시기의 우루크기) 의문스럽다. '행정도시administrative city' 및 수도capital(예컨대 인도의 '두 번째 도시화' 시기에서)와 구별되는 '신성한 도시sacred city'에서는 신전이 단독으로 자리할 수 있다. 그것은 유일 신전으로 구성될 수도 있고(예컨대 일신교 종교의 예루살렘 신전에서. 그러나 큰 도시들은 여러 구역에, 또는 여러 '성인'을 위한 복수의 신전과 교회가 있다), 또는 종종 도시의 신에게 가장 중요한 신전들의 집합으로 구성될 수도 있다.

비정형적 형태들

위에서 설명한 고대ancient 도시의 가장 빈번한 정체는 공동체를 수용하는 '아래 타운lower town'과, 궁전과 신전을 수용하는 '위 타운upper town'(성채, 아크로폴리스)의 도시 형태에 해당한다. 물론 많은 변이가 존재하며, 공적 공간과 사적 공간 사이의 구분은 무질서하게 성장한 타운보다 새로 계획된 타운planned town에서 더욱 가시적으로 드러난다. 성채citadel는 중심부에 있을 수 있으나 가장 먼 주변부에 위치할 수도 있었다. 신전은 궁전에서 떨어져 있을 수 있고 성스러운 경내로 둘러싸여 있거나 그렇지 않을 수도 있었다. 인더스계곡에서 '공공' 구역은 일반 거주지로 쓰이는 중심 언덕 서쪽에 자리한 별개의 언덕이었다. 인도의 '두 번째 도시화' 시기에서, 신전도시(궁전이 없는)는 행정도시(궁전은 있으나 신전은 없는)와 구분되었다. 기타 등등. 그러나 적절한 다른 모델에 대해서는 특별한 언급이 필요하다.

그와 같은 '비정형적非定型的, atypical' 모델 가운데 하나는 '성채 없는 도시Cities without Citadels'로 정의될 수 있다. 곧 '마을'이라는 지칭이 부적합할 만큼 규모가 큰 타운들로, 내부 분할도 없고, 도시계획urban planning도 없으며, 공공건물도 없는(숭배용은 예외다), 완전히 개인 주택들로 이루어져 있다. 이런 정주지는 도시가 아닌 타운으로 정의할 수 있으며, 제도적 조정에 의해 균형이 잡히지 않는 인구학적 성장을 보인 엄청나게 확대된 마을이다. 가장 좋은 사례는 고대antiquity의 연대기적 끝 무렵 곧 후기 신석기 문화(동유럽의 트리폴리에 문화Tripolye culture의 대규모 정주지) 또는 중세 전기(중中나이저 유역의 이슬람 이전 및 초기 이슬람 시기의 타운)다.[16]

'도시 없는 성채Citadels without Cities'의 반대 사례는 고대antiquity에 더욱 흔하게 나타났는데, 우루크기 메소포타미아 주변부(아르슬란테페 Arslantepe에 의해 가장 훌륭하게 예시된다)의 궁전 중심지 또는 초기/중기 청동기시대 중앙아시아 옥수스Oxus 문명의 도시에서부터 후기 청동기시대의 미케네 성채와 기원전 9~기원전 6세기 메디아Media의 성채들까지다.[17] 이 같은 경우에 일반 대중은 '아래 타운'에서 거주하지 않고 마을이나 유목 거점들로 흩어졌는데, 이 모델은 반半유목 사회에 가장 적합한 것 같다.

도시주의와 정치

도시를 지배하는 정치적 구조의 대립과 도시환경의 물질적 특징은, 과거 이론들의 이데올로기적으로 편향된 접근법과 최근의 탈구조주의적 접근법 모두를 피하게 해주면서, 권력과 시민권 사이 관계에 대해 더욱 균형 잡힌 평가를 할 수 있게 해준다. 사실, 도시 생활의 다양한 기능은 반드시 특정 건물이나 건축 복합단지로 실체화되어야만 했고, 따라서 타운 전체의 계획과 외관은 특정 시기와 문화를 특징짓는 권력과 공동체의 관계를 식별하는 좋은 대용물이다. 다양한 공공건축물의 유무에 대한 우리의 조사는 주요 역사와 문화에 대한 즉각적 평가를 제공하기 위해 불가피하게 단순화될 것이다. 시대와 지역에 대한 더욱 자세한 구분과 (미시적일 필요는 없는) 추가적 사례들(에트루리아 혹은 켈트족 타운)에 대한 관심은 환영받을 것이나, 이는 단지 공동연구collective research 기획의 결과일 수 있으며, 여기서 즉흥적으로 다룰 수 없다.

우리는 공공건물을 권력의 소재지(A)와 공동체 생활의 소재지(B)라는 두 기준으로 분류한다. 이 구분이 다소 모호할 수는 있다. 모든 공공건물은 일반적으로 중앙권력에 의해 건설된다―헬레니즘 시기와 고대 후기late antiquity 환경까지 이어진 민간 '기부' 에우에르제티즘euergetism은 예외다〔'에우에르제티즘'은 개인 또는 민간이 공공이익을 위해 제공하는 '기부' '선행' '자선'을 말한다〕. 그러나 정부의 기본 기능을 위한 A 유형의 건물들은 중앙권력에 의해 운영되었고 일반 사람은 거의 접근할 수 없었다. B 유형은 공동체를 위해 공공의 차원에서 구성되었기에 공동체가 자체적으로 운영했고 널리 접근할 수가 있었다. 중간 형태가 있는데, 몇몇 건물(특히 신전)은 시대에 따라 A, B 유형 모두에 포함될 수 있었다. 그러나 일반적으로 두 유형 분류의 발견적 가치heuristic value는 유지가 될 것이다.

권력의 소재지

궁전. 궁전은, 도시의 정의에 암시되듯이, 어디에나 있었다. 그것은 왕의 거주지('수도'에서)일 수도 있고, 몇몇 도시를 포함하는 확장된 정치체에서 통치자의 거주지('지방 궁전')일 수도 있다. 이는 전문적이고 병참학兵站學적인 요소에 의해 발생했다. 경제 행정은 물론 사법 행정도 제한된 범위를 넘어 쉽게 운영할 수 없었던 만큼 지역국가('제국'까지도)는 다원적 조직체가 될 수 없었다.

궁전은 그 기능의 관련성 및 정치체의 규모에 따라 작기도 했고 거대하기도 했다. 궁전은 하나의 건물에 모든 기능을 집중할 수도 있었고, 다양한 기능을 각각 다른 자리에 분배할 수도 있었다. 왕(과 그의 가족들)의 거주지, 의례 기구, 행정 부서, 창고, 공방, 기록보관소archive 등이 그것이다. 다양한 부속 장소들은 도시공간urban space에 분산될 수 있었으나 특정 지역에 더 자주 집중되었다. 몇몇 경우에 궁전 복합단지는 '성채'나 '아크로폴리스' 혹은 '내부도시inner city'에 배치되었다—이는 도시계획에서 볼 수 있는 모델이지만 이상적인 도시(중국 한漢 왕조 이전 《주례》에서처럼)의 조건이기도 했다. '공공'건물과 일반 타운을 위한 별도의 언덕을 둔 인더스계곡에서의 해결책과 중국 수도들의 거대한 '금지된Forbidden' 내부도시들은 극단적 사례지만, 바빌론과 니네베, 페르세폴리스, 제정 로마(네로Nero 황제(재위 54~68)의 도무스 아우레아Domus Aurea부터 도미티아누스Titus Flavius Domitianus 황제(재위 81~96)의 팔라티움Palatium(궁전)까지), 비잔티움에 있는 '궁전' 복합단지'palace' complex의 확장 사례도 매우 인상적이다. 궁전이 없는 도시의 그리스(더 정확하게는 아테네) 모델(궁전의 기능은 도시 관공서로 이양되었다)은 고대ancient 세계 전체를 포괄하는 넓은 관점에서는 어느 정도 예외적이다.

신전. 신전은 모든 도시 중심지에서 다양한 수준의 연관성과 복잡성으로 항상 존재한다. 권력의 소재지로서 신전의 역할은 궁전의 그것보다 오래되었고(우루크기의 '첫 번째 도시화' 시기에는 세속적인 궁전이 없었다), 신전이 차지하는 공간은 여러 이유에서 일반적으로 더 크다. 첫째, 다신교는 신이나 여신 각각에 할애하는 다수의 신전을 필요로 한다. 둘째, 신전의 의례 기능은 많은 군중을 수용할 바깥쪽 안뜰courtyard의 넓은 공간을 필요로 한다. 셋째, 고대ancient 세계에서 신전은 행정, 보관, 전문 작업장을 위한 추가 공간을 필요로 하는 중요한 경제활동들을 주관했다.

신전은 대부분 아크로폴리스(아테네 모델), 성벽 경내(우루크의 에안나, 바빌론의 에사길라Esagila), 혹은 궁전 경내와 대칭적 위치(《주례》)에 집중되어 있지만, 또한 도시 구조 속에 부분적으로 분산될 수도 있다. 신전의 규모는 그 기능에 따라 다양했다. 숭배의 기능만 하면 소규모 신전, 경제활동도 병행하면 대규모 복합단지다. 신전은 궁전 부속일 경우에는 규모가 더 작고, 독립 기관일 경우에는 규모가 더 크다. 예루살렘 신전들의 경우를 살펴보자. '첫 번째'의 것은 왕궁에 부속된 작은 건물(청동기시대 레반트 지역 전통)이고, '두 번째'의 것은 거대한 복합단지(후기 바빌론 모델)로 유대 신전국가의 경제적·정치적 권력의 소재지였다. 그러나 심지어 적절한 숭배 활동을 위한 공간조차도 숭배가 단지 신의 동상을 돌보는 데만 구성된 경우는 영역이 상당히 축소되었고 일반인들이 공개 의례에 참여하도록 허락된 경우는 영역이 훨씬 넓어지는 등 그 규모가 다양했다.

십중팔구 신전이 정치적 권력을 부여받았을 때는 A 유형에 속하는 것으로, 신전이 공동체의 종교생활을 운영할 때는 B 유형에 속하는 것으로 구분해야 할 것 같다. 시간이 지남에 따라, 특히 '윤리적인' 일신교가 출현한 이후, 이슬람 모스크mosque의 와크프waqf[이슬람의 일종의 종교재단]와 이와 유사한 기독교 교회의 제도들과 마찬가지로, 신전의 경제적 역할은 눈에 덜 띄게 되었으며 이익보다는 공적 지원 쪽으로 기울게 되었다.

묘지cemetery와 관련한 별도의 논의가 있어야 하는바, 시신 처분은 종교 및 시민의 업무였고, 권력의 정당성과 사회-정치적 응집력을 위한 높은 수준의 기념(비)성monumentality에 도달하는 것까지도 통상적으로 도시 바깥공간에서 이루어졌다. 이 중요한 주제는 여기서 충분히 다루기에 적합하지 않다.

공공 곡물창고와 보관소. 단순화한 방법으로, 우리는 재분배 경제의 경제적 구조를 '권력의 소재지'에 할당할 수 있지만, 시장은 공동의 특징에 할당할 수 있다. 분명히 왕궁과 신전이 땅을 많이 소유할 때마다 중앙 곡물창고granary에 생산물을 비축해야 했고, 그것은 궁극적으로 부양가족과 부역 노동자에게 식량을 제공하는 데 사용해야 했다. 공공의 곡물창고는 또 민주주의 정체를 가진 비非왕정 국가 도시에서도 존재했다. 주기적으로 식량이 부족할 때를 위해서건 공급 문제를 대비한 공공의 보험 용도에서건, 어떤 경우에라도 식량의 보유는 필요했기 때문이다. 여러 종류의 공공의 보관소storehouse 중에서도 군사 활동에 관한 것은 특히나 중요하며, 병기창이나 무기고에서부터 마구간

(말의 경우), 막사(상비군의 경우)에 이르기까지 모두 고대사에서 어느 정도 보편화되어 있었다.

재판소와 감옥. 고대 근동에서는 재판관(왕의 판사들이냐 원로들이냐)에 따라 재판소tribunal가 만남의 장소(도시의 문, 광장, 신전 앞, 큰 나무 아래 등) 어디에서든 세워졌으며, 그 어떤 경우에도 특별한 건물은 없었다. 반면에 그리스·로마 세계에서는 재판소 건물이 있었다. 감옥jail은 고대antiquity 어디에서나 있었다. 초기에는 궁전의 부속 건물이었으며 그리스·로마 및 그 이후 세계에서 더 가시적으로 나타났다.

요새. 고대ancient 도시들은 통상 성벽이 있었다―농촌 마을은 그렇지 않았다. 예외는 거의 보이지 않는다―스파르타(헬레니즘 시기 이전에는 성벽이 없었다)는 상당히 특이해서 유명하다. 일부 지역과 시기에는 전체 영역이 자연적으로 보호되어 요새fortification를 만들 필요가 없을 정도였다. 이는 청동기 크레타섬의 궁전들에 적용되는바 섬은 미노아의 '제해권制海權, thalassocracy'에 의해 보호되었다. 또 이집트 역사의 일부 시기에도 적용되는바 나일계곡 전역이 자연에 의해 잘 보호되었다. 그러나 고고학 증거들은 이집트 도시들이 그 역사 초기와 후기에 성벽을 쌓았다는 것을 보여준다. 도시 성벽은 일반적으로 해자, 제방, 여러 성벽의 연속, 많은 탑, 도시 문의 특별한 배치를 포함하는 복잡한 구조였다. 이는 도시공간에서 중요한 부분을 차지했으며 도시경관 urban landscape에서 인상적인 부분을 구성했다. 내부 요새는 고지대에 세워졌고 방어 시설이 더 추가되었다. 도시 성벽 바깥에는 야전 요새와 보루가 추가로 도시공간을 보호했다.

도시 공동체의 공간

공무원의 소재지. 고대 근동, 고대 인도와 중국에서는 공동체 공무원이 근무하는 특별한 건물을 식별하기가 매우 어려우나 아수르에는 '에포님 공무의 집House of the Eponym-officia'이라는 것이 있었다. 공무원들은 임기 동안 자신의 집에서 사람들을 만났을 것으로 추정된다. 고전기〔그리스·로마〕세계에서는, 그 반대로, 공무원을 위한 특정 건물이 흔했다. 예를 들어 그리스의 프리타네이온Prytaneion, 로마의 다양한 고위 공무원들인 프라이펙티praefecti의 근무공간이 있었다.* 그러나 로마(비잔티움이나 중국 또한)에서 도시 생활의 다양한 영역(공공질서 유지, 식량 공급, 화재 예방 등)을 책임지고 있었던 공무원들은 황제에게 책임을 졌지 공동체에 책임을 진 것이 아니었다.

    의회the assembly의 장소. 고대 근동 도시들에서 원로회는 특별한 만남의 장소가 필요하지 않았고 시민총회(거의 소집되지 않았다)는 사용가능한 개방공간이면 어디서든 열렸다. 아테네 민주정의 도래와 함께 민회가 자주 개최되었고, 특정의(배타적이지는 않은) 만남의 장소와 넓은 개방공간이 필요해졌다. 그리스 아고라와 로마 포룸은 의회 회합을 포함한 여러 활동을 주최하면서 도시 생활의 중심이 되었으며 이곳에서 경제 거래 또한 이루어졌다. 공공 모임과 행사는 특별한 건물(그리스의 500인회는 〔회의장인〕 불레우테리온bouleutērion을 가질 수 있었고 의회는 〔노천〕

---

* '프리타네이온'은 프리타네이스Prytaneis라 불린 고위 공무원들의 건물이라는 뜻이며, 고대 그리스 폴리스 대부분의 도심에 위치하며 폴리스의 단결과 활력을 상징하는 꺼지지 않는 신성한 불을 보관한 공공건물이었다.

극장에서 가능했다)에서, 특히 주변이 개방된 공간에서 열렸다. 아고라와 포럼 모두에는 정치·경제·문화 활동에 사용될 수 있는 지붕이 덮인 기둥이 있는 현관, 그리스식 스토아stoa 또는 로마식 및 비잔티움식 바실리카basilica 건축물을 두고 있었다. 대조적으로, 아시아의 도시들—메소포타미아와 이집트에서부터 인도와 중국에 이르기까지—에는 관련성이 있으며 구조적으로 고안된 광장이 없었다. 집들로 둘러싸인 중앙의 개방공간 모델이 마을들에서 흔히 보이는 형태였다.

시장. 고대 동양의 재분배 경제에서는 구체적이고 영속적인 시장marketplace이 필요하지 않았다. 원거리 교역은 궁전이나 신전 행정부가 종착지였고, 주기적 장터는 신전 앞이나 도시 성문 밖에서 정기적으로 열렸다. 현장 물물교환은 도시의 거리 혹은 도시 성문 안에서 행해졌다. 해안〔연안〕이나 강가 타운들에서 하역·선적 부두wharf는 중요한 장소였다(아카드어 카룸kārum은 상인 구역을 의미했다). 중국에서는 (《주례》에 의하면) 시장이 궁전 북쪽에 있었으나 자유교환free exchange의 공간은 아니었고 궁전과 상인을 이어주는 공간으로 구실했다. 한漢 왕조와 그 이후의 중국에서는 큰 장터가 각종 행사에 쓰였다. 인도에서는 《아르타샤스트라》에 의하면) 시장이 없었다.

그리스와 로마 타운들의 교역 조직은 매우 다른데, 시장이 도시계획에서 특정 위치와 이와 관련한 가시성을 가지고 있었다. 고전기의 조직은 헬레니즘 시대 이후로 동양으로도 전파되었고, 수크sûq〔souq라고도 쓴다〕 혹은 바자르bazaar라고 지칭되는 특별한 중앙 구역을 가지게 된 이슬람 도시들에서 규범적 특성이 되었다. 교역을 위한 또 다른 숙박시설 건축은 도시에서 멀리 떨어져 있는 곳에 자리한 〔대상隊商 숙소인〕

카라반세라이Caravanserai〔카라반사라이karavan sarai〕다. 이는 전前고전기와 그리스 시대에도 없었으나 고대 후기에 도입되어 이후 이슬람의 칸 Khan으로 발전했다.

공공의 행사. 고대 근동에서는 공공의 행사를 개최하는 특별한 건물이 없었고 이는 고대 인도와 중국에서도 마찬가지였다. 고전기 그리스에서 극장은 도시경관에서 독립적 기관이자 중요한 특성이 되었고 이는 헬레니즘 도시들과 로마 제국의 도시들에 대물림되었다. 로마에서는 극장 외에 원형경기장(암피테아트르amphitheatre) 또한 눈에 띄는 건축물이다(콜로세움Colosseum이 그 두드러진 예다). 스포츠 경쟁과 훈련은 키르쿠스circus에서 열렸다. 전차경주용 히포드롬hippodrome도 있었다. 헬레니즘 도시들과 로마 도시들의 특징인 이 건축물 일체는 비잔티움 도시들에 의해 발전했으나 이슬람 도시들에 의해서는 그렇지 않았다. 인도와 중국에도 유사한 건축물은 없었던 것으로 보이는데 ―적어도 고대antiquity에는― 그러한 건축물이 '아시아적 가치'에는 다소 이질적인 것으로 남아 있었던 것 같다.

신체의 관리. 유사한 궤적이 일반인 또는 적어도 확장된 엘리트의 육체적 관리를 위해 세워진 건물에서 나타난다. 이런 건물들은 고대ancient 오리엔트의 도시(메소포타미아에서 중국까지)에는 보이지 않는데, 고전기 그리스 도시에서 발전해 헬레니즘과 로마 도시에서는 훌륭한 특징이 되었다. 공중욕장浴場(테르메thermae), 체력단련장(김나지움gymnasium), 경기장(스타디움stadium)이 그것들이다. 비잔티움 도시들은 로마의 모델로부터 욕장과 김나지움을 물려받았고, 공중욕장(하맘 hammam)은 이슬람(오스만) 도시들에서 필수적 특징이 되었다. 질병과 전염병에 대한 일부 공적 원조는 오랫동안 있었는바, 대개 치유 신들의 신전과 결합되었다. 그러나 이런 원조는 고대 후기에서야 지속적인 도시 제도가 되었으며, 부분적으로는 기독교(그리고 나중에는 이슬람교)의 결과다. 도시공원urban park과 도시정원urban garden(개인 소유의 공리주의적 그것들과 구별되는)은 일반적으로 궁전 부속이었거나 왕실/황실의 지역 공동체에 대한 선물이었다.

정신의 관리. 고대ancient 문명의 비알파벳 문자 체계는 너무 복잡해 그것을 익히는 데는 오랜 훈련이 필요했고 공공행정에서 복무하는 서기라는 특정 계급을 만들어냈다. '위대한 조직들〔왕궁과 신전〕' 외부에서는 문해력이 필요 없었고 일반인들은 기록물에 접근할 수도 없었던 터라 학교, 필사실scriptoria, 기록보관소, 도서관은 궁전 또는 신전 복합단지 내부에서 운영되었다. 유명한 니네베의 도서관은 왕의 서기관들이 사용하기 위해 궁전의 방들에 자리를 잡았다. 비非행정적 쓰기의 사용, 공립학교, 제술製述〔글짓기〕에 대한 개방적 접근은 알파벳이 출현한 이후에야 실현될 수 있었다. 그리스에서는 임시의 장소에서, 특히 아고라 주변 스토아의 주랑현관柱廊玄關, portico에서 가르침이 행해질 수 있었다. 헬레니즘 도시들(알렉산드리아, 페르가몬 등)의 거대한 도서관은 항상 왕실의 업적이었으나, 지적(행정적이 아닌) 활동을 위해 학자들에게 개방되었다. 반대로, 중국의 경우 기원전 124년부터 '태학太學'이 설립되어 국가 관료제 후보들을 선발·교육하려는 특별한 의도가 있었는데, 이는 '권력'을 위한 것이었지 도시를 위한 게 아니었다. 같은 맥락에서, 과거의 모든 서적을 파괴하라고 명령한 것으로 악명을 얻은 진시황(재위 기원전 221~기원전 210)은 궁전 도서관에 서적들의 사본을 보관했고 최고 관료들에게 조언을 얻었다. 한漢 왕조와 그 이후에는 '학교'가 제국 도시들에서 흔히 보이게 되었다.

물과 쓰레기. 도시 내부에서의 물의 가용성可用性, availability에 관해서는 공성(전)攻城(戰) 시 필요한 수조水槽와 터널들(수원水源들로 이어지는)이 철기시대의 레반트 지역에서 공통적 특징이었다. 그 필요성은 강을 따라 위치한 도시나 충적토 지대에서는 덜 두드러졌는바, 이곳에서는 우물들이 지하수면地下水面, water table에 닿아 있었기 때문이다. 도시 성벽 내부의 수조는 헬레니즘·로마·비잔티움 시기를 거치며 그 규모와 복잡도가 더욱 늘어났고, 이는 건조한 땅만의 특징이 아니었다. 수도교水道橋, aqueduct들은 로마와 비잔티움 도시경관에서 뚜렷한 특징이었다. 도시적 구조에서 공공분수들은 수도교를 보완했다.

물과 개숫물을 버리는 장치들은 일반적으로 타운의 기원 이래 각 거리의 중심에 있는 작은 하수구의 형태로 모든 도시 정주지에서 나타났고, 마침내 타운의 규모와 건축적 정교함에 따라, 특히 로마와 그 이후 시기의 진정한 그리고 적절한 하수도 체계로 상호 연결되었다. 고형폐기물solid waste(널리 인정되듯, 고대antiquity에는 큰 문제가 아니었다)의 처리는 전前고전기 세계에서는 개인적 행동의 자유였고 그 처리에 대한 '공공'의 개입은 없었던 것으로 보인다. 고형폐기물은 도시 내부, 거리, 비건축 공간, 또는 도시 성벽 주변에 쌓였다. 거리가 포장되었을 때에만 고형폐기물의 처리에 지역사회 전체의 개입이 필요했다.

내부적 발화

궁전의 '총체적 권력total power' 확립과 시민권의 지역적/확산적 필요 사이에서 일부 매개적 구조물과 제도를 찾을 수 있다. 고대ancient 근동과 그리스에서 도시적 구조는 특별한 의미 없이 불규칙하거나 직교 격자의 형태로 블록과 거리로만 표시되었다. 도시 성벽 밖 별도의 정주지에 자리 잡은 외국 상인들은 특별한 사례를 제공한다. 오직 고대 후기 late antiquity에서야 다양한 민족, 종교, 혹은 노동 형태별 집단들을 위해 종종 벽으로 둘러싸이고(밤중에는 빗장이 쳐지는) 별도의 숙소가 일반화되었다. 비슷한 발전이 한 왕조 중국에서 나타났는데 장인, 상인, 외국인 공동체를 위한 별도의 구역이 있었다. 애초 지배 엘리트만이 느꼈던 도시 내부(성벽 성채)의 보호 필요성은 다민족 다종교 도시 공동체의 출현으로 필수가 되었다—하지만 제국 수도와 같은 규모의 도시들에는 개별 감독관을 둔 별도의 구역들이 필요했다(한나라 수도는 160개 구역으로 분할되었다).

분화된 구역들과는 별개로, 특정 노동 집단들은 그들 자체의 제도들을 발전시킬 수 있었다. 상인 길드, 특화된 작업자, 전문 군인이 그들이다. 과거에는 궁전 행정부 소속이었던 이들은 특히 고대 후기(와 그 이후)에 자신들의 자치 기관을 위한 소재지를 마련할 수 있었다. 인도의 카스트들이 분리된 별도의 구역에 거주했는지는(이미 마우리아 시기에) 여전히 불분명하다.

결론

권력에 기반을 둔 '오리엔트 도시'와 시민권에 기반을 둔 '서양 도시' 의 뚜렷한 구분이라는 전통적 관념은 적절한 비교분석 결과 폐기된 것 으로 보인다.[18] 오히려 두 가지 주요 역사적 국면 사이에는 다소 차이 가 있다. 범汎아시아 '행정도시'(메소포타미아 우루크부터 마우리아 왕조의 인도와 한 왕조 중국에까지) 모델 역시 그 가치 측면에서 의심스러운바, 이것이 유럽에 도시가 있기 전부터 형성되었기에 약간은 (아시아의) 완 고함 대 (유럽의) 혁신의 문제다. 첫 번째 국면에서 도시는 개인 주택이 있는 '거주마을residual village' 외에 공공건물을 가졌는데, 이는 권력을 위 한 것이지 일반인들의 공무를 위한 것이 아니었다. 두 번째 국면에서 는 두 가지 경향성이 도시의 형태를 변화시켰다. 공무를 위한 건물들 과 공동체의 제도들이 나타났고, 신전 구역이 권력 영역에서 공동체 영역으로 그들의 주요 관련성을 이동시켰다.

기본적으로, 권력의 구조가 최초의 도시화 이후 항상 그리고 어디 서나 존재해왔다고 말할 수 있다. 반대로, 공동체적 제도와 그 도시적 편재는 그리스를 중심으로 기원전 제1천년기 중반에 갑자기 나타나 시간이 흐르면서 성장했다. 그러나 가장 흔히 보이는 공동체적 제도 들은 서양(로마 제국)과 동양(헬레니즘, 비잔티움, 이슬람 도시) 모두에 계 승되었다. 이슬람 도시는 고대antiquity의 연대기적 범위를 벗어나긴 하 지만 특별한 진단의 대상인바, 이슬람 도시가 헬레니즘 이전의 오래된 도시가 아닌 헬레니즘과 비잔티움 도시의 상속인이라는 점에서다. '오 리엔트 도시'의 존재는 고대ancient 메소포타미아에서 이슬람 도시까지 이어지는 연속성continuity에 기반을 두고 있으나, 그리스-로마 도시의 '침투intrusion'로 중단되었기에 분명히 반反역사적 구성물이다.

현대 연구의 주류는 이러저러한 왜곡 요소에 영향을 받았다. 고대 antiquity에는 도시 외부(중세의 성 혹은 근대 초기 거주지 등)에 위치하는 권력 모델에 대응할 만한 것이 없다. 그리스의 '민주정' 폴리스 모델도 시간적·공간적으로 매우 제한적이어서 전적으로 보편적이지 않으며 패러다임 또한 될 수 없다.

강한 정치적 권력이 도시에 존재함으로써 집합체의 역할이 축소되었고 다양한 형태로 도시 공동체에 명백한 영향을 끼쳤다. 경제적 효과(과세와 부역)는 악명이 높았고 법적 효과(법규, 왕명, 특권 부여)도 주목할 만했다. 마찬가지로, 도시 생활에 영향을 끼치는 것은 시골과 대립적인 도시를 특징짓는 의례 구조 및 행사의 형태와 상당히 관련되었다. 의례는 권력을 정당화하고 사회적 이해를 강화하려는 의도가 있었고 궁전과 신전(축제, 행진 등) 모두에서 적절하게 행해졌다.

마지막으로, 노예와 가난한 농민들과는 달리 자유롭고 부유한 시민 모델은 중세와 근대 초기 상황에서 파생된 것으로 대부분의 고대 ancient 세계에는 적용되지 않는다. 자유는 정치적 차별이 아니었다. 공무원이나 일반 가족의 일원 모두는 단순히 왕의 신민이었을 뿐이다. 자유 시민은 (그리고 농민 또한) 자유 지위를 상실해서는 안 된다는 생각이 집요했고, 왕실의 부채 감면 조처로 보호받았다. 흔히 '자유freedom'로 번역되는 용어는 좀 더 정확히는 '해방liberation'(일시적 예속으로부터의)을 의미하며, 도시 공동체 전체 수준에서의 '자유'는 세금과 군 복무에 대해 왕실이 부여한 면제권을 의미한다. '자유'를 위해 싸우는 도시들은 단지 도시의 특권을 옹호하는 것뿐이었다. 다시 말해, 중세 격언인 "도시의 공기가 자유를 만든다Stadtluft macht frei"를 고대antiquity에 적용할 수는 없다. 개인적 자유를 원하는 사람들은 더욱 자주 도시에서 시골로 도망을 쳤는데, 그곳이 극단적으로 숲이 우거진 언덕이거나 메마른 대초원이거나 상관하지 않았다.[19]

주

1 Numa F. Fustel de Coulanges, *La cité antique* (Paris: Hachette, 1864); Moses I. Finley, "The Ancient City from Fustel de Coulanges to Max Weber and beyond", in *Comparative Studies in Society and History*, 10 (1977), 305–327.

2 Austen Henry Layard, *Discoveries in the Ruins of Nineveh and Babylon* (London: Murray, 1853), 640; Jacob Burckhardt, *Weltgeschichtliche Betrachtungen* (1905), in *Gesamtausgabe*, VII (Berlin and Leipzig, 1929): 65; *Griechische Kulturgeschichte*, I (Berlin and Stuttgart, 1898), 61.

3 Mario Liverani, "The Ancient Near Eastern City and Modern Ideologies", in G. Wilhelm, ed., *Die Orientalische Stadt* (Berlin: Deutsche Orient-Gesellschaft, 1997), 85–108.

4 Max Weber, *Agrargeschichte, I. Agrarverhaltnisse im Altertum, in Handwörterbuch der Staatswissenschaften* (Jena, 1909); "Die Stadt", in *Archiv für Sozialwissenschaft*, 47 (1921), 621–772.

5 Henri Pirenne, *Medieval Cities. Their Origins and the Revival of Trade* (Princeton: Princeton University Press, 1925).

6 Vere Gordon Childe, "The Urban Revolution", *Town Planning Review*, 21 (1950), 3–17.

7 Michael E. Smith, "V. Gordon Childe and the Urban Revolution: A Historical Perspective on a Revolution in Urban Studies", *Town Planning Review*, 80 (2009), 3–29.

8 A. Leo Oppenheim, "A New Look at the Structure of Mesopotamian Society", *Journal of the Economic and Social History of the Orient*, 10 (1967), 1–26; Rivkah Harris, *Ancient Sippar: A Demographic Study of an Old Babylonian City* (Leiden-Istanbul: Nederlands Instituut voor het Nabije Oosten, 1975). 최고의 예는 아수르다. Mogens Trolle Larsen, *The Old Assyrian City State and Its Colonies* (Copenhagen: Akademisk Forlag, 1976); Jan Gerrit Dercksen, *Old Assyrian Institutions* (Leiden-Istanbul: Nederlands Instituut voor het Nabije Oosten, 2004).

9 Mario Liverani, "Nelle pieghe del despotismd", *Studi Storici*, 34 (1993), 7–33;

350　제1부 | 초기 도시 | 주제

Daniel E. Fleming, *Democracy's Ancient Ancestors (Cambridge: Cambridge University Press, 2004)*; Andrea Seri, *Local Power in Old Babylonian Mesopotamia* (London: Equinox, 2005); Gojko Barjamovic, "Civic Institutions and Self-Government in Southern Mesopotamia in the Mid-First Millennium BC", in *Assyria and beyond. Studies Presented to M. T. Larsen* (Leiden-Istanbul: Nederlands Instituut voor het Nabije Oosten, 2004), 47-98.

10 Karl Polanyi, ed., *Trade and Market in Early Empires* (Glencoe, Ill.: Free Press, 1957); 신자유주의자의 접근에 대해서는 Michael Hudson and Baruch A. Levine, eds., *Urbanization and Land Ownership in the Ancient Near East* (Cambridge, Mass.: Harvard University, Press 1999)와 동일 저자들의 다른 저서들을 보라.

11 Mogens H. Hansen, ed., *A Comparative Study of Thirty City-State Cultures* (Copenhagen: The Royal Danish Academy, 2000); D. L. Nichols and Th. H. Charlton, eds., *The Archaeology of City-States* (Washington, D.C.: Smithsonian Institution, 1997).

12 Susan E. Alcock et al., eds., *Empires* (Cambridge: Cambridge University Press, 2001).

13 Edouard Biot, *Le Tchou-li: ou, Rites des Tcheou* (Paris: Imprimerie Nationale, 1851). Cf. William Boltz, "Chou li", in Michael Loewe, ed., *Early Chinese Texts. A Bibliographical Guide* (Berkeley: Society for the Study of Early China, 1993), 24-32; http://ctext.org.

14 R. P. Kangle, ed., *The Kautiliya Arthaśastra*, I-III (Delhi: Motilal Banarsidass, 1960-3). 아요디아에 대해서는 Sheldon Pollock, "Rāmāyan a and Political Imagination in India", *Journal of Asian Studies*, 52 (1993), 261-297.

15 Mario Liverani, "The Role of the Village in Shaping the Ancient Near Eastern Landscape", in Lucio Milano et al., eds., *Landscapes*, I (Padova: Sargon, 1999), 37-48.

16 트리폴리에에 대해서는 Philip L. Kohl, *The Making of Bronze Age Eurasia* (Cambridge: Cambridge University Press, 2009). 중나이저 유역에 대해서는 Susan and Roderick McIntosh, "Cities without Citadels: Understanding Urban Origins along the Middle Niger", in T. Sinclair Shaw et al., eds., *The Archaeology of Africa* (London: Routledge, 1993), 622-641.

17 아르슬란페테에 대해서는 Marcella Frangipane, ed., *Alle origini del potere. Arslantepe* (Milano: Electa, 2004). 옥수스에 대해서는 Philip Kohl, *The Making of Bronze Age Eurasia* (Cambridge: Cambridge University Press, 2009). 메디아에 대해서는 David Stronach and Michael Roaf, *Nush-i Jan, I. The Major Buildings of the Median Settlement* (London and Leuven: Peeters, 2007),

18 오랜 접근법의 존속에 대해서는 Eugen Wirth, "Kontinuität und Wandel der Orientalischen Stadt", in Wilhelm, ed., *Die Orientalische Stadt*, 1-44.

19 Daniel C. Snell, *Flight and Freedom in the Ancient Near East* (Leiden: Brill, 2001).

참고문헌

Adams, Robert McCormick, *The Evolution of Urban Society* (New York: Aldine de Gruyter, 1966).

Fentress, Elizabeth, ed., *Romanization and the City: Creation, Transformations, Failures* (Portsmouth, R. I.: Journal of Roman Archaeology, 2000).

Greco, Emanuele, and Torelli, Mario, *Storia dell'urbanistica: il mondo greco* (Roma-Bari: Laterza, 1983).

Kostof, Spiro. *The City Shaped: Urban Patterns and Meaning throughout History* (London: Thames & Hudson, 1991).

Marcus, Joyce, and Sablotf, Jeremy, eds., *The Ancient City: New Perspectives on Urbanism in the Old and New World* (Santa Fe: School for Advanced Research Press, 2008).

Novák, Mirko, *Herrschaftsform und Stadtbaukunst* (Saarbrücken: Saarbrücker Druckerei und Verlag, 1999).

Osborne, Robin, and Cunliffe, Barry, eds., *Mediterranean Urbanization 800-600 BC* (Oxford: Oxford University Press, 2005).

Schlingloff, Dieter, *Altindische Stadt* (Mainz: Akademie der Wissenschaften, 1969).

Smith, Monica, ed., *The Social Construction of Ancient Cities* (Washington, DC: Smithsonian Institution, 2003).

Trigger, Bruce, *Understanding Ancient Civilizations: A Comparative Study* (Cambridge:

Cambridge University Press, 2003).

Van de Mieroop, Marc, *The Ancient Mesopotamian City* (Oxford: Oxford University Press, 1997).

Wilhelm, Gernot, *Die Orientalische Stadt* (Berlin: Deutsche Orient-Gesellschaft, 1997).

Yoffee, Norman, *Myths of the Archaic State: Evolution of the Earliest Cities, States and Civilizations* (Cambridge: Cambridge University Press, 2005).

제10장

종교와 의례
Religion and Ritual

제니퍼 A. 베어드

Jennifer A. Baird

종교religion는 파악하기 어려운 개념이다. 에밀 뒤르켐Émile Durkheim의 정의에 의하면, 종교는 "사회가 자기 스스로 표상하는 일련의 신념과 실천"이다. 그런데 이 장에서 다루어질 종교는 고대인들이 뚜렷하게 인식하지 못했을 수도 있는 고대 생활의 한 요소를 근대식으로 분류한 것이다. 초기 도시에서는 삶의 그 어떤 면도 종교와 무관하지 않았다. 종교 행위는 초기 도시 조직의 한 요소였으며, 문화, 권력, 종교, 공간, 사회 사이의 복잡한 관계가 도시city 자체의 등장을 낳았다.[1] 이 장에서 는 종교 행위와 건조환경의 관계를 살펴보고, 의례와 의식이 어떻게 초기 도시를 통한 이동을 형성했는지 고찰한다. 또 의례와 의식이 도 시경관에 의미를 새기는 방법과 시간이 흐르면서 이 논의가 어떻게 도시에서의 종교 활동을 만들어냈는지 탐구한다. 이 장은 고대 지중해와 근동의 도시들에 초점을 맞추지만, 메소아메리카와 중국 등 다른 도시들도 비교의 근거로 다룬다.

초기 도시환경이 연구자들이 직면하는 과제 하나는 이러저러한 증거를 어떻게 조합할 것인가다. 증거들은 고대 문헌 기록, 시각적 표상물, 고고학적 유물을 포함한다. 각각은 고대 타운town의 다양한 요소를 보여주며 종종 지형학적으로는 조합이 되지 않는다. 물리적 도시와 문헌상의 도시도 서로 반드시 일치하는 것은 아니다. 도시는 많은 종교적 실천의 중심이었고, 주민들의 필요를 충족시켰거니와 종종 타인의 순례지가 되기도 했다. 도시는 의례와 의식을 검토할 때 좋은 도구가 되는바, 도시가 공간 양상에 대한 평가를 허용하고, 도시의 종교 생활이 도시 생활의 다른 측면과 대화하거나 혹은 이를 구성하는 방식에 대한 평가를 가능하게 해주기 때문이다.

이 장에서는 여러 주제를 고려하면서 초기 도시가 어떻게 종교를 형성했는지를 살펴본다. 먼저, 종교의 공간성을 통해 초기 도시의 어느 지역에서 종교가 일어났는지 고려한다. 그리고 종교의 시간성에 대해, 종교 달력 및 종교 축제가 어떻게 도시 일상생활의 틀을 형성했는지를 논의한다. 다음으로 도시의 종교 조직을 다루며 시간과 공간을 함께 고찰하고, 초기 도시 형태가 어떻게 종교를 고려해 만들어졌는지를 들여다본 후, 축제와 순례의 형태로 나타난 도시들 사이 혹은 도시로 향한 종교적 이동에 대해 알아본다. 마지막으로, 도시의 종교 공동체들을 관찰하고 어떻게 다양한 종교 공동체가 도시공간에서 공존했는지 혹은 도시공간을 경쟁의 장으로 만들었는지를 검토한다.

초기 도시 내 종교의 공간성spatiality

초기 도시들의 종교공간은, 고고학적으로 복원된 것이거나 문헌적으로 알려진 것이거나 모두, 초기 도시환경에서 종교가 어떻게 기능했는지를 이해하는 데 중요한 열쇠의 하나다. 초기 도시에서 종교에 대한 가장 확실한 물리적 증거는, 물론, 성역sanctuary 그 자체다(마리오 리베라니가 쓴 9장의 신전의 편재성 부분 참조). 성역들은 모든 초기 도시에 있었으며 그 형태는 엄청나게 다양했다. 메소포타미아 신전 복합단지〔복합체〕temple complex는 명확한 도시적 현상으로서 거대하고 많은 건축물을 포함한바 정치 · 행정 · 경제 분야를 포괄하면서 오늘날 '종교적religious'이라 간주되는 것들 이상을 담당했다(2장 참조).² 제단altar은 희생이 행해지는 곳으로 그리스와 로마의 성역들에서 유일한 필수 불가결 요소였는데, 성역 형태는 경계가 있는 신성한 구역들temenoi〔단수형temenos〕내의 웅장한 신전에서부터 공공장소에 단순한 제단이 있는 도시에 편재된 종교적인 지형까지 매우 다양했다.³

고대 종교는 현대의 상상 속에 〔아테네의〕 파르테논Parthenon이나 〔로마의〕 판테온Pantheon의 이미지를 떠올리게 하는 마술을 부리지만, 종교는 고대의 도시 생활과 상호 불가분의 관계로 매우 많은 측면에 녹아들어 있었다. 일반적으로, 우리가 종교와 구분할 수 있는 '세속적secular' 공간은 없다. 성역 자체를 넘어 종교는 도시환경urban environment 전반에 퍼져 있었다. 각 도시에는 수호신이 있었다. 종교 축제, 결혼과 장례 일부를 구성하는 행렬이 항상 거리에서 전개되었다. 성소shrine들은 교차로에 집중해 있었다. 도시의 경계는 의례의 경계이기도 했다.

기록보관소, 법원, 모임 장소를 포함한 시민 건물들은 대개 각각의 자체 수호신이 있었다. 가정 역시 신들의 보호 아래 있었고, 숭배는 집 안의 가족 성소들에서 진행되거나 화로 속에서 체화되었다.[4] 일상생활과 시간은 ⅂ 자체로 일 년 내내 열리는 축제 일정표의 리듬에 따라 구조화되었다.

도시공간urban space이 그 종교적 연결을 획득하는 방법 하나는 의례ritual와 의식ceremony의 수행이었다. 일부 가장 이른 초기 도시의 공공 장소에서 열리는 종교 축제는 '장소'를 형성하고 도시 내에 집합기억 collective memory의 장소를 창조하는 주요 행사의 하나였다. '장소place' 는 인간 활동의 단순한 배경이 아니라 체험된 경험의 중심지이며, 그 곳에서 일어나는 활동과 그곳에 사는 사람들, 시간이 흐르면서 축적 되는 의미를 통해 그곳에 애착을 갖게 되는 의미를 지닌 어느 곳이다.[5] 메소포타미아의 바빌론에서는 아키투Akitu 신년 축제에 신들의 형상을 한 행진을 포함했으며, 아마도 공공공간에서 신들의 형상을 볼 수 있 는 연중 오직 한 번의 시간이었을 것이다.[6] 이러한 행사들은 신들을 표 현할 기회이거니와 경험과 관련된 의미를 갖는 공유 공간에서 사회 구 성원들 사이 집합적 경험collective experience을 형성하는 기회이기도 했다. 장소의 중요성은 로마의 종교에서도 마찬가지였는데 그 가장 이른 초 기부터 중대했다. 사료에서 잘 알려진 것은 기원전 390년 갈리아족의 로마 약탈에 대해 기원후 1세기에 티투스 리비우스가 기록한 사례다. 리비우스는 마르쿠스 푸리우스 카밀루스Marcus Furius Camillus 장군이 수 도를 로마에서 다른 곳으로 옮기라는 요청을 거부하는 연설을 언급하 는데, 연설의 핵심은 숭배와 신과 의례가 특별한 장소에 연결되어 있음을 주장하는 것이었다(5.52.2). 4장에서 말한 것처럼, 아프리카의 초기 중심지들도 숭배의 장소였다.

　도시 관내는 종종 종교적 중요성을 부여받았고 도시 경계city boundary는 혹은 요새fortification는 흔히 의례의 경계이기도 했다. 바빌론에는 내부도시inner city의 성벽〔내벽〕 및 방어용 외벽을 포함해 많은 도시 성벽city wall이 있었으며, 이들 성벽은 매우 넓어서 사두마차가 방향을 바꿀 수 있을 정도라고 이후에 헤로도토스가 언급했다(헤로도토스, 1.179). 성벽은 단순히 도시를 방어하는 것뿐만 아니라 야만인, 귀신, 타지인이 돌아다니는 시골countryside과 도시를 구별했다.[7] 도시 경계의 상징적이고 종교적인 중요성은 마찬가지로 로마의 포메리움pomerium에서 발견되는데, 이곳은 도시의 기원 신화와 연결이 되는 신성한 경계〔경계선〕였다. 포메리움은 제정기에 물리적으로 범위가 확정되었으며, 이 신성한 경계는 로마가 그 경계를 훨씬 넘어 확장된 오랜 후에도 여전히 중요했고 물리적으로 유지되었다. 어떤 면에서는 이 경계가 로마와 비로마의 경계를 표시했다. 아우구스투스가 포메리움 내에서 이집트 숭배를 금지했을 때, 그것은 외국의 종교 관행에 대한 적개심에서 나온 것이 아니라 혼란의 시기에 가장 로마적인 것을 강조하고 로마의 정체성을 중시하려 포메리움을 활용한 것이었다.[8]

　도시는 또한 신들의 고향이었다. 이것은, 도시 아테네가 포세이돈과 벌인 경쟁에서 승리해 도시의 애정을 획득한 여신 아테나의 보호를 받았던 것처럼, 한 도시가 수호신의 보호를 받고 있음을 의미할 수 있다. 메소포타미아에서는 도시가 신의 거처였다. 신의 조각상이 적에게 물리적으로 포획되었을 때, 비유적으로나 문자적으로나 메소포타미아에 도시의 신이 존재하지 않으면, 도시는 혼돈에 빠졌다고 기록되었다. 반대로, 군사적 패배는 수호 도시에서 신이 떠난 것으로 기록되었다. 기원전 12세기의 〈창조 서사시Creation Epic〉〔곧 바빌론의 창조 서사시인 〈에누마 엘리시Enūma Eliš〉〕에 의하면, 바빌론 도시 자체는 다른 신들에 대한 우위성의 보상으로 마르두크Marduk 신을 위해 건립되었다. 바빌론에서 마르두크의 조각상이 없어졌을 때, 신년 축제는 열릴 수가 없었다.[9] 모든 도시에 수호신이 있었던 것처럼, 도시 자체는 의인화personification를 통해 신성을 가질 수도 있었다. 그래서 도시의 미덕을 구현하고 도시 자체를 숭배할 수 있는 대상으로 창조한 조각품에 로마 여신, 의인화된 로마, 여성화된 키레네 또는 안티오크가 성벽관城壁冠, mural crown을 쓰고 있는 부조들이 남아 있다〔'성벽관'은 성의 흉벽胸壁 모양의 관을 말한다.〕.[10]

종교적 활동과 축제는 또한 도시들 안에 경쟁적 공간을 만들 수 있었다. 예를 들어 아테네와 그 밖의 도시에서 〔그리스 신화 속 대지의 여신〕 데메테르Demeter 숭배의 한 부분이었던 테스모포리아Thesmophoria 제전祭典은 가정이 아닌 공공장소에서 여성의 공간을 생성시킴으로써 젠더 규범을 뒤집었다.

초기 도시 내 종교의 시간성temporality

고대의 달력calendar은 구조상 종교적이었고, 사이사이에 종교 축제가 있었으며, 도시 생활에 연례적 리듬을 주었고, 일상생활의 리듬을 신들과 자연 세계의 리듬과 조화시켰다.[11] 축제festival는 대체로 달력, 정치(예컨대 달력의 발행 권한), 자연을 하나로 묶었다. 바빌론의 신년 축제는, 춘분을 포함해, 연례적으로 반복되는 순환인 창조의 시간을 구체화했고 신전이란 존재의 연속성을 드러내는 것이었다.[12] 달력 속에서 시간의 형식화formalization를 넘어 종교적 의례의 반복은 종교적 활동을 통해 일상적 존재가 드러나고 구조화되는 방식이었다. 성스러운 시간은 무수히 많은 방법으로 일상생활에 스며들었다. 일례로, 아테네에서 검은 장식의 암포라 도기의 생산이 판아테나이아Panathenaia 제전과 연관되었음을, 그리고 그 암포라 도기와 이를 채울 내용물의 생산은 장인과 농민의 노동 증가를 의미했음을 고려해볼 수 있다.[13] 따라서 축제 달력에 의해 반복되는 종교적 행위는 종교 영역을 넘어서는 사회적 활동들을 재확인시켜주었다.

축제일은 드물지 않았다. 공동체 차원의 종교 활동으로 확정된 아테네의 연간·월간 축제는 한 해에 약 120일에 이르렀다. 삶의 리듬은 통상적으로 종교적 리듬에 통합되었다—아테네에서 있었던 아테나 제전은 곡식 재배 순환 주기와 연관이 있었을뿐더러 밤하늘에서 볼 수 있는 연중 별자리 이동과도 관련되었다.[14] 달력이 도시의 종교적 축제에 기반을 두었던 만큼 그리스 각 도시는 자체 달력을 가지고 있었다. 달력은 도시의 시간을 음력 달들로 구분할 뿐만 아니라 종교적 축제들 사이 간격을 구분해주면서 일상생활을 구조화하고 공동체 정체성을 강화하는 데 도움이 되었다.[15]

모든 초기 도시는 기원 신화foundation myth가 있었으며, 이 신화를 통해 도시는 하나의 사회적 실체이자 전체 경관 속 하나의 현장으로서 종교적 정당성을 구축했다. 도시 기원 신화는 도시의 정체성을 형성하는 기반의 하나였고, 이를 통해 도시는 다른 도시와 구분되었다. 로마에서 시간은 '도시 기원紀元, ab urbe condita' 몇 년으로 측정되었다. 로마 섬립자 로물루스Romulus와 레무스Remus의 전설은 로마 사회가 자신의 과거를 환기함으로써 자신의 정체성을 정의하기 위해 사용한 시금석의 하나였고, 실체적 도시가 전설적 도시에 뿌리를 두는 방식이었다. 이 신화는 정확히 기원전 4세기에서 3세기 사이에 로마 자체가 격자형으로 계획된 식민시들을 만들었을 때 나타났다.[16] 동물들의 내장을 해석하는 사제직 하루스펙스haruspices〔단수형 haruspex〕가 신도시와 그곳의 신전들 위치를 결정하는 데 종종 진정한 책임이 있었는지는 알 수가 없지만(비트루비우스Vitruvius,《건축 10서De architectura》I.4), 이 기원전 1세기의 작가가 온도, 공기 질, 급수 등의 고려사항과 함께 신전이 도시 건립에 중요했다고 기록한 것은 충분히 주목할 만하다. 봉헌 금액은 새 도시 중심지urban centre를 창조하는 일의 일부였으며 도시 건립은 실제적 사건 못지않게 종교적 사건이었음이 알려져 있다.[17]

많은 도시가 흉내 냈다고 알려진 로마의 달력에는 한 해를 구성하는 축제가 열거되어 있다. 로마의 먼 옛날에서 유래된 축제들을 포함하는 이 자료는 축제들을 나열했을 뿐만 아니라 법원이나 원로원 같은 공공기관들이 언제 열리는지를 통제하기도 했다. 따라서 달력을 기술한 사제들은 공공의 시간을 종교적으로 통제했다.[18] 기원후 4세기 중반까지, 로마의 도시 코덱스-달력Codex-Calendar은 타 종교 신도와 기독교 신도의 휴일을 열거했고 주교와 순교자의 기일 또한 기록했는데, 이는 공통적 귀족 문화에 의한 것이었다. 4세기 후반에는 기독교가 지배적 영향력을 발휘하면서 오래된 축제들이 달력에서 사라지고 새로 부활절이 포함되었다. 일부 타 종교의 축제들은 유지되었고 기독교 신도와 타 종교 신도의 구분은 모호해졌으며 도시 생활은 점점 황제들의 기독교적 선호에 지배되었다.[19]

도시의 종교 조직

도시의 경계만이 종교가 도시의 형태에 영향을 끼치는 유일한 방법은 아니었다. 행렬procession의 이동은, 예컨대, 그것이 일어나는 지형에 의해서 형성되는 그리고 그 지형을 형성하는 의례 행위의 한 방식이었다. 예를 들어, 바빌론의 행렬 경로는 도시 밖의 신년 신전에서 시작되어 이슈타르Ishtar 문부터 도시 내부 마르두크 신전 복합단지까지 이어지는 긴 직선 도로를 형성했다. 이 길은 신년 축제의 일환으로 생겨난 행렬의 핵심 부분으로, 새해를 맞이하는 동시에 마르두크를 수호신으로, 왕을 그의 대제사장으로 각인하는 것이었다. 이때가 십중팔구 도시 거주민들이 신이나 왕의 동상을 볼 수 있는 유일한 시간이었을 것이며, 행렬에는 전차에 실려 운반되는 다른 도시 수호신들의 동상과 전쟁 전리품과 제물이 포함되었다. 도시는 전개되는 행렬의 배경이거니와 행사가 끝난 이후 그것을 상기시켜주는 주인공이었다. 이 길을 따라 걷는 사람들 눈에 보이지 않는 포장석 옆면에는, 마르두크의 행렬에 사용된 이 길이 네부카드네자르Nebuchadnezzar 왕에 의해 석회암으로 포장되었다는 글이 새겨져 있다(´네부카드네자르 왕´은 신바빌로니아의 제2대 왕 네부카드네자르 2세(재위 기원전 605/604~기원전 562)를 말한다).[20] 물리적 도시, 국가, 종교적 권력은 불가분의 관계였다. 이러한 행사는 사회적 응집력을 강화하고, 권위를 과시하고, 거리에 의미를 부여했다 (2장 참조).

종교 행렬은 광범위한 종교 축제의 중요한 부분을 형성했으며 도시 지형에 의미를 새기는 한 가지 방식이었다. 반대로, 이동 자체가 물리적 도시 지형의 개발에 중요한 역할을 할 수도 있었다. 도시 내에서의 종교 행렬은 시민과 종교 당국이 그들의 힘을 발휘할 수 있는 수단의 하나였다. 일례로 소아시아의 로마 도시 에페수스Ephesus에 있는 2세기 초반〔에페수스의 대부호〕살루타리스Salutaris의 긴 그리스어 명문 銘文에는 일 년 내내 특정 경로를 따라 조각상이 운반되는 행렬이 무엇보다 상세하게 묘사되어 있다. 조각상에는 로마 황제들, 도시의 전설적 설립자들, 도시의 수호여신 아르테미스Artemis가 포함되어 있었다. 이러한 행렬은 신들뿐만 아니라 에페수스의 종교적 유산과 시민기관들에 대한 지식이 대대로 전해지는 수단이었는데, 이것은 십중팔구 행렬 참가자 대부분이 청년과 청소년 남성이었다는 사실로 증명될 것이다. 살루타리스 명문에 묘사된 행렬은 자주 일어났고, 그 행렬은 장소 만들기의 실천이었다. 예를 들어, 행렬의 의례 공연 일부가 도시의 특정 지역에서 펼쳐졌을 때, 이것은 국가 아고라state Agora에서 시작해 도시의 신화적 도대의 장소 주변에서 끝나는 빙식으로 에페수스의 역사를 역으로 거슬러 올라가는 지형을 따랐다〔'국가 아고라'는 에페수스에 기원전 1세기 로마 시대에 건립된 아고라로 주로 정치 활동의 중심지였고, 기원후 3세기에 건립된 또 다른 아고라는 주로 상업 활동의 중심지였다는 점에서 '상업

아고라'commercial Agora로 지칭된다).[21] 행렬이 도시의 기존 의례, 신화적·시민적·역사적 경관에 기반을 둔 것처럼, 행렬은 또한 도시경관urban landscape 자체의 일부가 되어 이들 기반에 추가되었다.

판아테나이아 제전처럼 도시의 외곽에서 중심부로 이동한 그리스의 희생 행렬은 폴리스 전역을 통과함으로써 상징적으로 도시공간을 정복했다. 디오니소스Dionysos 행렬과 같은 다른 행렬들은 타운에서 바깥쪽 경계의 성역으로 이동했는데, 도시환경의 시민적 공간에서 더 야생적인 공간으로 추종자들을 이끌어가는 행렬로 외곽에서 중심부로의 이동 공식을 뒤집었다.[22] 일부 숭배 행렬은 데메테르 숭배처럼 도시와 그 영토를 연결했다. 엘레우시스 밀의密儀 종교Eleusinian Mysteries의 연례 제전 동안 진행된 행렬은 아테네에서 아테네 성문 밖 14마일[약 23킬로미터] 지점의 엘레우시스로 이동했다.[23]* 아테네의 판아테나이아 길은 같은 명칭의 제전과 연관된 대로로, 도시의 시민 중심지 아고라를 지나 도시의 종교 중심지 아크로폴리스 언덕 앞까지 이르렀다. 유명한 파르테논 대리석 조각군Parthenon Marbles은 일반적으로 해당 행렬의 일부와 제물을 바치는 사람들부터 시민 공무원과 신들에 이르기까지 많은 참가자를 보여주는 것으로 여겨진다.[24]** 도시를 관통하는 이런 행렬은 시민 지도자들부터 장인들까지 대중의 이상화한 비전을 제시

---

* '엘레우시스 밀의 종교' 제전은 고대 그리스 아테네 서북쪽 도시 엘레우시스에서 열린 두 그리스 여신 데메테르와 페르세포네의 숭배 의식이다.
** '파르테논 대리석 조각군' 또는 '엘긴 마블스Elgin Marbles'는 고전기 그리스의 대리석 조각들로, 대부분 파르테논 신전에 있던 대리석 조각들이다. 토머스 브루스 엘긴 경Thomas Bruce, 7th Earl of Elgin(1766~1841)이 오스만튀르크 주재 영국 공사로 있을 때 이권을 얻어 영국으로 반입했고, 현재 영국박물관이 소장하고 있다.

하기도 했고, 공동체 내부 위계질서를 과시하고 공고히 하기도 하면서 많은 인구를 한곳으로 모았다.[25] 그리스 종교는 공동의 활동이었고 "폴리스는 종교적 응집의 공식적 표현이었다."[26] 판아테나이아와 같은 제전들은 여성과 외국인 거주민을 포함하며 폴리스의 일부를 구성한 소외된 집단의 참여를 허용했다. 행렬은 종교 공동체의 구성원 간에, 이들 구성원과 도시 건조환경built environment 간에 실체적 연결을 허용했다.

행렬의 경로와 형태는 도시 형태에 따라 형성될 수도 제한될 수도 있었는데, 행렬의 경로와 형태가 도시환경을 형성할 수도 있었다. 예를 들어, 로마 세계 동부 도시 팔미라Palmyra의 열주 도로들은 시간이 흐르면서 기념(비)화한 행렬 방식과 함께 행렬의 물질적 결정체로 해석되었다.[27] 아테네 아크로폴리스의 기념(비)적 관문關門인 프로필라이아Propylaia는 부분적으로 아크로폴리스로 오르는 판아테나이아 행렬을 틀 짓기 위해 건립되었다.[28] 로마의 경우 행렬이 도시 초기부터 보고된다. 로마의 개선 행진은 도시환경의 형태와 연관 있으며, 그 경로는 지역 장소와 공간에서 의미를 도출했고, 이후 도시 자체가 이 행렬의 기억 장소가 되었다.[29] 건조환경에 영향을 끼치는 것 외에도, 도시를 통과하는 물리적·신체적 이동의 과정은 시간이 흐르며 반복되었다. 이는 위에서 논의한 대로 시간 계산 체계를 사용하고 각인하는 관행과 마찬가지로 사회적 기억을 전달하는 수단이었다.[30]

행렬만이 고대 도시 지형이 고대 종교와 얽히는 유일한 방식은 아니었다. 종교는 도시 영역 내의 정주지settlement에 영향을 끼쳤고, 십중팔구 계획된 타운의 배치에도 영향을 끼쳤을 것이다. 시리아의 팔미라에서는 로마 시기에 도시를 형성하게 될 기원적 정주지들이 성역 주변에 집중되었다. 이 타운의 궁극적 지형은 거리와 건물 계획에서 불규칙적인 이들 정주지의 흔적을 보존했다. 도시계획은 또한 도시의 오래된 구역에 존재했던 현지의 숭배와 메소포타미아의 숭배 그리고 더 이후에 교외에 도래한 숭배 등 도시에 도래한 다양한 숭배의 연대기를 어느 정도 보존했다.[31] 바빌론의 마르두크 신전은 단순하게 도시가 조직되었던 방식의 부분이 되는 것을 넘어 개념적으로 도시 자체와 상호 교환이 가능하게 되었다.[32]

로마는 아우구스투스에 의해 종교를 기반으로 조직되었는데, 도시 지역은 비치vici 즉 동네neighbourhood로 구분되었다. 동네의 중심부에는 동네 수호신들인 라레스Lares(단수형 라르Lar)의 신전이 위치하는 교차로 콤피툼compitum이 있었다. 동네의 종교 관행은 폼페이의 경우처럼 여기저기 흩어져 위치한 제단들에서 뚜렷했고, 많은 제단 위에 있는 라레스 벽화가 비치 간 경계를 표시했던 것 같다.[33]

메소아메리카의 초기 도시들로 눈을 돌려보자. 마야의 도시 배치는 우주론적 의미가 있으며, 시 계획들은 단순히 정치적 권위뿐 아니라 우주(태양과 은하의 경로를 상징하는 도시의 축들과 함께)를 구현해 도시공간에 신성한 힘을 부여하기 위해 만들어졌다고 주장되어왔다.[34] 멕시코 중앙에 있는 테오티우아칸의 계획은 창조자들의 세계관을 의도적으로 전달하기 위해 착상되었다고 주장되었다. 멕시코고원의 중심인 이 도시는 인근의 다른 어떤 도시보다도 몇 배는 규모가 더 컸으며 3세기에 10만 명에 가까운 최대 인구에 도달했다. 그 계획은 남쪽에 '물 아래 지하세계'를 분리하는 강 운하, 북쪽에 '지하세계에서 천상으로 향하는 통로의 지상 표상', 중앙에 시 의식의 핵심 장소인 태양의 피라미드를 구분했다.*35 도시의 많은 구조물이 일치하는 방향은 천문학적으로 북쪽에서 동쪽으로 15.5도로, 이것은 십중팔구 성스러운 달력의 천문학적 특성과 관련 있을 것이다.36

도시는 항상 어느 정도까지는 그 구조와 배치가 거주민들의 믿음을 재현한다는 점에서 우주의 상징인 이마고 문디imago mundi[우주의 모상模像]다.37 고대 중국 도시들 역시 그 배치에 우주적 상징주의를 나타냈고 의례의 중심지들은 도시의 시원이자 심장이었다고 주장되었다. 종교 의식은 중국의 가장 이른 초기 도시들의 핵심 활동이었으며, 통제되는 성벽으로 둘러싸인 영역이 있는 중국 도시계획이 통치자를 의례적이고 정치적인 권력의 공간적, 물리적 자리에 자리하도록 구조화되었다는 점이 의미심장하다. 도시의 네 방면은 사각의 우주에 대한 지상의 대응이었고 도시의 각 부분은 대부분 우주론적 의미들로 채워졌다(6장 참조).38

고대 이집트 도시들 역시 계획에 상징이 있었다.39 이집트의 남부 왕도인 테베의 경우, 기원전 14세기 파라오 아멘호테프 3세Amenhotep III의 치하에서 많은 건설이 있었다. 여기에는 두 연례 축제인 오페트 축제Festival of Ope 및 계곡 축제Festival of the Valley와 관련된 도시의 변화가 포함되었는바, 두 축제에서 역할을 한 카르나크Karnak에서는 신전 정면façade과 행렬 방식에 세심한 주의를 기울였다. 테베 전체의 지형은 우

---

*   '태양의 피라미드Pyramid of the Sun'는 달의 피라미드Pyramid of the Moon와 함께 테오티우아칸을 가로지르는 사자死者의 거리Avenue of the Dead를 따라 세워진 거대한 건축물이다.

주의 다양한 요소를 나타내는 기념물과 함께 우주적 관점에서 착상되었다. 나일강은 테베를 지상과 우주 둘로 나누었는데 축제의 행렬이 강을 건너면서 둘을 연결했다.[40] 도시 전체는 지상의 세계와 하늘의 세계를 연결했다. 이러한 도시 개조를 하는 것은 통치자들이 자신의 힘을 확고히 하고 자신과 신 사이의 관계를 보여줄 수 있는 한 가지 방법이었다. 통치자들의 세계관을 기념화하기 위해 물리적인 건조환경을 활용하는 것은 의례 활동과 행렬에 생동감을 불어넣었다. 테베는 이집트 정주지의 종교적 특성을 말해주는 유일한 사례가 아니다. 아케나텐 Akhenaten〔아크나톤Akhnaton, 아멘호테프 4세〕 왕의 수도인 아마르나Amarna 는 기원전 14세기에 도시계획을 바탕으로 만들어졌고, 부분적으로 아케나텐이 주요 신인 아텐Aten〔아톤Aton〕을 숭배하는 것에 초점을 맞추었다. 도시를 경계 짓는 스텔레stelae〔돋을새김으로 새긴 여러 용도의 석판 石板 명문석〕에서, 파라오는 아텐 신에게 헌정된 도시 전체의 공간을 궁전, 무덤, 신전의 도시로 구분했다.[41] 도시들이 이마고 문디였던 거대한 계획은 특수한 경우였으며, 축제, 행렬, 종교생활의 여타 측면을 통해 도시경관에 실질적 영향을 끼친 것은 평범하고 일상적인 종교 관행이었다.

종교 행렬과 같은 이동은 도시 내에서뿐 아니라 도시들 사이에서도 중요했다. 도시들의 네트워크들은 문화권의 종교생활과 정치생활에서 일정한 역할을 담당했다. 일례로 2세기에 로마 황제 하드리아누스Hadrianus가 확립한 도시들의 네트워크인 판헬레니온Panhellenion 〔그리스의 도시국가 간의 연맹. 문자적으로는 "범헬레네스" "범그리스"라는 의미다〕은 그리스 폴리스들 사이 신화적 연계성을 이용했고 신격화한 황제 숭배에 집중했다. 도시들의 숭배 네트워크는 도시들 사이에 경제적, 문화적 유대를 형성·확장했다.[42] 일부 초기 도시는 종교 순례지로 기능했다. 순례pilgrimage는 축제와 마찬가지로 연중 특정한 기간에 이루어졌거나 특정 계절에 행해졌고, 그래서 도시들 사이의 이동 역시 종교적 리듬을 갖게 되었다. 하트라Hatra는 기원후 첫 몇 세기에 중요한 메소포타미아 도시였는데, 그 존재 이유 자체는 종교적 중심지라는 기능이었다.[43] 여기에서는 많은 신전, 숭배 물품, 종교적 특성을 압도적으로 알려주는 명문들과 함께 지역의 유목민이 사용했고 순례가 행해진 벽으로 둘러싸이고 요새화한 성역으로서의 도시 중심지가 발견된다.[44]

더 이른 초기의 메소포타미아 도시 니푸르는 바빌론과 마찬가지로 종교 중심지였고 엔릴 신과 연관되어 있었다. 도시로 순례가 행해졌고, 신성한 중심이라는 도시의 특성은 실질적인 정치적·경제적 지배력이 부족했음에도 기원전 제5천년기부터 이슬람 시대까지 이곳이 살아남은 주요한 이유였다. 종교생활의 지속성은 수천 년의 역사를 추적할 수 있는 이난나 여신에게 헌정된 신전을 포함해 몇몇 신전의 놀라운 수명에서 볼 수 있다.[45]

표상representation의 증거 역시 초기 도시들의 종교를 조명할 수 있게 해준다. 아라비아의 작은 교회에서 발견된 '마다바 지도Madaba map'라고 알려진 대형 모자이크는 고대 후기late antiquity 근동 도시들의 표상을 보존하고 있다. 6세기 작품인 이 모자이크는 예루살렘을 도시들의 세계 안에 위치한 것으로 묘사하고 있다.[46] 모자이크에서 도시들과 더 작은 규모의 타운들은 위에서 내려다본 모습으로 표현되었는바 성벽으로 둘러싸여 있고, 예루살렘 전체를 관통하는 열주 도로를 포함해 각 도시들의 주요 기념물이 묘사되어 있다. 모자이크는 순례자들을 위해 만들어졌을 수 있으며 지역의 신성한 지리를 보여준다. 도시 간 이동은 단순히 공간을 이동하는 것이 아니라 장소 간 이동이었으며, 이 모자이크는 도시의 종교적 장소로서 중요성을 입증해준다. 고대 후기의 신성한 경관은 도시들의 세계였고, 도시들의 표상은 그들이 존재했던 종교 세계의 충실한 시각을 제시하는 교회 바닥 포석들에 기록되기에 충분한 상징들로 구성되어 있었다.[47]

도시환경에서의 종교 공동체들

고대 세계의 수많은 도시에서는 매우 다양한 숭배와 종교적 관행이 공존했다. 이는 유대교와 기독교를 포함한 일부 주요 종교가 일신교였던 시기에도 사실이었다. 시리아의 유프라테스강 중류에 위치하는 두라−에우로포스Dura-Europos에는 3세기에 시너고그synagogue〔유대교 회당〕, 기독교 교회, 미트라에움Mithraeum이 있었고, 제우스와 아타르가티스Atargatis를 포함한 다수의 메소포타미아 및 현지의 숭배가 도시 내에서 같은 시기에 공존했다〔'미트라에움'은 고대 페르시아 신화에 나오는 신 미트라를 숭배하는 밀의 종교인 미트라교 예배 장소를 말한다(복수형은 미트라에아Mithraea). '아타르가티스'는 북시리아의 여신이다〕. 이들 종교 공동체 중 일부는 배타적으로 그들의 신자를 관리했는데, 이 공동체들이 도시 성벽 안에서 다른 공동체와 공존하지 않았다는 증거는 없으며, 일상생활에서 분리되었다는 증거도 없다. 일부 거주민은 여러 숭배에 참여했다.

예를 들어, 두라-에우로포스에 거주하고 있으나 시리아 대초원을 가로질러 팔미라에서 온 상인들과 병사들의 공동체는 자신들의 조상 신들을 숭배했을뿐더러 그리스와 로마의 숭배에도 관여했다.[48]

두라-에우로포스의 유대인 공동체 회당인 시너고그에서는 최소한 이중언어bilingual를 사용했고, 그리스어와 아람어Aramaic 문헌들이 발견되었다.[49] 기독교 공동체와 유대인 공동체가 각자의 구조물에서 예배를 드리던 3세기에 그곳에 주둔했던 로마 군대가 사용한 종교 구조물 내에서 발견된 것을 포함하는 라틴어 명문들 역시 두라-에우로포스에서 발견되었다. 이 모든 것이 다양한 숭배가 공존하는 다언어 다문화 도시를 알려준다. 두라-에우로포스에는 앞에서 논의한 여러 부지와 마찬가지로 특정한 종교적 전망을 반영하는 도시계획보다는 미시적 분석에서만 인식할 수 있도록 종교적 다양성을 가리는 상대적으로 균질한 계획이 적용되었다.[50] 이것은 종교가 두라-에우로포스의 도시경관에서 시각적으로 나타나지 않았음을 의미하는 게 아니며, 실제로도 대부분의 성역의 일부를 구성했던 탑들은 도시 전역에서 성소들을 시각적으로 표현했다.[51]

이러한 종교 다원주의religious pluralism는 일부 도시에서는 성공한 것 같지만 다른 도시에서는 실패했다. 로마 시기 알렉산드리아의 경우가 그러했던바 이 도시에서 유대인들은 도시의 특정 영역으로 분리되었고, 반유대주의 폭동이 1세기에 발생했다. 유대인들은 이후 극장과 시장에 출입을 거부당했고 도시의 공공공간들은 그들의 지도자를 모욕하는 장이 되었다. 분리된 도시공간에 대한 위반은 잔인하게 처벌을 받았다.[52]

종교는 또한 공동체에서 다른 역할도 수행했다. 예컨대 도시 축제의 일부인 동물 희생犧牲, sacrifice은 신들을 숭배하며 공동체를 단합하는 수단이었거니와, 다른 방식으로 할 수 있는 것보다 공동체의 훨씬 더 넓은 부분에 고가이고 칼로리가 높은 상품인 육류에 대한 접근을 가능케 했다. 판아테나이아의 경우, 축산물의 대규모 도축을 포함하고 있었고 동물 희생에 참여한 시민들에게 먹거리를 제공했다. 이러한 시민적 동물 희생은 투시아thusia라고 지칭되었으며 참여자들 사이의 시민적 유대감과 헌신자들과 신들 사이의 유대감을 재확인하는 공동 식사의 기회를 제공했다.[53]

고대 후기에 기독교가 도시주의urbanism에 적응하는 방식은 그 생존을 보장하는 것 가운데 하나였고, 일부 도시는 바로 그 교회의 존재 때문에 살아남았다. 동방의 도시들은, 서유럽의 도시들과 달리, 고대 후기에 더욱 성공적이었으며, 이 지역에서는 도시들의 물리적 특성이 변화했는데, 도시적 특성은 이슬람 시대에 잘 보존되었다(14장 이슬람 도시 부분 참조). 일부 중요한 도시 종교 장소는 수 세기에 걸쳐 사용되었다. 다마스쿠스에서는 1세기에 로마 주피터의 신전이 더 이른 초기의 숭배 장소에 건설되었고, 신전은 이후 4세기에 세례자 성 요한St John the Baptist의 교회로 바뀌었다. 7세기에 다마스쿠스Damascus가 아랍인들에게 점령당하자 기독교인과 무슬림 모두가 그 장소에서 숭배 활동을 전개했다. 이후 이곳은 우마이야Umayya 칼리파국〔칼라프국〕에서 모스크가 되었고 오늘날까지 그러한데, 모스크는 여전히 외벽에는 로마 신전의 고전적 석조물을 포함하고 있고 내부에는 세례자 성 요한의 성소를 포함하고 있다.[54]

결론

종교는 초기 도시들의 발전과 형태에서 핵심 요소였다. 종교적 성역과 신전은 도시경관의 중심 부분이었고, 종교는 도시 생활의 다른 많은 측면에 스며들었다. 종교 행렬은 바빌론, 안티오크, 로마와 같은 다양한 도시의 거리를 이동했고 각각은 독특했지만, 사람들의 움직임이 도시를 형성하고 도시가 사람들의 움직임을 형성하는 방식은 비슷했다. 두라-에우로포스 같은 일부 도시에서는 이런저런 종교 공동체를 발견할 수 있었지만, 예루살렘과 알렉산드리아 등 다른 곳에서는 공존이 편협과 폭력으로 바뀌었다.

이 장에서는 고대 도시에서의 종교를 논의했는데, 우리는 도시 없이는 고대 종교를 고려할 수 없다. 메소포타미아 도시들은 숭배의 중심지였고 도시 외부의 신전은 알려지지 않았다. 고전고대에 인구는 압도적으로 농촌에 많았음에도, 그리스-로마 도시들은 도시환경 외부에 많은 종교적 부지를 보유한 경관의 중심이었다. 농촌의 성역들조차도 도시에 의존하고 있었다고 추정된다.[55]

초기 도시들의 종교적 다양성과, 도시들 사이 그 다양성의 차이는 현저하다. 심지어 고전 세계 내에서도 다양성이 드러난다. 아테네의 중심점 아크로폴리스부터 마그나 그라이키아Magna Graecia에 있는 그리스 도시들에서 직교 계획에 의해 깔끔하게 자리를 잡은 신전들, 메소포타미아, 그리스-로마, 유대인, 기독교 신들에 이르는 다양한 신전이 도시 곳곳에 흩어져 있던 두라-에우로포스까지 말이다.* 메소아메리카, 메소포타미아, 지중해는 많은 방식에서 직접 비교가 되지는 않지만, 많은 초기 도시에서 거리의 배치나 신전 및 여타 구조물의 배치, 또한 넓게 기록된 도시 형태의 일부 측면을 근본적인 종교적 신념 및 종교적 관행과 연관시킬 수 있다는 것은 주목할 만하다.[56] 종교적 축제의 일부였던 행렬은 또한 공통적 종교 활동의 일반적 형태였다. 시민 인구와 물리적 도시는 고대 종교의 몸체였고, 거리는 혈관, 달력과 축제는 심장이었다.

---

*   '마그나 그라이키아'는 고대 이탈리아반도 남부에 건설된 그리스 식민시를 통틀어 일컫는 명칭이다.

1   George L. Cowgill, "Origins and Development of Urbanism: Archaeological Perspectives", *Annual Review of Anthropology*, 33 (2004), 525–549.

2   Marc Van De Meiroop, *The Ancient Mesopotamian City* (Oxford: Oxford University Press, 1997), 215.

3   John Pedley, *Sanctuaries and the Sacred in the Ancient Greek World* (Cambridge: Cambridge University Press, 2006).

4   David G. Orr, "Roman Domestic Religion: The Evidence of Household Shrines", *Aufsteig und Nierdergang der römischen Welt*, II.16.2 (1978), 1557–1591; Karel Van Der Toorn, "Domestic Religion in Ancient Mesopotamia", in Klass R. Veenhof, ed., *Houses and Households in Ancient Mesopotamia. Papers Read at the 4oe Recontre Assyriologique Internationale Leiden, July 5–8, 1993* (Istanbul: Nederlands Historich-Archaeologisch Instituut, 1996), 69–78.

5   Tim Ingold, *The Perception of the Environment: Essays in Livelihood, Dwelling and Skill* (Abingdon: Routledge, 2000), 54, 192.

6   Julye Bidmead, *The Akitu Festival: Religious Continuity and Royal Legitimation in Mesopotamia* (Piscataway, N.J.: Gorgias Press, 2002), 14; Benjamin D. Sommer, "The Babylonian Akitu Festival: Rectifying the King or Renewing the Cosmos", *Journal of the Ancient Near Eastern Society*, 27 (2000), 87–95.

7   Marc Van De Meiroop, "Reading Babylon", *American Journal of Archaeology*, 107/2 (2003), 265.

8   Mary Beard, John North, and Simon Price, *Religions of Rome* (Cambridge: Cambridge University Press, 1998), 177–181; Livy 1.44; Eric M. Orlin, "Octavian and Egyptian Cults: Redrawing the Boundaries of Romanness", *American Journal of Philology*, 129 (2008), 231–253.

9   Van De Meiroop, *The Ancient Mesopotamian City*, 47–48.

10 Eireann Marshall, "Ideology and Reception: Reading Symbols of Roman Cyrene", in Helen M. Parkins, ed., *Roman Urbanism: Beyond the Consumer City* (London: Routledge, 1996), 169–204.

11 Robert Hannah, *Time in Antiquity* (London and New York: Routledge, 2009), 27.

12 Van De Meiroop, "Reading Babylon", 270-271.

13 Lin Foxhall, "The Running Sands of Time: Archaeology and the Short-Term", *World Archaeology*, 31 (2000), 488-489.

14 Louise Bruit Zaidman and Pauline Schmitt Pantel, *Religion in the Ancient Greek City* (Cambridge: Cambridge University Press, 1992), 104. 아테네의 연간 일정에 대해서는 Stephen Lambert, "The Sacrificial Calendar of Athens", *Annual of the British School at Athens*, 97 (2002), 353-399; Noel Robertson, "Athena's Shrines and Festivals", in Jenifer Neils, ed., *Worshipping Athena* (Madison: University of Wisconsin Press, 1996), 28; Efrosyni Boutsikas, "Astronomical Evidence for the Timing of the Panathenaia", *American Journal of Archaeology*, 115 (2011), 303-309.

15 Walter Burkhert, *Greek Religion*, trans. John Raffan (Cambridge, Mass.: Harvard Univeristy Press, 1985), 225.

16 전통적으로 기원전 753년에 확립되어 AUCab urbe condita로 축약된 이 문구는 리비우스의 기념비적 역사서에도 등장했다. *Ab urbe condita libri*. T. J. Cornell, *The Beginnings of Rome* (London: Routledge, 1995); Christina S. Kraus, "'No Second Troy': Topoi and Refoundation in Livy, Book V", *Transactions of the American Philological Association*, 124 (1994), 267-289; Gary B. Miles, "Maiores, Conditores, and Livy's Perspective on the Past", *Transactions of the American Philological Association*, 118 (1988), 185-208; T. P. Wiseman, *Remus* (Cambridge: Cambridge University Press, 1995).

17 Peter Woodward and Ann Woodward, "Dedicating the Town: Urban Foundation Deposits in Roman Britain", *World Archaeology*, 36/I (2004), 68-86.

18 Agnes Michels, *The Calendar of the Roman Republic* (Princeton: Princeton University Press, 1967); Beard, North, and Price, *Religions of Rome*, 24-25.

19 Michele Renee Salzman, *On Roman Time: The Codex-Calendar of 354 and the Rhythms of Urban Life in Late Antiquity* (Berkeley and Los Angeles: University of California Press, 1990), 189, 96-98.

20 Van De Meiroop, *The Ancient Mesopotamian City*, 78; Van De Meiroop, "Reading Babylon", 267-268, 72. 햇빛의 종교적, 상징적 중요성은 메소포타미아 도시들의 배치에도 영향을 끼쳤을 수 있다. Mary Shepperson, "Planning for the Sun: Urban

Forms as a Mesopotamian Response to the Sun", *World Archaeology*, 41/3 (2009), 363-378.

21 G. M. Rogers, *The Sacred Identity of Ephesos: Foundation Myths of a Roman City* (London: Routledge, 1991); Cecelia Feldman Weiss, "Bodies in Motion: Civic Ritual and Place-Making in Roman Ephesus", in Kathryn Lafrenz Samuels and Darian Totten, eds., *Making Roman Places, Past and Present* (Portsmouth, R.I.: JRA Supplemental Series Number 89, 2012), 51-63. 의례의 고고학에 대해서는 Colin Renfrew, "The Archaeology of Ritual: in Evangelos Kyriakidis", ed., *The Archaeology of Ritual* (Los Angeles: Cotsen Institute of Archaeology, 2007), 109-122.

22 Fritz Graf, "Pompeii in Greece. Considerations about Space and Ritual in the Greek Polis", in Robin Hagg, ed., *The Role of Religion in the Early Greek Polis* (Proceedings of the Third International Seminar on Ancient Greek Cult, Organized by the Swedish Insititute at Athens, 16-18 October 1992. Acta Instituti Atheniensis Regni Sueciae, Series 80, xiv; Stockholm: Paul Aström Förlag, 1996), 58-60.

23 Susan Guettel Cole, "Demeter in the Ancient Greek City and Its Coutryside", in Susan E. Alcock and Robin Osborne, eds., *Placing the Gods: Sancturaries and Sacred Space in Ancient Greece* (Oxford: Oxford University Press, 1996), 199-216; Noel Robertson, "The Two Processions to Eleusis and the Program of the Mysteries", *The American Journal of Philology*, 119/4 (1998), 547-575.

24 John Camp, *The Archaeology of Athens* (London: Yale University Press, 2001); W.R. Connor, "Tribes, Festivals and Processions: Civic Ceremonial and Political Manipulation in Archaic Greece", *Journal of Hellenic Studies*, 107 (1987), 40-50. 프리즈(소벽)의 신화적 해석에 대해서는 Joan B. Connelly, "Parthenon and Parthenoi: A Mythological Interpretation of the Parthenon Frieze", *American Journal of Archaeology*, 100.1 (1996) 53-80. 프리즈와 행렬에 대해서는 Jenifer Neils, "Pride, Pomp, and Circumstance. The Iconography of Procession", in Jenifer Neils, ed., *Worshipping Athena* (Madison: University of Wisconsin Press, 1996), 177-197.

25 Lisa Maurizio, "The Panathenaic Procession: Athens' Participatory Democracy on

Display?", in Deborah Boedeker and Kurt A. Raaflaub, eds., *Democracy, Empire and the Arts in Fifth-Century Athens* (Cambridge, Mass.: Harvard Univeristy Press, 1998), 307.

26 인용 출처는 François De Polignac, *Cults, Territory, and the Origins of the Greek City-State*, trans. Janet Lloyd (Chicago: University of Chicago Press, 1995), 78.

27 Susan B. Downey, "Colonnaded Streets in the Greek East", *Journal of Roman Archaeology*, 14 (2001), 641-642. 회의적 독해에 대해서는 Ted Kaizer, *The Religious Life of Palmyra* (Stuttgart: Franz Steiner Verlag, 2002), 42, 200-202.

28 R. A. Tomlinson, "The Sequence of Construction of Mnesikles' Propylaia", *Annual of the British School at Athens*, 85 (1990), 408.

29 Beard, North, and Price, *Religions of Rome*, 40; Mary Beard, *Roman Triumph* (London: Belknap Press of Harvard University Press, 2007); Diane Favro, "The Street Triumphant. The Urban Impact of Roman Triumphal Parades", in Zeynep Celik, Diane Favro, and Richard Ingersoll, eds., *Streets. Critical Perspectives on Public Space* (Berkeley: University of California Press, 1994), 152-153.

30 Paul Connerton, *How Societies Remember* (Cambridge: Cambridge University Press, 1989).

31 Michael Sommer, "Palmyra and Hatra: 'Civic' and 'Tribal' Institutions at the Near Eastern Steppe Frontier", in Erich S. Gruen, ed., *Cultural Borrowings and Ethnic Appropriations in Antiquity* (Stuttgart: Franz Steiner Verlag, 2005), 288; Ernest Will, "Le développement urbaine de Palmyre: témoignages épigraphiques anciens et nouveaux", *Syria*, 60 (1983) 69-81; Ted Kaizer, "Introduction", in Ted Kaizer, ed., *The Variety of Local Relgious Life in the Near East in the Hellenistic and Roman Periods* (Leiden: Brill, 2008), 26.

32 Van De Meiroop, "Reading Babylon", 263.

33 J. B. Lott, *The Neighborhoods of Augustan Rome* (Cambridge: Cambridge Univeristy Press, 2004); Ray Laurence, *Roman Pompeii. Space and Society* (London: Routledge, 1994), 41-42.

34 Wendy Ashmore and Jeremy A. Sabloff, "Spatial Orders in Maya Civic Plans", *Latin American Antiquity*, 13.2 (2002), 201-215. 비판에 대해서는 Michael E. Smith, "Can We Read Cosmology in Ancient Maya City Plans? Comment on

Ashmore and Sabloff", *Latin American Antiquity*, 14/2 (2003) 221 –228 ; Michael E. Smith, "Form and Meaning in the Earliest Cities : A New Approach to Ancient Urban Planning", *Journal of Planning History*, 6/1 (2007), 3 –47.

35 인용 출처는 Saburo Sugiyama, "Worldview Materialized in Teotihuacán, Mexico", *Latin American Antiquity*, 4.2 (1993), 103 ; George L. Cowgill, "Teotihuacán : Cosmic Glories and Mundane Needs", in Monica Smith, ed., *The Social Construction of Ancient Cities* (London and Washington : Smithsonian Institution, 2003), 40.

36 George L. Cowgill, "Intentionality and Meaning in the Layout of Teotihuacán, Mexico", *Cambridge Archaeological Journal*, 10/2 (2001), 358–361 ; George L. Cowgill, "The Urban Organization of Teotihuacán, Mexico", in Elizabeth C. Stone, ed., *Settlement and Society: Essays Dedicated to Robert McCormick Adams* (Los Angeles : Cotsen Institute of Archaeology, 2007), 261–295 ; George C. Cowgill, "Teotihuacán as an Urban Place", in Alba Guadalupe Mastache, Robert H. Cobean, Angel Garcia Cook, and Kenneth G. Hirth, eds., *El Urbanismo en Mesoamerica/Urbanism in Mesoamerica*, vol. 2, (Mexico City and University Park, PA : Instituto Nacional de Antropologfa e Historia and the Pennsylvania State University, 2008), 85–112.

37 Mircea Eliade, *The Sacred and the Profane. The Nature of Religion*, trans. Willard R. Trask (San Diego, New York, London : Harcourt Brace Jovanovich, 1957), 52.

38 Paul Wheatley, "Archaeology and the Chinese City", World Archaeology, 2.2 (1970), 159–185 ; Paul Wheatley, *The Pivot of the Four Quarters: A Preliminary Enquiry into the Origins and Character of the Ancient Chinese City* (Edinburgh : Edinburgh University Press, 1971) ; Nancy Shatzman Steinhardt, *Chinese Imperial City Planning* (Honolulu : University of Hawaii Press, 1990), 8–9.

39 Peter Carl et al., "Viewpoint : Were Cities Built as Images?", *Cambridge Archaeological Journal*, 10/2 (2001), 327–365.

40 D. O'Connor, "The City and the World : Worldview and Built Forms in the Reign of Amenhotep III", in D. O'Connor and E. H. Chine, eds., *Amenhotep III: Perspectives on His Reign* (Ann Arbor : University of Michigan Press, 1998), 154–156, 163–171. D. O'Connor는 이 주장을 주로 아멘호테프의 기념(비)적

신전에서 석비와 텍스트에 근거한다.

41 Barry Kemp, "The City of El-Amarna as a Source for the Study of Urban Society in Ancient Egypt", *World Archaeology*, 9.2 (1977), 123-139; David P. Silverman, Josef W. Wegner, and Jennifer Houser Wegner, *Akenaten Tutankhamun. Revolution and Restoration* (Philadelphia: University of Pennsylvania Museum of Archaeology and Anthropology, 2006); Barry Kemp, "Bricks and Metaphor", *Cambridge Archaeological Journal*, 10 (2000), 340, 42.

42 Mary T. Boatwright, "Hadrian, Athens, and the Panhellenion", Journal of Roman Archaeology, 7 (1994), 426-431; Panagiotis N. Doukellis, "Hadrian's Panhellenion: A Network of Cities?", *Mediterranean Historical Review* 22/2 (2007), 295-308; Anthony Spawforth and Susan Walker, "The World of the Panhellenion. I. Athens and Eleusis", *Journal of Roman Studies*, 75 (1985), 78-104; Anthony Spawforth and Susan Walker, "The World of the Panhellenion: II. Three Dorian Cities", *Journal of Roman Studies*, 76 (1986) 88-105; A. J. S Spawforth, "The Panhellenion Again", *Chiron*, 29 (1999), 339-352.

43 Hendrik Jan Willem Drijvers, "Hatra, Palmyra, Edessa. Die Stadte Der Syrisch-Mesopotamischen Wilst in Politischer, Kulturgeschichtlicher und Religions-geschichtlicher Beleuchtung", *Aufsteig und Nierdergang der Römischen Welt*, II.8 (1977), 799-906. 일반적 고대의 순례에 대해서는 Jas Elsner and Ian Rutherford, eds., *Pilgrimage in GraecoRoman and Early Christian Antiquity* (Oxford: Oxford University Press, 2007).

44 Lucinda Dirven, "Hatra: A 'Pre-Islamic Mecca' in the Eastern Jazirah", *ARAM*, 18-19 (2006-2007), 366-367.

45 Van De Meiroop, The Ancient Mesopotamian City, 215-228; G. Van Driel, "Nippur and the Inanna Temple during the Ur III Period", *Journal of the Economic and Social History of the Orient*, 38/3 (1995), 393-406; Mcguire Gibson, "Patterns of Occupation at Nippur", in M. Dejong Ellis, ed., *Nippur at the Centennial* (Philadelphia: University Museum, 1992), 33-54; Mcguire Gibson, "Nippur-Sacred City of Enlil: Supreme God of Sumer and Akkad", *Al-Rafidan*, 14 (1993), 1-18.

46 G. W. Bowersock, *Mosaics as History: The Near East from Late Antiquity to Islam*

(Cambridge, Mass., and London: Harvard University Press, 2006), 28, 65-88.

47 O. A. W. Dilke, "Cartography in the Byzantine Empire", in J. B. Harley and D. Woodward, eds., *The History of Cartography Volume 1* (Chicago: University of Chicago Press, 1987), 258-275; Katherine M. D. Dunbabin, *Mosaics of the Greek and Roman World* (Cambridge: Cambridge University Press, 1999), 198-205; Yoram Tsafrir, "The Maps Used by Theodosius: On the Pilgrim Maps of the Holy Land and Jerusalem in the Sixth Century C.E", *Dumbarton Oaks Papers*, 40 (1986), 129-145. 이동과 장소에 대해서는 Ingold, *The Perception of the Environment: Essays in Livelihood, Dwelling and Skill*, 155.

48 Ted Kaizer, "Patterns of Worship in Dura-Europos. A Case Study of Religious Life in the Classical Levant outside the Main Cult Centres", in Corinne Bonnet, Vinciane PirenneDelforge, and Danny Praet, eds., *Les religions orientales dans le monde grec et romain: cent ans après Cumont (1906-2006)* (Brussells, Rome: Institut Historique Belge de Rome, 2009), 153-172; Lucinda Dirven, *The Palmyrenes of Dura-Europos. A Study of Religious Interaction in Roman Syria* (Leiden: Brill, 1999).

49 Eric M. Meyers, "Aspects of Everyday Life in Roman Palestine with Special Reference to Private Domiciles and Ritual Baths", in John R. Bartlett, ed., *Jews in the Hellenistic and Roman Cities* (London: Routledge, 2002), 193-220; David Noy, "The Jews of Roman Syria: The Synagogues of Dura-Europos and Apamea", in Samuel N. C. Lieu and Richard Alston, eds., *Aspects of the Roman East. Papers in Honour of Professor Fergus Millar* (Turnhout: Brepols, 2007), 64.

50 J. A. Baird, "The Graffiti of Dura-Europos: A Contextual Approach", in J. A. Baird and Claire Taylor, eds., *Ancient Graffiti in Context* (New York: Routledge, 2010), 49-68; Richard N. Frye et al., "Inscriptions from Dura-Europos", *Yale Classical Studies*, 14 (1955), 123-213. 두라의 건립과 계획에 대해서는 Pierre Leriche, "Le Chreophylakeion de Doura-Europos et la mise en place du plan Hippodamien de la ville", in Marie-Françoise Boussac and Antonio Invernizzi, eds., *Archives et sceaux du monde hellénistique* (Paris: Bulletin de correspondance hellenique supplément 29, 1996), 157-169; Pierre Leriche, "Pourquoi et comment Europos a été fondée à Doura?", in Pierre Brulé and Jacques Oulhen,

eds., *Escalavage, guerre, économie en grèce ancienne. Hommages à Yvon Garlan* (Rennes: Presses Universitaires de Rennes, 1997), 191-210.

51 Susan B. Downey, *Mesopotamian Religious Architecture. Alexander through the Parthians* (Princeton: Princeton University Press, 1988).

52 Richard Alston, "Philo's In Flaccum: Ethnicity and Social Space in Roman Alexandria", *Greece and Rome*, 44 (1997), 165-175.

53 Zaidman and Pantel, *Religion in the Ancient Greek City*, 34; Marcel Detienne and Jean Pierre Vernant, *The Cuisine of Sacrifice among the Greeks* (Chicago: University of Chicago Press, 1989).

54 Hugh Kennedy, "From Polis to Madina: Urban Change in Late Antique and Early Islamic Syria", *Past and Present*, 106 (1985), 3-27; René Dussaud, "Le temple de Jupiter Damascénien et ses transformations aux époques chrétienne et musulmane", *Syria*, 3/3 (1922) 219-250; Oleg Grabar, "La grande mosquée de Damas et les origines architecturales de la Mosquée", *Synthronon, Art et Archéologie de la fin de l'antiquité et du moyen âge* (Paris: Bibliothèque des Cahiers Archéologues, 1968) 107-114.

55 Van De Meiroop, *The Ancient Mesopotamian City*, 215; Pedley, *Sanctuaries and the Sacred in the Ancient Greek World*, 51-52; James Whitley, *The Archaeology of Ancient Greece* (Cambridge: Cambridge University Press, 2001), 294.

56 교차문화 논의에 대해서는 Carl et al., "Viewpoint: Were Cities Built as Images?", Cowgill, "Origins and Development of Urbanism: Archaeological Perspectives".

참고문헌

Beard, Mary, North, John, and Price, Simon, *Religions of Rome* (Cambridge: Cambridge University Press, 1998).

Burkert, Walter, *Greek Religion* (first pub. in German as *Griechische Religion der archaischen und klassischen Epoche*, Stuttgart: Verlag W. Kohlhammer, 1977; Cambridge, Mass.: Harvard University Press, 1985).

Insoll, Timothy, *Archaeology, Ritual, Religion* (London: Routledge, 2004).

Pedley, John, *Sanctuaries and the Sacred in the Ancient Greek World* (Cambridge : Cambridge University Press, 2006).

Smith, Monica, ed., *The Social Construction of Ancient Cities* (London and Washington, D.C. : Smithsonian Institution, 2003).

Thesaurus cultus et rituum antiquorum (Los Angeles : Getty Publications, 2004-6).

Van de Meiroop, Marc, *The Ancient Mesopotamian City* (Oxford : Oxford University Press, 1997).

Wheatley, Paul, *The Origins and Character of the Ancient Chinese City (First pub. as The Pivot of the Four Quarters*, Edinburgh : University of Edinburgh Press, 1971 ; Somerset, N.J. : Aldine Transaction, 2008).

Zaidman, Louise Bruit, and Pantel, Pauline Schmitt, *Religion in the Ancient Greek City* (First pub. in French as *La Religion grecque*, Paris : Armand Colin Editeur, 1989 ; Cambridge : Cambridge University Press, 1992).

──────── 제11장 ────────

계획과 환경
Planning and Environment

레이 로런스

Ray Laurence

초기 도시들을 특성화하는 핵심 요소는 중심에서 조직된 구조다. 이는 종종 계획된 격자형 거리와 관련이 있거나, 혹은 도시의 여러 구역을 주거지 또는 공예품 생산 구역으로 식별하는 것과 관련된다. 이 장의 논의는 지중해 지역의 그리스와 로마의 계획에 대한 이해를 출발점으로 삼지만, 이런 친숙한 '서양의Western' 도시계획urban planning 전통에서 덜 친숙한 영토인 제국 중국의 도시들로 논의를 옮겨갈 것이다. 비교접근은 지중해 도시들 및 더 광범위한 로마 제국 내 도시들을 중국 제국의 도시들과 병치시킬 것이다(지중해 및 중국의 도시개발에 대한 개관은 3장과 6장 참조, [지역지도 I.1]과 [지역지도 I.5] 참조). 도시에 대한 고고학 조사와 함께 도시 관련 문헌이 남아 있는 시기에 국한해 비교가 이

뤄질 것이다. 이 방식은 도시계획에 관한 기록 자료 혹은 문헌 속 도시 환경의 표상에 관한 기록이 부족한 문화권에는 적용하기 어렵다. 고 전기 지중해의 도시들과 중국 제국의 도시들은 상당히 다른 문화권에 서 성장했는바, 처음에는 공간적으로 유사하나 정치적·사회적 우선도 의 결합에 따라 상당히 다른 결과를 도출하는 도시계획의 우선순위를 공유했다고 할 수 있다. 이러한 비교 연구에는 어려운 점도 따른다. 연 대기적으로 그리스-로마 도시는 기원전 6세기부터 기원후 6세기까지 인데, 함께 논의되는 중국 도시는 기원전 6세기부터 기원후 9세기까 지다. 우리는 또 기술 발전의 연대기적 차이를 고려할 필요가 있다. 일 례로, 창유리window glass가 광범위하게 채택된 것은 지중해 지역에서 는 1세기인데 중국에서는 7세기였다. 인구학적 증가에도 근본적 차이 들이 있는바, 중국과 로마는 기원후 2세기에 약 6000만 명으로 인구 가 비슷했으나 이후 중국의 인구는 9세기에 8000만 명으로 꾸준히 성 장했고, 로마는 인구 감소를 겪었는데 이는 160년대에 있었던 '페스트 plague'의 영향이라 파악된다.[1] 그러나 이 비교에서 서양에서 동양으로 이동하고 다시 거꾸로 이동하면 도시 형태를 조직하는 계획의 중요성 을 두 제국의 맥락에서 설정하는 게 가능하다. 도시계획에 대한 이와 같은 사유를 바탕으로, 로마 도시와 비교해 소도시 폼페이의 도시환경 의 변화도 살펴볼 것이다.

고대의 타운계획부터 도시 디스토피아까지

고대 도시 연구자들이 환경에 대한 고대적 이해와 계획의 관련성을 성공적으로 연결했다고 말할 수 있다면 멋질 것이다. 그런데 이는 결코 사실이 아니다. 계획, 특히 신도시new city에서 거리의 격자를 발전시키는 계획은 긍정적 원동력으로 간주되었다. 반면에 환경과 그에 따른 도시 생활에 대한 비판은 거대도시metropolis에서 단순히 끔찍하다고 여겨진다. 알아두어야 할 점은 계획을 환경 조건과 연결하는 것에 관해 고대로부터 전해 내려오는 자료가 없다는 것이다. 이러한 요인은 계획과 환경 조건의 관련성 혹은 이 둘의 연계 부재가 일차적 증거에 근거하지 않고 고대 도시에 대한 현대 작가들의 해석적 틀에 의해 제기되는 상황을 만들어낸다. 남아 있는 고대 문헌의 이런 해체는 계획과 기존의 도시 형태 사이에 관계가 없다는 점을 암시할 수도 있다. 그 대신 계획은 신도시의 기초와 관련된 과정으로 여겨진다.

영국에서는 1910년 타운계획법Town Planning Act에 따라, 영국 왕립 건축가협회Royal Institute of British Architects가 패트릭 게데스Patrick Geddes가 주최한 전시회와 함께 타운계획 학술대회를 개최했다. 이 행사는 계획의 주제가 고대 도시와 연관되어 있다고 본 첫 순간으로, 행사가 어떻게 고대의 계획에 관련된 논의를 형성했는지 밝히는 약간의 논평이 필요하다. 학술대회는 행사의 일환으로 고대 도시들의 평면도를 슬라이드 상영을 통해 설명하는 고대 타운계획 세션이 있었고, 당시 발굴된 지 얼마 안 된 사례(예컨대 실체스터Silchester)를 통해 도시와 격자형 거리의 범위를 규정하려 했다. 〔옥스퍼드대학의〕 캠던 고대사 교수Camden

Professor of Ancient History 프랜시스 하버필드Francis Haverfield는 저서 《고대 타운계획Ancient Town Planning》(1913)에 포함할 로마와 그리스 자료를 그러모았다. 계획에 대해 그가 내린 정의의 근본은 직선의 도로와 직각으로 교차하는 도로였다.[2] 흥미롭게도, 고전기 그리스 도시들은 계획된 것으로 규정되지 않았고, 아리스토텔레스의 권위에 의존해 기원전 5세기 밀레투스의 히포다모스를 아고라(시장market-place)를 중심으로 격자형 거리의 도시를 계획한 최초의 인물로 간주했다.[3] 이런 계획도시planned city는 지중해 전역의 고고학 유적지에서 복구되었으며, 특히 마케도니아의 알렉산드로스[재위 기원전 336~기원전 323]가 소아시아를 정복한 이후에 설립한 도시들과 관련되었다. 하버필드는 로마가 헬레니즘 세계의 계획도시 개념을 이어받아 도시를 2개 주요 관통 도로([동-서 축] 데쿠마누스 막시무스Decumanus Maximus와 [남-북 축] 카르도 막시무스Cardo Maximus)를 통해 4개 사분면으로 구분하면서 더욱 발전시켰다고 파악했다. 흥미로운 점은 하버필드가 중국에서 복구된 도시들의 평면도 역시 살펴보았다는 점이다. 그의 책 부록에 나와 있는 중국의 도시 평면도들은 마케도니아 도시와 로마 도시들의 개발과 어느 정도 일치했다. 중요한 점은 그가 서로 멀리 떨어진 지역에서 존재한 격자형 거리의 직선적 도시들을 공동의 기원을 가진 개발과 직접 연결되는 것으로 보지 않았다는 점이다. 그 대신에 하버필드는 이를 야만적 적들과 나주한 문명화한 제국들이라는 유사한 역사 환경 속에서 발전한 두 현상으로 여겼다.[4]

고대 타운계획의 개념 발전과 연계되는 것은 초기 도시들의, 특히 로마 도시들의 거주민 생활 조건을 다룬 문학이었다. 루이스 멈퍼드

Lewis Mumford는 그의 유명한 책《역사 속의 도시The City in History》(1961)에서 로마 도시를 제2차 세계대전 이후의 뉴타운new-town(〔잉글랜드 하트퍼드셔Hertfordshire주〕스테버니지Stevenage 같은)과 근대의 거대도시를 구분하는 은유적 기준점으로 삼았다. 그는 로마의 계획된 식민시planned colony들을 뉴타운의 외견적 미덕과 연결하고, 반면 고대 로마를 근대의 거대도시에서 보잘것없거나 보잘것없어질 모든 것의 압축으로 파악했다.[5] 거대도시의 삶에 비판적인 (그리고 재미를 주기 위한) 라틴 문학을 세심하게 활용하면서 멈퍼드는 〔규모가〕 너무 크고, 인구가 과밀하고, 〔환경이〕 비위생적인 디스토피아dystopia 로마를 그려냈다. 이는 역사학자들도 채택한 주제였다. 특히 알렉스 스코비Alex Scobie가 반反도시적 라틴 문학 텍스트를 비교한 것과 열악한 생활 조건에 대한 현대적 정의를 비교한 것이 그러했다.[6] 문학을 연구하며 그 역사적 조건을 상상하는 것의 문제점은 여러 해석의 근거가 되는 해당 장르 자체에서 찾을 수 있다. 문학은 통계적이지 않고, 생존의 변덕에 좌우되며, 실제 생활환경과의 관계는 미지수다. 기원전 200년에서 기원후 160년대까지 인구가 매 세기 2배 증가한 로마에서 사는 것이 환경친화적 경험이었다고 말하려는 것은 아니다. 그러나 사람들은 로마로 계속 이동했고 짐작건대 그곳이 자신들이 떠나온 곳보다 더 좋은 곳이라 인식했을 것이다. 로마의 도시환경urban environment이 적어도 일련의 법적 조치의 대상이 되었다는 점이 중요하다. 예를 들어 도로는 청결한지, 식수는 오염되지 않았는지, 건물은 높이가 제한되었는지를 확인하는 조처 등이다.[7] 문학에서 도출된 것에 대한 법적 증거를 측정하는 방법은 아직 확실하지 않다.

초기 제국들에 나타난 문화적 형태로서의 격자

거리가 직교하는 도시와 안뜰countryard 그리고/또는 정원garden 주변에
배치된 도시 주택의 블록으로 구성된 평면도들은 그리스와 로마 고대
도시에 관한 책들의 특징이다. 로마가 세운 도시들은 그로마groma를
사용하는 측량사에 의해 중심에서부터 배치되었다—그로마는 서로
직각으로 배열된 4개 방위기점이 있는 측량 도구다. 이를 관찰함으로
써 측량사는 직선 격자grid를 설정하고 그 격자를 강江([프랑스] 보르도
Bordeaux의 경우처럼)과 같은 지형적 특징에 맞춰 정렬할 수 있었다. 물론
비슷한 결과를 얻을 수 있는 다른 방법들도 있었다. 《주례》의 마지막
편 〈고공기〉는 도시들의 기초와 설계에 대해 논의하며 고대 중국 도시
측량에 대한 설명을 포함하고 있다.[8] 중국의 방식은 로마가 채택한 것
과 비슷했으나 근대 나침반의 기준점과 관련된 격자를 지향했다. 처음
에는, 도시의 중심지에 수직의 기둥을 세워 태양의 그림자를 관찰했
다. 해가 뜨고 지는 것은 동쪽과 서쪽의 기준점을 정할 수 있게 해주었
다. 정오에는 북쪽의 위치가 측정되었고 밤에는 북극성의 관찰을 통해
이를 확인했다. 이와 같은 과정은 중국 전역의 도시들에서 방위를 설
정하기 위해 반복적으로 나타났다. 고고학으로 초기 중국의 200개가
넘는 도시의 이런 과정을 검증하기는 확실하지 않은바, 건물의 재료
가 주로 목재였기 때문이다.[9] 〈고공기〉는 도시 자체의 공간 분할을 설
명한다. 대목수는 도시를 9개의 리里를 가진 정방형正方形으로 설정했
다. 각 측면에는 3개의 문이 있었고 이 구분된 도시공간urban space에는
9개의 동-서 도로와 9개의 북-남 도로가 9개의 전차가 다닐 수 있는

폭으로 만들어졌다.[10] 〔중국의 경우〕근대 나침반의 기준점과 관련된 방위의 강조는 로마 도시의 방위와는 상당히 달랐는데, 그 대신에 도시를 통과하는 바람, 좋고 나쁜 공기가 강조되었다. 그로마는 수직 기둥에서 발전해 나온 것으로서 주요 지점으로부터 거리의 격자 방위에 보다 큰 다양성의 구현을 가능하게 했으며, 이것은 또한 로마 도시를 통과하는 유해한 공기의 흐름과도 관련 있었다.[11]

　　로마 제국과 중국 제국에서 직선형 도시공간의 생산은 놀라울 만큼 서로 닮았으나 둘 사이 차이점에 주목해야 한다. 중국 도시에는 로마 식민시(알제리의 팀가드Timgad 같은)보다 문이 더 많았다. 〈고공기〉가 제시하는 이상적인 제국 수도의 배치에서 숫자의 사용은 다음과 같이 설명되었다. 9개의 도로는 제국의 9개의 지방〔구주九州를 말한다〕과 연관 있었다. 도시의 각 방면에 있는 3개의 문은 하늘, 땅, 인간이라는 3요소로 구성된 우주의 개념과 관련 있었다. 총 12개의 문은 1년의 12개의 달과 관련 있었다.[12] 도시 토대와 관련해 〈고공기〉에서 발견되는 제국과 우주의 넓은 개념에 대한 공식적 기하학과 토지 분할 사이 관계는 로마의 전통과는 다소 다르다. 로마의 전통은 동전에 관한 텍스트 및 이미지(아우구스투스의 식민시 메리다Mérida에서 주조한 동전 같은)와, 도시의 신성한 경계인 포메리움pomerium을 일구어가는 묘사에 초점을 맞춘다.[13] 도시의 이러한 경계와 제국의 경계 사이 관계는 제국이 새 영토의 정복으로 확대되면 포메리움이 확장될 수 있다는 점에서 명백했다. 아마도 더욱 흥미로운 것은 도시의 문과 관련해 로마인과 중국인의 정신 사이 비교가 가능하다는 점이다. 문은 두 공간 사이에서 이동이 일어나는 지점이고 도시의 신성한 경계를 가로지르는 지점인

만큼 그 배치에 대한 고려가 필요하다.[14] 이러한 지점이 기념(비)적 아치로 나타났다는 점은 주목할 만한데, 리미니Rimini (이탈리아)의 비아 플라미니아Via Flaminia (아우구스투스 황제에 의해 복원)로부터 도시 자체로의 통로를 표시하는 아치형 문이 그 한 사례다.*

계획도시의 형태적 특성이 도시에 끼친 효과는 고대 이래 남아 있는 서양의 문헌에서는 찾아보기 힘들다. 그러나 중국 제국의 기록들에서 도시를 표상하고 묘사하는 것들이 남아 있다. 쑤저우蘇州의 관리 백거이白居易는 9세기 도시의 모습을 다음과 같이 묘사한다.

여기저기에서, 모든 곳에서, 사원들이 보이고,

동쪽에서 서쪽으로, 북쪽에서 남쪽으로, 각각의 시선을 다리들이 이어주고,

들어오고 나가는 물길 위로 배들이 물고기 비늘처럼 줄지어 서 있고,

긴 도시 벽 안에는 주거 구역이 장기판처럼 배치되었네.

빈틈이 없이 집들과 나무들이 가득 채워졌네.[15]

이 도시는 로마의 많은 도시와 달리 운하와 수로를 특징으로 하지만(캔터베리Canterbury 같은 도시들에 물이 있었다고 여겨지긴 한다), 도시공간을 가로지르는 곳에 자리한 사원[신전]temple들과 함께 집과 나무로 가득한 거리의 격자를 중시한 점이 로마 도시들의 고고학적 증거들과

---

* '비아 플라미니아' 곧 '플라미니우스 가도街道'는 로마와 리미니를 이어주는 도로로 기원전 220년 집정관 가이우스 플라미니우스 네포스Gaius Flaminius Nepos가 건설한 것이며 물자의 이동 및 교역, 군대의 이동, 소식 전달 등에 사용되었다.

수렴되는 비전이다. 직선적 계획도시의 분포를 볼 때, 분명한 점은 이런 도시들이 중국의 북부 평원의 사례처럼 주로 평지에서 발생한다는 것이다. 이것은 4세기에 개발된 풍수風水 관련 개념을 통해 계곡, 언덕, 산, 운하·호수의 지류를 포함하는 특성들을 연결할 수 있는 중국 남부의 계획과 대비된다.[16] 중국에서 확인된 지역의 특성을 따르는 도시 토대의 커다란 철학적 상이성은 다양한 도시 형태의 특성을 합리화하는 것처럼 보이며, 이와 유사한 방식은 그리스–로마에서 땅의 높이가 다르고 언덕이 있는 부지에 직교 계획을 적용할지에 대한 논쟁에서도 마찬가지였다.[17]

계획도시: 로마 공화정에서 로마 제정까지

공식적 공공광장public square은 그리스–로마 도시주의urbanism의 특징이었다. 이것은 다른 고대 문화(예컨대 중국의 한漢)에서는 나타나지 않았다. 공화정에서 제정으로 옮겨간 로마는 이러한 공공공간을 늘렸고 신도시들은 포룸forum〔복수형 포라fora〕을 갖는 경향이 있었다. 중국 한 대를 연구하는 학자들은 이런 종류의 공공공간이 공개 회합을 촉진하고 잠재적으로 황제의 통치에 의문을 제기할 수 있어 중국에서는 발전하지 못했다고 제시한다. 이 주장은 논리적이지만, 로마 제국의 맥락으로 옮겨와, 새 포룸이 어떤 역할을 했는지 질문할 필요가 있다. 포룸은 그 공공적 속성에서 포룸 안에서 일어나는 행위를 관찰하고, 감시하고, 포룸 내로 억제하도록 고려했다는 느낌이 있다. 이런 건축적 억제

[도판 11.1] 로마 포룸. 로마 황제들의 포룸 Imperial Fora은 닫힌 공간이었다. 기념(비)적 중심지와 수부라 구역의 주택 사이에 건설된 벽은 접근을 제한하고 교통의 경로를 변경한다. ('황제들의 포룸'은 기원전 46~기원전 113년 사이에 로마에 세워진 황제들을 위한 일련의 기념(비)적 광장을 말한다.)

는 로마 사회의 다른 측면들이 지닌 특성이기도 하다—공중욕장은 집단적 나체의 지각공간이었고, 고급 식사공간은 지도층의 만찬 자리였으며, 침실과 사장가brothel는 성행위의 장소였다. 포룸은 합법적 토론, 정치적 모임, 시장을 포함했다([도판 11.1] 참조).

활동들은 관찰을 통해 통제된다. 따라서 로마의 공공 '광장'은 동상과 기념물 설치를 통해 권력을 과시하는 장소가 되기도 한다—동상은 자유민 남성만을 위한 경향이 있었고, 반면 기념물은 남성뿐만 아니라 자유민 여성에 의해서도 건립되었다. 이 공간("공공 '광장'")에서 권력을 행사하는 것에서 배제된 사람들은 노예와 노예에서 해방된 시민들이었다. 따라서 로마 제국의 도시에 공공공간이 존재한다는 이유로 황제의 힘이 중국보다 덜 포괄적이라고 생각할 필요는 없다. 군주정에 기반을 둔 권력관계는 통치자의 권력을 섬기고 강화하기 위해 도시공간의 상당히 다른 구성을 만들어낼 수 있다. 로마에서 황제의 권력은 공화주의의 과거와, 그리스 민주정 특히 아테네 민주정의 지식과 시민들 사이 만남의 장소가 필수적 특징이었던 과두정을 압도한 헬레니즘 군주정의 역사에서 파생된 공간을 통해 매개되었다. 로마에서 군주정의 권력은 이러한 정치의 공간을 장악하고 황제의 권력을 표현하는 장소로 확대한 것에 기초했다.

　　로마 황제 치하에서 발생한 도시들 내 포럼의 변화로 각 도시는 매우 유사해졌고, 로마 국가 통치자로서의 황제상像이라는 서로 아주 유사한 관심 지점을 공유하게 되었다. 로마 제국의 도시들은 자신들을 국가에서 독립된 것으로 표식하는 법적·정치적 구조를 가진 기업체였지만, 법적·정치적 결정이 이루어지는 중심 장소의 공간적·시각적 배치 변화는 도시와 국가 사이 관계에 대한 그리고 도시와 황제상 사이 관계에 대한 직접적 참조자료를 구성한다. 이런 변화들로 로마 제국의 도시들은, 그 기원부터 제국 정부의 도구로 형성되었고 도시가 국가에 종속된 채로 서로 섞여 '하나의 세계'의 일부였던 중국의 도시와 많은 공통점을 갖게 되었다[18] 중국 도시의 중심권central area에는 조상의 사당 祠堂, Hall of the Ancestors과 중요한 신들의 제단이 있었다. 조상과 숭배라는 도시가 지닌 중심성은 기원전 547년 진陳의 정복 활동에서 알 수 있는 바, 도시의 항복은 땅의 신 이미지와 선조들의 사원에서 쓰이던 의례용 그릇들을 소지한 통치자와 그 신하들의 대표에 의해 이루어졌다.[19] 중국 도시주의에서 발견되는 신과 조상의 중요성은 로마인의 사고에서도 볼 수 있다. 티투스 리비우스의《로마사》제5권에 나오는 베이이의 파괴 이야기를 읽어보면, 로마와 베이이의 생존이 신전 및 신들과 연관된 의례와 연결되어 있었다는 점을 알게 된다.[20] 중국의 도시 중심부에 신들이 자리를 차지하는 것은 도시 포럼에서 신들과 저명 시민(고인故人이 된)들을 기념하는 로마의 양상과 공간적으로 연결된다. 이와 같은 포럼들의 공간에 로마 황제(들)의 상을 겹쳐놓는 것은 로마 도시와 로마 국가 사이 관계의 본질을 바꾸어놓았고, 결과적으로 이 관계는 중국 제국 내의 도시들에서 볼 수 있는 성벽으로 둘러싸인 시장과 훨씬 더 많은 공통점을 갖게 되었다.

계획도시들의 확산

중국과 로마가 자신들이 새로 정복한 영토에서 도시를 만드는 과정에 대해서는 몇 가지 언급이 필요하다. 581년 수 문제隋文帝의 양쯔강 남쪽 영토의 정복은 장안에 새 수도를 건설하는 추진력이었으며, 새 수도는 9미터 너비의 해자를 두른 36.7킬로미터 길이의 성벽이 둘러싼 가로세로 9×8킬로미터가 넘는 면적을 통해 왕조의 제국적 야망을 압축해 보여주었다.[21] 인간의 노동력 측면에서는 이 규모가 인상적이지만, 도시 중심지에 있는 궁전palace은 2년 만에 완공되었고 도시는 황제의 권력을 행사할 수 있는 장소를 제공했다. 권력에 대한 이러한 주장을 뒷받침하는 것은 도시의 설계와 우주 사이의 연관성으로, 명덕문明德門이라 불린 남쪽 문은 도시의 경계를 넘어 직접 황제의 궁전으로 가는 사람들을 인도하는 도시의 핵심 진입 지점이었다[명덕문은 장안성의 정문이었다].[22] 명덕문에는 5개 출입구가 있었는데(중앙의 것은 오직 황제를 위한 것이었다), 문에서 궁전까지는 5킬로미터였고 너비가 155미터인 가로수 길이 이어졌다. 이는 사실상 장안의 다른 많은 거리와 마찬가지로 궁전 구성원들의 행차로로, 도시 거주민들이 행렬을 볼 수 있게 하는 것이 아니라 주민들이 안쪽으로 들어가 행렬을 보지 못하게끔 하는 것이었다.[23] 격자계획grid-plan에는 도로들에 확연한 위계가 있었다. 더 넓으며 황제의 거처로부터 도시의 주요 문들로 이어지는 거리가 지배적 위치를 차지했고, 이 도로 위에 2개의 시장이 위치했다. 공간 구조는 도시를 황제의 제국적 궁정도시palace city 지역과 나머지 지역으로 나누었다. 9세기의 여행자 아부 제이드 알하산Abu Zeid al Hasan은 이러한 특징에 대해 기록했는데, 도시가 황제, 그의 대신들, 그의 군사·재판관·환관, 황실 구역과 백성, 상인, 시장과 연관된 여러 구역으로 구분되어 있다고 언급했다. 도시의 두 구역 간 상호작용은 황실 구성원들이 상품을 구매하기 위해 시장을 방문했을 때 일어났다.[24] 그러나 접촉은 방지되었고, 심지어 고위 관리들이 도시를 관통하는 행차 광경까지도 [도시 거주민들이] 보지 못하게 방지되었다.[25] 시장은 규제를 받았고 개별 판매자를 위해 정확하게 구분된 공간을 가진 계획된 실체였으며, 시장이 유흥의 장소가 될 수 있었을지라도 권위는 범죄자들의

처형을 통해 행사되었다.[26]

　　새로 정복한 지역에서 도시주의를 발전시키려는 로마 국가의 노력은 중국의 새 수도 건설보다 훨씬 작은 규모였다. 유명한 푸블리우스 코르넬리우스 타키투스는 7의 장인인 브리타니아 충독 그나이우스 율리우스 아그리콜라Gnaeus Julius Agricola[40~93]가 막 정복된 야만인들에게 로마의 도시건축을 받아들이라고 장려한 노력에 대해 기록한다—포룸, 주택, 공중욕장, 주랑 현관 등이 그들에게 선전된 것으로 보인다.[27] 이러한 건축적 형태는 확산한 로마 명문들과 함께 로마 제국의 서부 속주 전역에서 발견되었다. 모든 경우에, 이와 같은 구조물의 건설비용을 지출한 것은 현지인들이었고, 도시주의를 촉진한 것은 (국가의 대표자로서) 로마 충독의 격려일 뿐이었다. 이런 새로운 형태의 도시 생활의 채택을 뒷받침하는 것은 50~100년 이전에는 이들〔현지인들〕에게 낯설었던 건축을 활용하고자 하는 욕망이었다. 브리타니아와 갈리아에서 지난 세기에 이루어진 로마 도시들의 고고학적 발견들은 어떤 경우에는 격자형 도시계획을, 어떤 경우에는 리본형 개발을 포함하는 지도책과 안내서handbook의 발간을 한걸음 전진시켰다. 제국 전역을 둘러보면 또한 기원후 첫 2세기 동안에 극장theatre과 원형경기장amphitheatre이 지중해 도시들에 확대되었음을 알 수 있다—기원전 50년에는 대부분의 도시에서 보이지 않았던 건축적 형태였다. 황제는 이러한 구조물 가운데 일부를 건실할 수 있었으나, 로마 제국의 도시를 오늘날 우리가 로마 도시주의의 징후라고 느끼는 특성들을 포함하도록 변화시킨 인물은 대개의 경우 다른 사람들이었다. 대조적으로 로마시에서는, 베스파시아누스Vespasianus〔재위 69~79〕 황제와 그의 아들 티투스Titus〔재위 79~81〕 황제가 '도시의 중심지'에 콜로세움을 건설한 것에서 볼 수 있듯, 모든 새로운 특징을 만든 이는 황제였다.[28]

중국 제국과 로마 제국의 도시 수는 일정하지 않았다. 로마 제국의 경우 새 정착지들의 토대가 고고학적 탐사의 초점이 되었다. 그런데 장기간에 걸친 이들 도시의 수적 감소는 덜 철저하게 조사되었다. 확장과 수축 과정의 개요는 제국 내의 행정 단위를 언급하는 중국 사료들에 광범위하게 기록되어 있다— 한 왕조 초기의 1580개 행정도시 administrative city들은 기원전 143년에 1180개로 줄어들었고, 마찬가지로 당나라 초기의 1550개 행정도시들은 713년에 1235개로 줄어들었다.[29] 이것이 시사하는 바는 많은 타운이 살아남지 못했거나, 재조직이 필요했거나, 새 장소에서 재건설될 필요가 있었다는 점이다. 이와 같은 관찰은 로마와 중국 두 제국 모두에서 보이는 도시체계urban system의 특성이다. 도시의 기초는 공통된 현상이었지만, 또한 이들 초기 국가의 정착 양상 내 불안정성의 정도와도 관련 있었다. 그러나 이 도시들의 건설 형태에는 중요한 차이점이 있었다— 중국의 도시는 로마의 도시와 다르게 영원을 위한 기념물로 형성되지 않았다는 점이다.[30]

도시 규모와 도시환경

고대 세계의 도시들은 인구 몇천 명의 10헥타르〔0.1제곱킬로미터〕 미만 도시부터 7제곱킬로미터 이상을 점유하는 로마나 상하이 같은 거대도시에 이르기까지 그 규모가 다양했음을 알 필요가 있다. 규모나 크기는 근본적으로 상이한 도시환경을 창조했다. 폼페이에서는 거주민이 1킬로미터 정도 걸으면 시골countryside로 갈 수 있었다. 반면 로마에서는 왕복 6킬로미터가 도시 여행의 표준이었고, 여정 내내 도시환경이 고려되었다. 거대도시의 규모는 그곳으로 이주한 작가들에게 경탄과 비평의 대상이었다. 더 작은 도시들은 도시적 병폐로 고통을 받지 않는 장소로 이상화되었다. 오물, 소음, 군중, 여타 이런저런 특성이 도시문학에 등장했다―풍자와 경구들은 로마의 부정적 환경과 이 환경에 대응하는 시민들을 표현했다.

폼페이의 성벽 내부는 66헥타르의 영역으로 3분의 2가 발굴되었다. 오늘날 우리가 보는 것은 건물들과 개방공간으로 구성된 도시다. 건물은 발굴된 면적의 64.6퍼센트, 도로는 17.7퍼센트, 정원과 경작지도 17.7퍼센트를 차지한다.[31] 따라서 도시 면적의 3분의 1은 주민들이 단순히 바깥에서 식물을 접하거나 혹은 도시의 다른 주민들과 접촉할 수 있는 공간으로 제공되었다. 여기에 아우구스투스〔재위 기원전 27~기원후 14〕 황제 시기부터 폼페이가 수도교水道橋, aqueduct를 통해 물을 공급받았다는 것을 덧붙여야 한다. 수로와 물의 흐름을 막거나 느리게 하는 저장 시설은 물 공급이 풍부했음을 말해준다. 물 공급은 수조에 모인 빗물 및 더 이른 초기의 우물로 추가될 수 있었으며, 이 더 이른 초기의 우물은 어느 한 지점에서 스타비아 욕장Stabian Bath으로 알려진 복합단지에 물을 공급할 수 있을 만큼 풍족했다. 결과적으로, 폼페이는 외부공간이 잘 준비된 도시로 보아야 하는바, 특히 집이 두 층 위로 올라가지 않고, 도시가 식수를 잘 공급받았다는 점 모두를 감안할 때 그러하다. 여기에는 하나의 전제가 있는데, 기원후 62년의 지진 그리고/또는 그 이후의 지진이 도시의 물 공급을 방해했을 수 있다는 점이다.

　로마 도시에서 발견된 동물은 재구성하기가 어렵다. 폼페이를 예로 들자면 당나귀, 개, 여기에 더해 소까지 집에 있었다. 포룸에서는 비둘기의 뼈들이 발견되었다고 한다. 폼페이의 모자이크는 광범위한 동식물들을 보여주고 있으나 그 가운데 많은 부분이 도시에서 멀리 떨어진 목가적 이상이라는 서로 다른 환경에 대한 환상을 만들어내기 위한 것이었다. 그러나 비둘기가 청둥오리, 가금류, 앵무새와 함께 다른 새들과 비교해 잘 표상된다는 점은 주목할 필요가 있다.[32] 새들은 사발/새 물통bird bath〔새의 미역용 물대야〕에서 물을 마시는 다른 종들과 함께 정물의 포레스코화 속 아이들의 손에서 그 모습을 보인다. 이것들은 익숙한 장면이고 라틴어로 콜룸바리움columbarium(무덤tomb)이 콜룸바columba(비둘기pigeon)에서 유래했다는 점도 기억해야 한다.[*] 이 새들은 또한 폼페이의 나일강 유역의 모자이크들과 유명한 알렉산드로스 모자이크Alexander Mosaic에서도 등장한다.[**] 이들의 편재성은 대개의 도시환경에서 발견이 되는 달갑지 않은 유해 동물인 야생 비둘기의 존재를 증명할 것이다. 비둘기들은 폼페이의 모자이크뿐만 아니라 지붕의 박공欂栱에서도 살아가는 것처럼 문학 텍스트에서 묘사되어 있다.[33] 비둘기의 배설물은 〔털을 서로 엉키게 해 조직을 조밀하게 하는〕 옷감의 축융縮絨이나 마무리/세탁에 필요한 암모니아를 생산하는 데 사용되었을

---

[*]　'콜룸바리움'은 로마 시대 묘 형식의 하나로 일종의 납골당 또는 봉안당이다.
[**]　'알렉산더 모자이크'는 1831년 폼페이에서 출토된 바닥 모자이크floor mosaic다. 알렉산드로스와 페르시아의 최후의 왕 다리우스 3세의 전투를 묘사한 것으로 알려져 있다.

가능성이 있다.

폼페이와 로마 제국의 다른 대부분의 도시에서 발견되는 도시주의의 규모는 거대도시인 로마 또는 알렉산드리아와 비교할 때 차이기 있다. 거대도시의 도시환경은 찬양이 대상이었고 도시주의를 중심에 두는 문학을 생산해냈다. 도시의 많은 작가는 스페인[에스파냐] 빌빌리스Bilbilis 출신인 마르쿠스 발레리우스 마르티알리스Marcus Valerius Martialis[103년경 몰]처럼 이주민이었으며, 그들 자신과 로마를 저술 속에 배치했다.[34] 이것은 후원자를 방문하기 위한 왕복 6킬로미터의 도시 여정을 평가하고, 또 우아한 공중욕장 또는 온천장(총 3개), 포룸(총 4개)을 통해 도시를 평가하는 주관적 문헌 기록이라 할 수 있다.[35] 도시 사실주의urban realism는 텍스트 내에서 이동의 감각을 만들어내기 위해 도시 내의 핵심 기념물과 장소를 배치하는 동시에 도시의 나머지 지역과 함께 도시의 특정 지역(수부라Subura)에 내포된 고령의 매춘부 이미지를 신전, 신성한 거리, 황제의 궁전 등이 포함된 도시의 가장자리에 병치함으로써 이루어졌다.[36]* 라틴 작가들의 사실주의는 도시를 관통하는 움직임의 감각적 경험에 대한 암시로 완성되었다. 곧 습하고 오물로 지저분한 거리, 아치형 수도교에서 떨어지는 물, 동물과 사람 무리 등이다.[37] 마르티알리스에게 발견되고, 데키무스 유니우스 유베날리스Decimus Junius Juvenalis[55년경~140년경]의 유명한《풍자Satires》제3권에서 차용된 이 주관적 사실주의는 각종 감각적 경험으로 둘러싸인 도시환경의 발전에 대한 증거를 제공한다. 감각적 경험들을 통해

---

* '수부라'는 고대 로마 시대에 유흥가로 악명이 높았던, 로마시의 하층민촌이다.

주민들은 처음으로 도시를 떠나지 않고도 한 시간 넘게 여행을 할 수 있었다. 이는 폼페이의 경우에서 보았듯이 20분 이내의 여정이 거주민을 도시의 가장자리로 인도해 시골과 접촉하게 하는 여타 로마 도시에서의 여행과는 현저히 대비된다. 이런 텍스트에서 이야기의 진행은 도시를 바라보는 시선에 달려 있다. 퀴리날리스Quirinalis 언덕 위의 혹은 자니콜로Gianicolo 언덕 위의 유리한 지점vantage point〔멀리 한눈에 내다볼 수 있는 위치〕에서 바라보는 시선은 중요한 차이가 있다. 퀴리날리스에서의 관찰은 도심urbs의 집에서 바라보는 시선이고, 자니콜로에서의 관찰은 도시의 바깥에서, 시골에서 혹은 농가rus에서 바라보는 시선이다.[38] 이 문학에 내재하는 것은 유리한 지점에서 바라볼 수 있는 끝없는 도시적 환경으로 몇 줄의 시구에 혹은 유베날리스의 《풍자》 제3권 속 일련의 장면에 집약되어 있다.[39] 작가들은 그들의 쓰레기〔글〕 후원자 뒤에서 습하고 더러운 거리를 걷고 있는 고객들처럼 자신들을 거리에 자리하게 할 수 있었고, 그들의 쓰레기〔글〕에서 도시를 바라보는 후원자들과는 다소 다른 자신들만의 도시에 대한 시각을 제시할 수 있었다―이와 같은 시각은 도시의 거주민들과 단절되어 있었고, 도심의 농가에서rus in urbe 작가들의 작품을 내려다보던 후원자의 시각과는 다소 달랐다. 로마는 서양의 가장 큰 거대도시로서 엘리트와 대중이 공유하는 도시환경을 가지고 있었으나, 이 두 집단의 생활은 주거 유형과 도시 내 여행 방법을 통해 차별화되었다. 결과적으로 엘리트(실제적 도시 관리자들)는 포룸, 욕장, 신전처럼 공공의 상호작용을 촉진하는 도시경험 urban experience의 형태를 창조했다. 그러나 동시에 도시 거주민들의 생활 조건은 크게 신경을 쓰지 않았다.

비공식적 계획과 법

지금까지는 공식적 계획에 집중했고 격자 거리와 도시 형성에 중요한 도시 제도들에 대해 다뤘다. 그러나 계획에는 이것보다 더 많은 것이 있다. 어느 도시에서든, 개인은 자신을 포함한 주민들이 도시를 이용하거나 다른 사람들을 위해 임대 숙소를 제공하는 방식을 마련하는 행동을 취한다. 도시의 경험을 형성하는 모든 범위의 개인적 개입을 함축하는 데서 요구되는 구체적 분석이 가능한 고대 도시는 거의 없다. 중국 도시들은 목재로 지어졌고, 그 결과, 오늘날 고고학 기록에는 집들에 대한 증거가 거의 없다. 대조적으로, 지중해와 유럽에서 석재로 지은 도시들은 이후에 모든 종류의 재활용 전략의 대상이 되었고, 그 결과, 많은 유적지에서 주택의 문턱이 어디에 있었는지조차 아는 게 어려울 정도로 증거들이 유실되었다. 79년 베수비우스[베수비오] 화산 폭발을 통한 〔묻혀 있던〕 폼페이의 독특한 보존은 고고학자들에게 도로의 바퀴 자국 연구를 통한 교통 순환에서부터 사람들이 앉아서 공공도로를 관찰할 수 있는 의자 배치에 이르기까지 모든 것을 조사할 수 있는 도시 실험실을 제공해주었다.[40]

폼페이 거리의 가장 주목할 특징은 많은 거리가 바퀴 달린 교통을 완전히 차단했다는 것이다. 폼페이 사람들은 바퀴 달린 탈것들이 포룸에 들어가거나 원형경기장 근처로 가는 것을 막고 싶었거니와 수많은 옆길을 가로지르는 것도 막고 싶었던 듯하다. 교통의 흐름을 촉진하기보다는 교통의 방해와 통제가 도시계획의 필수적 특징이었던 것으로 보인다. 교통의 통제로 도시계획은 성문에서 도심까지 이어지는 도시

[도판 11.2] 폼페이 거리의 교차 지점. 왼쪽에는 신들을 위한 제단이, 중앙에는 거리의 오물로부터 보행자들이 올라설 수 있는 디딤돌들이, 오른쪽에는 교차로에 자리 잡은 술집이 보인다.

를 통과하는 주요 도로에 집중되었다. 교통에 열려 있는 이들 주요 도로에 공공분수, 지역 신들을 모시는 동네 신전, 대부분의 상점이 자리했고, 거리의 분기 지점이나 교차 지점에 이와 같은 특성이 크게 집중되었다([도판 11.2] 참조). 더 큰 주택들의 위치도 유사하게 이러한 주요 도로와 연결되어 있었으며, 주요 도로에 배치된 이 주택들의 정면은 결과적으로 거리 포장을 변형시키는 계단을 만들어내고 주택 앞 도로 포장의 높이를 올리면서 보행자들의 흐름을 변화시킬 수 있었다.

이와 같은 요인들은 모두 사람과 교통의 원활한 흐름을 바꾸거나 방해했다.[41] 이것으로부터 바퀴 달린 교통과 교통의 흐름이 도시환경 관리에 거의 고려되지 않았다고 추론할 수 있다. 겨우 66헥타르[0.66제곱킬로미터]인 도시이고 도보의 도시 여정이 20분이 안 되는 만큼, 이는 아마도 놀라운 일이 아닐 것이다. 요점은 고대 도시에서 교통은 이후의 도시들에서 주목을 받을 만큼 문제가 되지 않았다는 점이다.

교통에 대한 반감은 폼페이만의 특징이 아니었다. 기원전 1세기 후반의 법령은 로마에 어떠한 제한이 있었는지를 분명히 제시한다. 하루의 처음 9시간 동안 신전이나 사제를 위한 재료를 공급하는 건설업자를 제외하고 대형 수레(플라우스트룸plaustrum/플로스트룸plostrum)의 사용이 도시에서 금지되었다.[42] 법령은 또한 소유주 또는 집주인에게 도로 사용을 방해할 수 있는 고여 있는 물의 방지 등 집 앞 거리의 유지 관리를 책임지도록 규정했다. 집주인은 또한 하수 유지에도 책임이 있었는데 하수가 막히면 악취와 함께 보건에 위협이 되어서였다. 흥미롭게도 고대 그리스 작가 스트라본Strabōn이 로마를 보면서 받은 깊은 인상은 수도교와 함께 배수구, 하수구, 도로였다.[43] 로마는 도시 내에서 물의 흐름을 물이 시민들에게 흘러간 다음 하수도를 통해 다시 빠져나가게끔 계획했다. 그러나 대조적으로 거리에 관해서는 시민들이 이용할 공간의 제공을 중시하고 교통의 흐름에는 관심을 덜 가졌다. 거리의 유지는 거리 청소(포장된 표면에서 오물/진흙 제거)와 보도 포장 등 위에서 논의한 법령에 따라 치안판사의 필수적 의무였다. 법의 강조점은 거리를 사용하도록 유지하는 것이었으나, 그 사용이란 대형 수레의 통행을 금지하고, 작은 수레, 짐 실은 동물, 쓰레기 운반 수레 혹은 다른 교통 방식은 허가하는 것이었다. 법의 적용은 현장 요인과 해석에 맡겨졌으며 이를 통해 오늘날 볼 수 있는 폼페이 거리의 형태가 만들어졌다. 그런데 의도는 명확했다. 도로는 사용해야 할 공공장소였고 법이 이를 계획했다. 거리 관련 법률의 적용은 도시에서 1마일 떨어진 로마로 향하는 도로에도 마찬가지였다. 이 길들에는 오늘날 비아 아피아Via Appia에서 볼 수 있는 것처럼 무덤이 줄지어 있었다.* 도로에 인접한 무덤의 소유주는 도로 유지에 책임이 있었을 것이다. 가장 이른 초기의 로마법전인 12표법Twelve Tables에는 〔시신을〕 로마 도시 밖에 매장해야 한다는 조목이 있었다. 로마법은 시신을 도시 밖의 매장지로 운반하는 사람의 권리를 보장했다. 이는 선조들이 도시 경계 바깥에 매장되고 기억되는 로마 도시만의 특징이다. 무덤들은 주택과 마찬가지로 소유되었고, 소유주는 필요하다면 무덤들을 개발할 수도 있었다.[44]

배수로가 막혀 오물, 고인 물, 악취가 없어야 하는 수도교에 연결된 분수대가 있는 거리 조성의 필요성은 도시적 구조의 유지를 위한 거시적 [물] 공급과 도시민의 의존이 복합적으로 작용한 최우선적 과제였다. 이것은 거리의 격자망을 새로운 형식으로 재구성할 수 있는 정도의 유연성을 허용하고, 집 앞에 석조 벤치를 건설해 포장도로의 교통 침입을 방지할 수도 있었다. 법의 제정은 단편적이었고 해석의 대상이었는바, 결과적으로 계획에서는 거리의 격자로 나타난 것이 〔실제에서는〕 거리가 차단된 채로 나누어진 전체가 될 수 있었다. 거리의 폐쇄는, 계획이 종이 위에서 어떻게 표현되었든, 도시 전체의 도로 네트워크에 영향을 끼치는 계획적 조치였다. 법의 적용과 집주인의 교통에 대한 이러한 비공식적 대응은 도시환경에서 활동을 통제할 필요성과 연결이 되는 이후의 시기에서 발견되는 계획과 더욱 밀접한 관계가 있다.

---

* '비아 아피아' 곧 '아피아 가도Appian Way'는 로마 공화정 시대인 기원전 312년에 감찰관 아피우스 클라우디우스 카이쿠스Appius Claudius Caecus가 건설을 시작한 도로로 고대 로마 최초의 군사용 도로다. 로마에서 이탈리아 남동부에 위치한 항구 브린디시까지 이어진다.

결론: 고대 도시들의 환경계획

이 장에서는 로마와 중국의 초기 도시 사이 유사성을 살펴보면서 초기 도시들의 계획과 환경 사이 관계에 대한 결론을 몇 가지 도출했다. 격자계획은, 많은 경우에, 신도시의 내부공간을 분할하는 기초가 되었고, 권력을 행사할 수 있는 공간(궁전, 시장, 포룸)의 할당과 함께 대지垈地가 분배될 수 있는 공식적 구조를 형성했다. 격자계획은 중앙 권력의 지시에 따라 신도시를 조성하고 도시를 확산하는 징후였다. 그러나 일단 도시가 설립되고 나면, 새 공공기념물의 생성, 새 목적지 혹은 활동 중심지의 발전, 수레가 차단된 도로를 통해 도시환경이 바뀌었다. 로마나 폼페이의 거리 너머의 환경은 집, 아파트 블록apartment block, 정원(혹은 안뜰)으로 구성되었다. 이와 같은 조합은 가축과 야생 동물(비둘기 포함)은 물론 실내와 야외 생활을 위한 환경을 조성했다. 로마에는 장기 남성 거주자를 위한 무료 곡물과, 깨끗한 물이 풍부하게 공급되었다. 이런 형태의 공급은 붐비고, 시끄럽고, 더러운 거리를 묘사하는 문학 담론을 통해 기록된 도시환경에 계획되지 않은 영향을 끼치며 로마에 더 많은 인구를 유지하게 했다.

주

1 George William Skinner, ed., *The City in Late Imperial China* (Palo Alto, Calif.: Stanford University Press, 1977), 19; Walter Scheidel, "A Model of Demographic and Economic Change in Roman Egypt after the Antonine Plague", *Journal of Roman Archaeology*, 15 (2002), 97–113. 고대 로마와 중국의 비교에 대한 최근의 유행에 대해서는 Walter Scheidel, *Rome and China. Comparative Perspectives on Ancient World Empires* (Cambridge: Cambridge University Press, 2009).

2 Francis Haverfield, *Ancient Town Planning* (Oxford: Clarendon, 1913).

3 Aristotle, *Politics*, 2.1267b, 7.1330b에서 아리스토텔레스는 현대적 도시계획의 시작을 피레우스와 직선거리가 없었던 더 이른 초기 도시의 계획과 구분한다. 도시계획의 초기 형태에 대해서는 Guy Metraux, *Western Greek Land-Use and City-Planning in the Archaic Period* (New York: Garland Press, 1978).

4 John Ward-Perkins, *Cities of Ancient Greece and Italy: Planning in Classical Antiquity* (New York: G. Braziller 1974), 8–9; 다음의 책과 공통부분이 많다. Ferdinando Castagnoli, *Ippodamo di Mileto e l'urbanistica a pianta orthogonale* (Rome: De Luca, 1956); Eddie J. Owens, *The City in the Greek and Roman World* (London: Routledge, 1992), 100–102.

5 Lewis Mumford, *The City in History* (Harmondsworth: Penguin, 1961); 이것에 대해서는 Ray Laurence, "Writing the Roman Metropolis", in Helen Parkins, ed., *Roman Urbanism* (London: Routledge, 1997), 1–20.

6 Alex Scobie, "Slums, Sanitation, and Mortality in the Roman World", *Klio*, 68 (1986), 399–433; Alex Scobie의 재확인에 대해서는 Ray Laurence, "Writing the Roman Metropolis", Walter Scheidel, "Germs for Rome", in Catharine Edwards and Greg Woolf, eds., *Rome the Cosmopolis* (Cambridge: Cambridge University Press, 2003).

7 O. F. Robinson, *Ancient Rome: City Planning and Administration* (London: Routledge, 1992).

8 이 부분의 자료에 대한 전체 논의에 대해서는 Yinong Xu, *The Chinese City in Space and Time. The Development of Urban Form in Suzhou* (Honolulu: University of Hawaii Press, 2000), 11–56. 기원전 7세기로 거슬러 올라가는 이러한 과정의 흔

적과 텍스트에 대한 보다 넓은 논의에 대해서는 A. F. Wright, "The Cosmology of the Chinese City", in Skinner, ed., *The City in Late Imperial China*, 33-73.

9   Kwang-Chih Chang, *The Formation of Chinese Civilization: An Archaeological Perspective* (New Haven: Yale University Press, 2005).

10 Paul Wheatley, *The Pivot of the Four Quarters. A Preliminary Enquiry into the Origins and Character of the Ancient Chinese City* (Edinburgh: Edinburgh University Press, 1971), 411-418.

11 비트루비우스Vitruvius의 《건축 10서De Architectura》는 3권에서 도시 건축의 첫 번째 요소로 신전에 대해 논의하지만, 다른 공공 건축물은 바람, 열, 여름, 겨울, 기타 등등과 함께 5권에서 다루어진다.

12 Xu, *The Chinese City in Space and Time*, 34-36.

13 Joseph Rykwert, *The Idea of a Town* (London: Faber, 1976); Paul Wheatley, *City as Symbol* (London: H. K. Lewis, 1967)는 1967년 11월 20일 유니버시티 컬리지 런던에서 행해진 그의 부임 강연에서 비교된다. 대지 신에 대한 희생을 포함하는 건립의식과 관련된 다른 비교 영역도 있다. 이에 대해서는 Wright, "The Cosmology of the Chinese City", in Skinner, ed., *The City in Late Imperial China*, 36-37. 다음과도 비교해보라. Ray Laurence, Simon Esmonde Cleary, and Gareth Sears, *The City, in the Roman West* (Cambridge: Cambridge University Press, 2011).

14 Xu, *The Chinese City in Space and Time*, 50.

15 인용 출처는 ibid. 23.

16 Wright, "The Cosmology of the Chinese City", 53-54.

17 Ray Laurence, "The Image of the Roman City", *Cambridge Archaeological Journal*, 10 (2000), 346-348.

18 Xu, *The Chinese City in Space and Time*, 2.

19 Wheatley, *City as Symbol*, 14.

20 Livy, *History of Rome*, 5.1-24.

21 Chye Kiang Heng, *Cities of Aristocrats and Bureaucrats. The Development of Medieval Chinese Landscapes* (Honolulu: University of Hawaii Press, 1999), 2-3. 장안에서 5~6킬로미터 떨어진 한 제국 최초의 수도 건립에 대해서는 Wright, "The Cosmology of the Chinese City", 43-44.

22 Heng, *Cities of Aristocrats and Bureaucrats*, 3-4.

23 Ibid. 11은 이 주제에 대해 이븐 와하브Ebn Wahab를 인용한다.

24 Eusebius Renaudot, *Ancient Accounts of India and China by Two Mohammedan Travellers* (London: S. Harding, 1733), 58-59; 아랍어 텍스트와 이의 프랑스어 번역에 대해서는 M. Reinaud, *Relations des voyages faits par les Arabes et les Persans dans l'Indie et la Chine dans le IXe s. De l'ère chrétinne* (Paris: not stated, 1845).

25 자세하게는 Renaudot, *Ancient Accounts of India and China*, 48-49.

26 Heng, *Cities of Aristocrats and Bureaucrats*, 19-23, 33-36.

27 Tacitus, *Agricola*, 19-22.

28 Suetonius, *Life of Vespasian*, 9.

29 Skinner, ed., *The City in Late Imperial China*, 21.

30 Wright, "The Cosmology of the Chinese City", 33-34.

31 Wilhelmina F. Jashemski, *The Gardens of Pompeii*, vol. 1 (New Rochelle: Caratzas, 1979).

32 새들의 모습과 새들의 표상에 대한 완전한 처리에 대해서는 Antero Tammisto, *Birds in Mosaics* (Rome: Acta Instituti Romani Finlandiae 18, 1997).

33 이 모든 위치는 텍스트에서 식별된다. 참고자료로는 Jocelyn M. C. Toynbee, *Animals in Roman Life and Art* (London: Thames & Hudson, 1973), 258-259.

34 Victoria Rimmell, *Martial's Rome. Empire and the Ideology of Epigram* (Cambridge: Cambridge University Press, 2008).

35 Barbara K. Gold, "*Accipe divinitas et vatum maxi mus esto*: Money poetry, mendicancy and patronage in Martial", in A. J. Boyle and W J. Dominik, eds., *Flavian Rome: Culture, Image, Text* (Leiden: Brill, 2003), 591-612.

36 Martial, Epigrams, 1.70, ahems 관련 논의에 대해서는 Ray Laurence, "Literature and the Spatial Turn: Movement and Space in Martial's 12 Books of Epigrams", in Ray Laurence and David Newsome, eds., Rome, *Ostia and Pompeii: Movement and Space* (Oxford: Oxford University Press, 2011).

37 Martial, Epigrams, 5.22; R. E. A. Palmer, "Jupiter Blaze, Gods of the Hills, and tlie Roman Topography of CIL VI.377", *American Journal of Archaeology*, 80 (1976), 43-56.

38 Martial, Epigrams, 4.64. Paolo Liverani, "Ianiculum", in Vincenzo Fiocchi Nicolai,

M. Grazia Granino Cecere, and Zaccaria Mari, eds., *Lexicon Topographicum Urbis Romae Suburbium III* (Rome: Quasar, 2005), 82-83. 위치에 대해서는 Martial, Epigrams, 7.17. Guillermo G. Vioque, *Martial, Book VII. A Commentary* (Leiden: Brill, 2002), 136-143.

39 Paul A. Miller, "'I get around': Sadism, Desire, and Metonymy on tlie Streets of Rome with Horace, Ovid, and Juvenal", in David H. J. Larmour and Diana J. Spencer, eds., *The Sites of Rome: Time, Space, Memory* (Oxford: Oxford University Press, 2007), 138-167.

40 Ray Laurence, *Roman Pompeii: Space and Society* (Routledge: London, 2007); 다음은 도시 형성에 대한 개인적·집합적 개념 발전을 보여준다. David J. Newsome, and Ray Laurence, *Rome, Ostia and Pompeii: Movement and Space* (Oxford: Oxford University Press, 2011).

41 모든 설명에 대해서는 Laurence and Newsome, *Rome, Ostia and Pompeii*, 그리고 Marina Weilguni, *Streets, Spaces and Places. Three Pompeian Movement Axes Analysed* (Uppsala: Boreas, 2011).

42 O. F. Robinson, Ancient Rome. *City Planning and Adminisatration* (London: Routledge, 1992); 헤라클레아 서판Tabula Heracleensis 번역에 대해서는 Michael Crawford, *Roman Statutes* (London: Institute of Classical Studies, 1996), 372-378.

43 Justinian, *The Digest of Roman Law*, 43.23; Strabo, The Geography, 5.3.8.

44 Justinian, *The Digest of Roman Law*, 11.7-8; 12표법에 대해서는 Cicero, *On the Laws*, 2.23.58, 2.24.61.

참고문헌

Chang, Kwang-Chih, *The Formation of Chinese Civilization: An Archaeological Perspective* (New Haven: Yale University Press, 2005).

Haverfield, Francis, *Ancient Town Planning* (Oxford: Clarendon, 1913).

Heng, Chye Kiang, *Cities of Aristocrats and Bureaucrats. The Development of Medieval Chinese Landscapes* (Honolulu: University of Hawaii Press, 1999).

Laurence, Ray, "Toe Image of the Roman City", *Cambridge Archaeological Journal*, 10 (2000), 346-348.

Laurence, Ray, *Roman Pompeii: Space and Society* (London: Routledge, 2007).

Laurence, Ray, and Newsome, David, *Rome, Ostia and Pompeii: Movement and Space* (Oxford: Oxford University Press, 2011).

Laurence, Ray, et al., *The City in the Roman West* (Cambridge: Cambridge University Press, 2011).

Robinson, O. F., *Ancient Rome: City Planning and Administration* (London: Routledge, 1992).

Rykwert, Joseph, *The Idea of a Town* (London: Faber, 1976).

Scobie, Alex, "Slums, Sanitation, and Mortality in the Roman World", *Klio*, 68 (1986), 399-433.

Skinner, George William, *The City in Late Imperial China* (Stanford: Stanford University Press, 1977).

Weilguni, Marina, *Streets, Spaces and Places. Three Pompeian Movement Axes Analysed* (Uppsala: Boreas, 2011).

Wheatley, Paul, *The Pivot of the Four Quarters. A Preliminary Enquiry into the Origins and Character of the Ancient Chinese City* (Edinburgh: Edinburgh University Press, 1971).

Xu, Yinong, *The Chinese City in Space and Time. The Development of Urban Form in Suzhou* (Honolulu: University of Hawaii Press, 2000).